^{y} Ferch Fach $^{yn}_y$ Gwresogydd

MAM, ALZHEIMER A FI

MARTIN SLEVIN

ADDASIAD MANON STEFFAN ROS

Cyhoeddwyd gyntaf yng Nghymru 2019
© Hawlfraint Martin Slevin, 2019

Cyhoeddwyd ym Mhrydain gan Monday Books 2012
www.mondaybooks.com

Mae hawl Martin Slevin wedi'i gydnabod fel awdur y gwaith hwn
dan Ddeddf Hawlfreintiau, Dyluniadau a Phatentau 1988.

Cynllun y clawr: Paul Hill
Llun y clawr: Getty Images

Rhif Llyfr Rhyngwladol: 978 1 78461 749 3

Dymuna'r cyhoeddwyr gydnabod cymorth ariannol
Cyngor Llyfrau Cymru

Cyhoeddwyd ac argraffwyd yng Nghymru
ar bapur o goedwigoedd cynaliadwy gan
Y Lolfa Cyf., Talybont, Ceredigion SY24 5HE
e-bost ylolfa@ylolfa.com
gwefan www.ylolfa.com
ffôn 01970 832 304
ffacs 01970 832 782

y Ferch Fach yn y Gwresogydd

Cynnwys

Cyflwyniad

Cyflwynaf y llyfr i fy mhlant, Rebecca a Daniel, a gredai fod eu nain yn wirion bost, ond roedden nhw'n ei charu'r un fath.

Ac i Heather, a'm helpodd i ymdopi.

A hefyd i holl deuluoedd pobl â chlefyd Alzheimer; nid ydych ar eich pen eich hun.

I Dad.

Ac yn olaf, ond yn bennaf, i Mam.

Mae'r hyn sy'n dilyn i gyd yn wir.

Rose Slevin, 1925–2007

Rhagair

Dylwn egluro o'r dechrau nad oes gennyf unrhyw hyfforddiant meddygol ffurfiol. Gallaf roi plastr ar gwt, a dyna i gyd. Mae popeth rwy'n ei wybod am ddementia, a chlefyd Alzheimer yn benodol, wedi'i gasglu o lyfrau rwyf wedi'u darllen neu oddi ar y we neu o'r hyn rwyf wedi ei weld fy hun. F'eiddo i yw'r sylwadau, y datganiadau a'r casgliadau a geir yn y llyfr hwn.

Ym Mhrydain heddiw, mae mwy o arian yn cael ei wario ar lansio math newydd o bersawr eillio nag ar ymchwil i glefyd Alzheimer. Er ein bod am i ddynion y byd yma arogleuo'n hyfryd, rwy'n credu y byddem hefyd eisiau i'n rhieni a'n neiniau a'n teidiau brofi ansawdd bywyd da yn eu henoed, ac ar hyn o bryd nid yw hyn ar gael iddynt oherwydd anwybodaeth feddygol.

1

Rholio'r Carped

CLEFYD ALZHEIMER YDY'R unig gyflwr meddygol y gwn i
amdano sy'n effeithio ar deulu'r claf yn fwy nag ar y claf
ei hun.

Mae teimlyddion hir ei ffantasïau lliwgar yn ymestyn allan
o hyd, yn cyffwrdd, yn cripian, yn crafu ac yn cofleidio pawb
sydd o fewn cyrraedd nes bod pob un yn rhan o'r drasiedi fawr,
a phawb â'i ran i'w hactio yn y ddrama. Tra bod hyn i gyd yn
digwydd, mae'r claf yn ei fyd bach ei hun, yn profi'r holl liwiau,
y siapiau a'r profiadau fel petai dim byd wedi newid, heb syniad
yn y byd am y dymestl sy'n bodoli o'i gwmpas.

Os ydych chi'n torri'ch coes, mae o'n anghyfleus i chi.
Chi sy'n eistedd adref mewn plastr, chi sy'n teimlo'r boen a
chi sy'n gorfod ymdopi: eich problem chi ydy hi. Efallai fod
rhai aelodau o'ch teulu yn cael eu heffeithio mewn ffyrdd
ymarferol, yn gorfod rhoi help llaw i chi gyda hyn a'r llall,
ond chi sy'n dioddef. Mae clefyd Alzheimer yn gweithio i'r
gwrthwyneb. Gydag Alzheimer, problem pawb arall ydy'r
cyflwr; rydych chi'n ymddwyn fel petai dim wedi newid, ac
mae'n rhaid i bawb arall dderbyn a byw gyda'ch meddylfryd
cwbl newydd.

'Mae o'n debyg i rolio carped,' meddai'r meddyg. Roedd
Mam a minnau'n eistedd yn y Caludon Centre, yn Ysbyty

Walsgrave yn Coventry, ar ôl iddi gael ei chyfeirio yno gan y meddyg teulu. Roedd o wedi amau bod dementia arni pan aeth Mam i'r feddygfa i gwyno am ferch fach oedd yn byw mewn gwresogydd yn ei thŷ, ac yn sibrwd pethau atgas am aelodau o'r teulu. Anfonodd y ddynes wrth y dderbynfa am feddyg, a daeth yntau o'i ystafell i ganfod Mam yn creu anhrefn ymysg y cleifion eraill; roedd hi'n dringo'r cadeiriau ac yn trio tynnu ar y llenni, am eu bod nhw'n rhy fyr a ddim yn cyrraedd sil y ffenest.

Nawr, edrychai'r meddyg ysbyty arna i dros ei ddesg gan anwybyddu Mam, oedd yn eistedd yn fy ymyl heb syniad yn y byd ein bod ni'n ei thrafod hi.

'Dychmygwch eich bod chi'n sefyll ar un pen i ddarn hir o garped,' meddai. 'Mae'r darn sydd agosaf atoch chi'n cynrychioli'r presennol, ac mae'r pen pellaf yn cynrychioli plentyndod eich mam. Fel 'dan ni'n dechrau rholio'r carped, mae'r atgofion sy'n cael eu rholio yn cael eu colli am byth, ac mae ei meddwl yn symud yn ôl mewn amser. Mwya'n y byd 'dan ni'n rholio'r carped, pella'n y byd mae eich mam yn gorfod ei deithio i ddod o hyd i'w hatgofion.'

Nodiais yn araf, yn ceisio deall. Syllai Mam ar y llenni oren gyda dirmyg. Roedden nhw'n hen ac yn garpiog, ac wedi bod yno ers blynyddoedd maith, mae'n siŵr. Ro'n i'n gwybod ei bod hi'n meddwl y gallai wneud pâr llawer gwell iddo mewn dim o dro. Ro'n i'n hanner disgwyl iddi gynnig gwneud y joban iddo.

'Rydw i eisiau gofyn ambell gwestiwn syml i'ch mam,' meddai'r meddyg, gan lygadu Mam.

Gwenodd Mam arno'n gyfeillgar.

'Pa flwyddyn ydy hi, Rose?'

Crychodd talcen Mam.

'Wel wir, mae hynny'n anodd,' meddai. 'Un funud rŵan. Ydy hi'n dal yn rhyfel?'

Gwenodd y meddyg. 'Yr Ail Ryfel Byd 'dach chi'n feddwl?' Nodiodd Mam.

'Na, fe ddaeth hwnnw i ben yn 1945,' meddai'r meddyg. 'Pa flwyddyn ydy hi rŵan?'

'Wel, mae o ar ôl hynny felly,' atebodd hithau.

'Mae'n 2002,' meddai'r meddyg.

'Ia, dyna ni,' meddai Mam, a fyddai wedi cytuno petai o wedi dweud ei bod hi'n 1812 a Napoleon yn ei anterth yn Ffrainc.

Gwasgais ei llaw ryw ychydig, a throdd ei hwyneb ata i a gwenu.

'Dwi am ofyn i chi gofio ambell beth, Rose,' meddai. 'Ac yna, mewn 'chydig funudau, bydda i'n gofyn i chi beth ydyn nhw. Ydy hynny'n iawn?'

'Yndi tad,' meddai Mam, gan wenu'n ôl arno.

'Beiro, papur newydd, siswrn, cloc a phâr o sgidiau,' rhestrodd yn araf.

Nodiodd Mam yn hyderus.

'Pwy ydy'r Prif Weinidog heddiw?'

'Margaret Thatcher, *the milk snatcher!*' cyhoeddodd Mam yn fuddugoliaethus.

Pan oedd hi'n Weinidog Addysg – cyn ei hethol yn Brif Weinidog yn 1979 – roedd Mrs Thatcher wedi cael ei chyhuddo o fod yn gyfrifol am ddod â therfyn i'r polisi llaeth am ddim i blant ysgol.

'Na, Tony Blair ydy'r Prif Weinidog ar hyn o bryd,' meddai'r meddyg.

'Wela i,' meddai Mam. 'Dwi'm yn ei licio fo.'

'Pa fis ydy hi?'

'Ebrill!' meddai Mam yn hyderus.

'Na, mae'n fis Awst,' atebodd y meddyg.

'Ydy, dyna chi.'

'Rŵan, dwi am i chi ddweud wrtha i, Rose – ydych chi'n cofio'r rhestr o bethau ddywedais i wrthych chi gynnau?'

'Ydw,' meddai. 'Siswrn.'

'Da iawn,' nodiodd y meddyg.

'Beic, het ffwr a bocs o siocledi!'

Edrychai Mam yn falch iawn ohoni ei hun. Roedd y meddyg wedi rhoi'r gorau i nodio.

'Dwi'n meddwl bod angen inni wneud profion pellach,' meddai.

*****

Does dim ffordd o brofi hyn bellach, ond dwi'n argyhoeddedig fod dementia Mam wedi dechrau ar y diwrnod y bu Dad farw. Dwi'n meddwl bod y sioc wedi gwneud rhywbeth iddi, ac wedi achosi'r cyflwr.

Roedd fy rhieni'n briod am fwy na hanner canrif, a fuon nhw fyth ar wahân yn ystod y cyfnod yna. Roedden nhw'n adar o'r unlliw. Cafodd Dad *triple bypass* ar ei galon bymtheg mlynedd ynghynt; cafodd ddegawd a hanner o fywyd ar ei ôl, ond roedd o'n ddyn wedi torri. Yn araf, araf, aeth yn fethedig; ym mlwyddyn olaf ei fywyd, bu Mam yn ei nyrsio fel petai'n blentyn bach, ac, er bod y diwedd yn hir yn dod, roedd ei farwolaeth yn sioc enfawr iddi.

Roedd fy rhieni o Ddulyn; dyna lle wnaeth y ddau gwrdd a phriodi, ac fe'm ganwyd i yn Iwerddon ar adeg pan oedd arian a gwaith yn brin. Mae stori yn y teulu am y tri ohonon ni mewn marchnad yn Nulyn pan o'n i'n bedair blwydd oed, yn 1961, a minnau'n gofyn am afal. Edrychodd Mam yn ei phwrs ond doedd ganddi mo'r arian.

'Mae hi'n bechod ofnadwy pan na fedra i brynu blydi afal i fy hogyn bach!' meddai Dad, ac o fewn wythnos, roedd ein teulu wedi symud i Coventry. Erbyn heddiw, fel sawl lle arall, mae'n lle digon tlawd, ond ar y pryd, roedd hi'n ddinas fyrlymus a ffyniannus, cartref ceir Jaguar – iddyn nhw roedd Dad yn gweithio – tractorau Massey Ferguson, tacsis du Llundain a llawer o enwau cyfarwydd eraill.

Roedd Mam yn wych am wnïo, felly dechreuodd ei busnes ei hun o'n byngalo dwy lofft ni, yn gwneud llenni a chwrlidau i bobl roedden ni'n eu hadnabod. Wrth i bobl ddechrau clywed am safon ei gwaith, adeiladodd Dad estyniad i'r tŷ. Yr ystafell yma oedd byd Mam am yr ugain mlynedd nesaf. Prin y medra i gofio amser pan nad oedd hi yno, yn torri, pwytho, darnio neu fesur defnydd. Roedd cannoedd o ddarnau bach o edafedd ar y wal mewn raciau arbennig a adeiladwyd gan Dad, ac ynghyd â bwrdd hir a thri pheiriant gwnïo mawr, roedd ganddi ei ffatri fach ei hun yn ein tŷ ni. Dwi'n sôn am wnïo Mam yma gan ei fod o'n esbonio ei diddordeb yn llenni blêr y feddygfa.

Roedd y misoedd a arweiniodd at farwolaeth Dad yn rhai anodd. Roedd fy mhriodas innau'n dod i ben yn yr un cyfnod, a dyna pam, flwyddyn ar ôl i Dad ein gadael ni, roeddwn i yng nghegin Mam yn esbonio wrthi pam 'mod i'n mynd i symud yn ôl ati i fyw.

'Am hyfryd!' meddai. 'Ond be am dy wraig? Ydy hi ddim yn meindio?'

''Dan ni wedi gwahanu,' atebais yn syml.

Edrychodd Mam arna i. Doedd hi ddim yn ymddangos ei bod hi'n deall yr hyn roeddwn i'n ei ddweud.

'Ydy hi'n dod yma hefyd?'

'Na. 'Dan ni wedi gwahanu, Mam,' meddwn. ''Dan ni am

gael ysgariad. Bydd Rebecca a Daniel yn dal i fyw yna, a dwi am symud yma. Hynny ydy, os 'di o'n iawn efo chi.'

'Gwych!' meddai Mam. 'Gawn ni de efo'n gilydd bob dydd!'

Am amryw o resymau, doeddwn i heb fod yn ymweld â Mam yn aml – unwaith yr wythnos, efallai, a'r ymweliadau hynny'n ddigon byr – felly roeddwn i heb weld llanw a thrai dementia yn effeithio ar ei meddwl. Ond wrth i mi eistedd yno, sylweddolais ei bod hi wedi gwaethygu ers ein hymweliad â'r Caludon Centre ychydig fisoedd ynghynt. Symudais yn ôl ati dros y dyddiau nesaf, gan lenwi llofft fy mhlentyndod gyda geriach fy mywyd priodasol. Unwaith i mi setlo, daeth hi'n amlycach byth fod Mam yn gwaelu.

Rydw i'n cofio camu allan o'r gawod un bore wrth i mi baratoi i fynd i'r gwaith – ar y pryd, roeddwn i'n warden cymunedol i Gyngor Dinas Coventry. Camais o'r gawod ar y mat, ac ymestyn am liain. Cefais sioc ofnadwy pan syrthiodd y tywel yn stribedi hirion i'r llawr – tua deuddeg ohonyn nhw, pob un yr un maint yn union, a phob un wedi eu gosod yn berffaith ar y rac. Byddwn i'n dysgu yn ddiweddarach fod y math yma o beth yn arferol i gleifion Alzheimer, a dementia yn gyffredinol – ailadrodd hen dasgau dro ar ôl tro er mwyn ceisio dod o hyd i rywbeth cyfarwydd. Ym meddwl Mam, roedd hi'n dal i weithio, yn torri defnydd i wneud llenni neu gwrlid. Wnes i ddim deall hynny am amser hir.

'Be sy 'di digwydd i'r lliain yma, Mam?' holais, gan sefyll ar y landin yn noeth ac yn dripian dŵr dros y llawr. Daliais y stribedi o liain yn fy llaw.

'Dim syniad,' galwodd Mam o'r gegin. 'Pam ti'n gofyn i fi? Gofynna i Peggy. Hi wnaeth, siŵr gen i.'

'Peggy pwy?'

'Anti Peggy, wrth gwrs!' atebodd Mam. 'Mae hi'n gwneud y math yma o beth o hyd.'

'Mam,' dywedais yn dawel. 'Mae Anti Peggy wedi marw ers pum mlynedd.'

'Wel nacdi siŵr!' mynnodd Mam. 'Ro'n i'n siarad efo hi ddoe! I be wyt ti'n dweud ffasiwn bethau?'

Cofiais beth roedd y meddyg wedi'i ddweud... Y carped ym meddwl Mam yn rholio'n araf. Os oedd Mam yn meddwl bod Anti Peggy'n dal yn fyw, mae'n rhaid ei bod hi'n byw o leiaf bum mlynedd yn y gorffennol.

Es i chwilio am liain arall.

*****

Dros y ddwy neu dair blynedd nesaf, roedd dirywiad Mam yn araf ond yn amlwg. Nid dim ond ei meddwl oedd yn cael ei effeithio: roedd hi'n gwanhau yn gorfforol hefyd. Wnes i ddim sylwi ar hyn i ddechrau, ond erbyn diwedd 2005, sylweddolais ei bod hi'n denau iawn.

Un fechan oedd Mam wedi bod erioed, a fuodd hi erioed yn dew, er ei bod hi'n bwyta'n dda. Roedd hi'n brysur o hyd, byth yn gwneud llai na thri pheth ar y tro. Byddai yn y gweithdy yn gwneud llenni, er enghraifft, gan biciad yn ôl ac ymlaen i'r gegin i blicio tatws i'n swper ni, ac yna'n sgwennu ambell linell o lythyr i rywun. (Roedd hi'n sgwennu llythyrau o hyd, ond mwy am hynny'n nes ymlaen.) Yna byddai'n dychwelyd i'r gweithdy i gario 'mlaen gyda'r llenni. Felly byddai ei chorff yn llosgi'r holl galorïau yn syth.

Bellach, sylwais ei bod hi'n beryglus o denau. Byddai'n rhaid i mi wneud yn siŵr ei bod hi'n bwyta'n iawn. Penderfynais goginio pryd iawn o fwyd iddi, ac es ati i agor y cypyrddau i chwilio am gynhwysion. Roedd pob pecyn, pob tun a phob bocs o fwyd yn y gegin fisoedd neu flynyddoedd heibio'i ddyddiad. Mae'n amlwg nad oedd hi wedi bod mor ofalus ag arfer ar ôl marwolaeth Dad.

'Mae'r stwff yma wedi mynd yn hen, Mam,' meddwn, gan chwilio am fagiau bins yn un o ddroriau'r gegin.

Eisteddodd gyda'i phen yn ei dwylo wrth iddi 'ngwylio i'n gwagio'r hen fwyd i'r bagiau cyn i'r lorri ludw ddod fore Iau.

'Ti'n mynd i fy llwgu i farwolaeth!' wylodd. 'Aros di tan i dy dad ddod adre! Mi gei di bryd o dafod ganddo fo!'

Dyna roedd hi'n arfer ei ddweud wrtha i pan oeddwn i wedi bod yn hogyn bach drwg, ac roedd y geiriau'n dal i wneud i mi deimlo'n anghysurus. Dad oedd yr un oedd wedi fy nghosbi i erioed, stopio 'mhres poced neu fy anfon i fy llofft. Ro'n i'n llond llaw pan o'n i'n fachgen bach, wastad yn aros i Dad ddod adref i ddweud y drefn.

'Fedrwch chi ddim bwyta'r stwff 'ma!' meddwn. 'Mi fasach chi'n mynd yn sâl!'

Ysgydwodd Mam ei phen. 'Fydd dy dad yn wyllt gacwn.'

'Mae Dad wedi marw, Mam,' atebais yn syml.

Edrychodd Mam arna i'n llawn ffieidd-dra.

'Sut fedri di ddweud ffasiwn beth wrtha i? Pan dwi'n meddwl am faint mae dy dad yn dy garu di, a'r holl bethau mae o'n neud i ti...'

'Dwi'n gwybod hynny i gyd, Mam, ac o'n i'n ei garu o hefyd. Ond mae o wedi marw rŵan. Ydach chi'n dallt?'

Yn ddiweddarach, pan oeddwn i'n gwybod mwy am gyflwr Alzheimer, dysgais fod yn garedicach – ond ar y pryd, credwn mai dweud fel hyn oedd y peth gorau.

Syllodd Mam arna i, gan ysgwyd ei phen yn araf, araf. 'Mi fydd dy dad mor flin pan ddaw o adre.'

Gorffennais wagio'r cypyrddau nes bod dim byd ar ôl. Gwnes restr siopa cyn troi at Mam.

'Rhaid i ni fynd i siopa rŵan, Mam,' meddwn. 'Mae'n oer, gwell i chi wisgo'ch côt.'

Fel plentyn ufudd, cododd Mam o'i chadair ac aeth i'r cyntedd. Ymestynnodd am gôt law, a'i gwisgo. Dylai'r gôt fod wedi cyrraedd ei phengliniau, ond wrth iddi sefyll o'm blaen, gwelais ei bod hi'n cyrraedd ei chanol. Roedd hi wedi cael ei thorri'n ei hanner.

'Dwi'n barod,' meddai Mam.

'Be ddigwyddodd i'ch côt chi?' ochneidiais.

'Peggy sydd wedi rhoi hem arni i mi.'

Cymerais anadl ddofn. 'Fedrwch chi ddim gwisgo honna.'

Es i nôl côt arall o'i hystafell wely. 'Rhowch hon amdanoch,' dywedais, heb edrych arni'n iawn.

'Ti'n *bossy* ofnadwy heddiw,' atebodd Mam. Tynnodd ei hanner côt a'i gollwng ar y llawr, gan wisgo'r un *cashmere* las yn ei lle. Gallwn gofio Dad yn ei phrynu'n anrheg pen-blwydd iddi ryw dro.

'Gawn ni fynd rŵan?' gofynnodd.

Roedd y pwythau o gwmpas yr ysgwydd wedi cael eu pigo, a'r llawes wedi ei thynnu'n llwyr.

'Iesu Grist, Mam!' ebychais.

'Be sy rŵan eto?' gwaeddodd Mam.

'Dim ond un ffycin llawes sydd gan honna!' sgrechiais.

'Paid ti â meiddio rhegi arna i!' bloeddiodd yn ôl. 'Aros di nes i Dad ddod adre!'

Rhedodd Mam i'w hystafell wely a thaflodd ei hun ar ei gwely, a chriodd yn uwch nag erioed o'r blaen. Sefais yn stond, yn teimlo'n ofnadwy. Yna, es i mewn i'w llofft, ei dal hi yn fy mreichiau, ac wylodd y ddau ohonon ni efo'n gilydd.

O'r diwedd, safodd Mam a minnau, ac es yn ôl i'w chwpwrdd dillad. Ymestynnais am gôt arall, gwneud yn siŵr ei bod hi'n gyfan, a'i rhoi amdani. Roedd hi'n gôt werdd lachar, a doedd hi ddim yn gweddu i weddill ei dillad, ond doedd dim ots gen i. O leiaf roedd ganddi ddwy lawes.

'Mae'n rhaid bod Peggy wedi tynnu'r llawes o'r un las,' meddai Mam. 'Hen ast ydy hi am wneud hynny, ynde?'

Gyrrais i Tesco efo Mam yn y sedd yn fy ymyl, a pharciais y car.

'Gawn ni brynu cacennau hufen a bisgedi siocled?' gofynnodd Mam yn siriol, fel petai wedi anghofio'n llwyr am yr hyn oedd wedi digwydd yn y tŷ.

'Wrth gwrs,' atebais. 'Beth bynnag 'dach chi isio.'

Gwenodd Mam arna i.

Roedd hi'n fore Sadwrn, diwrnod oer ar ddiwedd Tachwedd, a'r Nadolig ddim ond mis i ffwrdd. Roedd yr archfarchnad yn llawn pobl, a'r silffoedd yn gwegian dan bwysau nwyddau Nadolig. Roedd Mam fel merch fach. Yng nghanol y siop safai coeden Nadolig enfawr gyda thinsel yn wincio o'r canghennau mawrion. Fflachiai cannoedd o oleuadau bychain arni.

'Am beth prydferth!' meddai Mam, gan syllu. 'Mi faswn i wrth fy modd yn cael coeden fel'na.'

'Mi gawn ni un,' atebais. 'Mi wna i roi'n coeden ni i fyny mewn rhyw wythnos, ac mi gewch chi helpu i'w haddurno hi.'

Syllodd arna i'n gegrwth.

'Wir yr?'

Nodiais.

Yn sydyn, ac yn annisgwyl, rhoddodd Mam ei breichiau amdana i a'm cofleidio. Fuodd hi erioed yn un am bethau felly, ac roedd yr holl beth yn syndod i mi.

Dechreuodd y ddau ohonon ni siopa am dinsel a chacennau hufen. Byddai Mam yn gweld *eclair* siocled ac yn ei gosod yn y troli. Yna, wrth symud ymlaen i'r rhes nesaf o fwyd, byddai'n brysio i nôl cacen arall.

'Rhag ofn,' meddai, cyn ei rhoi yn y troli.

Crwydrodd Mam a fi o amgylch Tesco'r bore hwnnw gan brynu'r holl bethau iach: bisgedi siocled, bariau siocled, cacennau jam, *eclairs*, donyts, a hufen iâ. Dwi'n meddwl i ni brynu un neu ddau o bethau diflas hefyd – cyw iâr a 'chydig o datws – ond wnaethon ni ddim meddwl rhyw lawer am y rheiny.

'Mae hyn yn hyfryd!' meddai Mam wrth i ni grwydro'r siop. Roeddwn i heb ei gweld hi mor hapus â hyn ers hydoedd.

Pan ddaeth Mam a fi i'r rhan oedd yn gwerthu addurniadau Nadolig, roedd Mam wedi dotio. Taenodd linynnau o dinsel o gwmpas ein troli. Daeth o hyd i bâr o glustiau corrach oedd yn goleuo, a gwisgodd nhw wrth i ni gerdded o gwmpas yr archfarchnad. Edrychai fel Mr Spock ar asid, ac roedd hi'n mwynhau pob eiliad.

'Wnest ti ddim dweud wrtha i ei bod hi'n Ddolig!' meddai.

'Dwi heb brynu anrhegion i neb.'

'Mi gawn ni sortio hynny ryw dro arall,' atebais, gan obeithio y byddai'n anghofio. Doeddwn i ddim am i ni orfod prynu anrhegion i holl aelodau'n teulu oedd wedi marw.

Nodiodd Mam ei phen yn feddylgar a cherddodd ymlaen, heb sylwi ar yr holl bobl oedd yn syllu arni gyda gwên, ei chlustiau corrach yn fflachio'n siriol ar ei phen.

2

Y Goeden Nadolig Dragwyddol

Roedd yr wythnosau nesaf yn berffaith. Edrychai Mam ymlaen at y Nadolig, a phob pnawn, byddwn yn dychwelyd o'r gwaith a'i chael hi'n sefyll yn y drws yn aros amdana i gyda gwên – 'Ydy hi'n Ddolig eto?'

Ond doedd pethau ddim yn fêl i gyd. Mae cleifion Alzheimer yn colli gafael ar eu realaeth o hyd (wrth i'r carped gael ei rolio dan eu traed), ac maen nhw'n hawdd eu harwain. Mae hyn yn eu gwneud nhw'n darged perffaith i'r math o werthwyr sy'n brin o gydwybod.

Cyrhaeddais adref un prynhawn i ddarganfod y tŷ yn edrych fel petai wedi ei daro gan gorwynt. Roedd y *fascia* a rhai o'r cwteri ar y lawnt, ysgol yn erbyn ochr y tŷ a dyn ifanc, tua 20 oed, yn rhwygo gweddill y cwteri i ffwrdd yn ddidrugaredd. Safai ei ffrind yn yr ardd ffrynt, gan daflu pethau i gefn lorri.

'Be sy'n mynd 'mlaen fama?' gofynnais.

'Ma'r hen ddynes yn cael cwteri a *fascias* newydd,' atebodd y dyn wrth y lorri.

'Nac ydy wir!' atebais yn chwyrn. 'Tyrd i lawr o fanna!'

Daeth y ddau ddyn i sefyll ata i yn yr ardd.

'Pwy roddodd ganiatâd i chi wneud hyn?' gofynnais.

Y dyn oedd wedi bod ar y to oedd y bos. 'Yr hen ddynes.'

'Arhoswch yn fama, a pheidiwch â gwneud dim byd,' atebais. 'Gyda llaw, faint 'dach chi'n meddwl 'dach chi'n godi am y joban yma?'

'Be 'di o o dy fusnes di?'

'Fi ydy ei mab hi,' atebais, 'ac mae'r *hen ddynes*, fel ti'n ei galw hi, yn fam i mi. Ac mae hi'n dodda o glefyd Alzheimer, ac mae hi'n methu dweud wrthyt ti pa ddiwrnod o'r wythnos ydy hi. *Fi* sy'n penderfynu be sydd angen ei wneud o gwmpas y lle 'ma. Fi sy'n talu'r pres.'

'Mae hi wedi cytuno'n barod,' meddai'r bòs.

'Dydy hynny'n gwneud dim gwahaniaeth i mi. Faint?'

'Dwy fil a hanner,' atebodd, gan wneud i'r ffigur swnio mor fach a diddim â dwy bunt a hanner.

'Faint?!' bloeddiais. 'Gawn ni weld!'

I mewn â fi i'r tŷ.

'Ydy hi'n Ddolig eto?' gofynnodd Mam gyda gwên fawr. Roedd hi'n gwisgo'r clustiau corrach.

'Pwy 'di'r dynion 'na yn yr ardd?' gofynnais, gan geisio anwybyddu'r clustiau'n fflachio.

'Dwn i'm,' atebodd Mam. 'Pwy ydyn nhw?'

'Maen nhw'n rhwygo'r to oddi ar y tŷ!' gwaeddais. 'Maen nhw'n dweud eich bod chi 'di cytuno i dalu dwy fil a hanner iddyn nhw, Mam! Mae'r to yn berffaith fel mae o, dydan ni ddim angen un newydd.'

Cododd Mam ei hysgwyddau. 'Dwi ddim yn siŵr,' meddai. 'Falle mai Peggy wnaeth.'

Codais y ffôn a deialu rhif Safonau Masnach Coventry. Roedd y dyn ar ben arall y lein yn swnio fel petai hon yn hen stori. Dywedais wrtho yn union beth oedd wedi digwydd ac ymhle, a digwydd bod, roedd un o'i swyddogion yn yr ardal ar y pryd yn delio gyda chŵyn arall. Byddai'n rhoi caniad iddo ac yn gofyn iddo ddod i 'ngweld i'n syth.

'Wnaethoch chi arwyddo rhywbeth?' gofynnais i Mam.

'Fel be?'

'Cytundeb. Darn o bapur, unrhyw beth. Wnaethoch chi arwyddo rhywbeth i'r dynion yna tu allan?' Roeddwn i'n dechrau mynd i banig.

'Dwn i'm,' atebodd Mam. 'Gofynna i Peggy.'

Es yn ôl allan.

'Reit,' dywedais wrth y dynion ifanc, oedd yn aros amdana i yn yr ardd. 'Gadewch i mi esbonio hyn i chi. Mae fy mam â chlefyd Alzheimer. Mae o'n effeithio ar yr ymennydd. Mae pobl sydd ag Alzheimer yn ddryslyd. Mae hyn yn golygu na fedran nhw ymrwymo i unrhyw gytundeb cyfreithiol achos dydyn nhw ddim yn eu hiawn bwyll. Dwi'n awgrymu'n gryf eich bod chi'n ei heglu hi rŵan.'

Edrychodd y ddau ar ei gilydd. ''Dan ni angen tâl am ein gwaith,' meddai'r bòs.

'Chewch chi'r un ddima goch,' atebais. 'A dweud y gwir, chi ddylai 'nhalu i am y llanast 'dach chi 'di'i wneud.'

'Ma' gynnon ni gytundeb!' meddai'r llall. Tynnodd ddalen A4 o boced ei siaced a'i rhoi i mi. Roedd o'n llawn camgymeriadau sillafu, a doedd dim cyfeiriad busnes arno o gwbl. Ar y gwaelod, roedd llofnod Mam.

'Da i ddim.' Rhoddais y papur yn ôl iddo. 'Dydy hwn ddim yn gytundeb.'

'Yndi, mae o!' mynnodd y llall. ''Dan ni'n gwneud gwaith roedd yr hen ddynes wedi gofyn i ni'i wneud! Os wyt ti am i ni stopio rŵan, ocê, ond rhaid i ti dalu am y gwaith 'dan ni wedi'i wneud.'

'Wnaeth Mam ddim gofyn i chi wneud unrhyw beth,'

atebais. ''Dach chi wedi cymryd mantais arni. Chi ddeudodd fod y gwaith angen ei wneud, oedd yn gelwydd. Doedd hi ddim yn dallt, ac mi gytunodd hi am ei bod hi'n sâl ac mai cytuno oedd y peth hawdd i'w wneud. Does ganddi hi ddim cof o arwyddo hwnna, a dydy hi ddim yn gwybod be 'dach chi'n wneud ar y to.'

'Gawn ni setlo hyn yn y llys os ti isio,' meddai'r bòs.

Roedd gen i deimlad ei fod o'n dechrau deall 'mod i o ddifri. 'Iawn. Y llys amdani. Mi ddeuda i wrth y barnwr eich bod chi wedi cymryd mantais ar ddynes 80 oed efo Alzheimer er mwyn gallu codi crocbris am waith oedd ddim angen ei wneud yn y lle cyntaf. Mi fyddwch chi'n lwcus i beidio cael carchar.'

Edrychodd y dynion ar ei gilydd, braidd yn ansicr bellach.

Daeth car i stop o flaen y tŷ, a chamodd dyn mewn siwt dywyll allan i'r palmant. Cerddodd i fyny'r llwybr aton ni. Ymestynnodd am ei waled a dangos ei gerdyn i ni: 'Trading Standards'.

Gwyliais y ddau ddyn yn gwelwi. 'Diolch am ddod,' meddwn.

Gwenodd arna i. 'Be 'di'r broblem?'

'Mae hwn yn gwrthod ein talu ni am y gwaith 'dan ni 'di'i wneud,' meddai'r bòs cyn i mi gael cyfle i agor fy ngheg.

'Mae gynnon ni gytundeb efo'r hen ddynes!' meddai'r llall, gan chwifio'r ddalen A4. Cymerodd y swyddog Safonau Masnach y papur, a'i ddarllen yn ofalus.

Yn araf, plygodd y papur drachefn a'i roi yn ôl.

'Ydy perchennog y tŷ adre?' gofynnodd.

'Ydy,' atebais.

'Rhaid i mi siarad efo hi,' meddai, cyn mynd am y drws.

Fel tri phlentyn ysgol oedd ddim yn siŵr oedden ni mewn trwbl ai peidio, i ffwrdd â ni tu ôl i'r dyn i fyny'r llwybr.

Canodd y gloch. Gwyddwn yn iawn beth fyddai'n digwydd nesaf.

Agorodd Mam y drws yn gwisgo cardigan gydag un llawes a slipars oedd ddim yn matsio, a'r clustiau corrach yn fflachio.

'Helô,' meddai'n dawel.

'Helô Mrs Slevin,' meddai'r dyn. 'Dwi o'r Safonau Masnach. *Trading Standards,* wyddoch chi. Ga i ddod i mewn am sgwrs?'

Diflannodd Mam i mewn i'r tŷ, ac i mewn â'r dyn ar ei hôl. Wrth iddo gau'r drws ar ei ôl, gofynnodd Mam, 'Ydy hi'n Ddolig eto?'

Syllodd y tri ohonon ni ar ein gilydd mewn tawelwch. Roedd coblyn o lanast o'n cwmpas, y *fascias* a'r cwteri i gyd. Beth fyddai 'nhad wedi ei ddweud am hyn?

'Mae gynnon ni gytundeb,' meddai un o'r dynion.

'Ia, ia,' atebais yn biwis.

Agorodd y drws, a daeth y dyn o'r Safonau Masnach allan.

'Mae gynnoch chi broblem,' meddai wrth y dynion. 'Dwi'n siŵr eich bod chi'n ymwybodol fod 'na rai pobl na fedrwch chi gael cytundeb cyfreithiol â nhw. Pobl dan oed, er enghraifft. Dydy pobl dan 18 ddim yn gallu bod yn rhan o gytundeb, nac unrhyw un sy'n glaf iechyd meddwl, waeth ydyn nhw mewn ysbyty ai peidio. Mae'r ddynes yma wedi cael diagnosis o glefyd Alzheimer. Mae hi'n methu creu cytundeb efo neb.'

Rhoddais ochenaid o ryddhad.

Edrychodd y ddau arall ar ei gilydd.

'Be am y gwaith 'dan ni wedi'i wneud yn barod?' gofynnodd y bòs.

'Wel, gan nad oedd gennych chi hawl gyfreithiol i wneud unrhyw beth i'r tŷ, 'dach chi wedi creu difrod i'r tŷ. Ond mae hynny'n rhywbeth i'w sortio rhyngoch chi a gofalwr cyfreithiol y ddynes.'

'Wna i ddim talu ceiniog!' meddwn. Ond ro'n i'n gwybod nad oedd 'na lawer o obaith eu cael nhw i 'nhalu i.

Yn y diwedd, paciodd y ddau eu pethau a gadael. Edrychai'r tŷ fel petai NATO wedi bod yn profi rocedi arno.

'Mi wn i am adeiladwr fydd yn gallu trwsio hyn i gyd i chi,' meddai'r swyddog. 'Mi sgwenna i'r rhif i lawr.'

Ychydig ddyddiau'n ddiweddarach, roedd y tŷ fel newydd, a hynny wedi costio £650 i mi. Doedd hi ddim yn gwneud synnwyr ariannol i fynd â'r dynion i'r llys, ac ar ôl holi, daeth yn amlwg fod y ddau yn gweithio allan o fflat, heb gynilion, cymwysterau nac yswiriant.

Roedd hi'n wers ddrud – fod 'na bobl oedd yn poeni dim am gymryd mantais ar bobl oedd mewn gwendid. Byddai'r wers hon yn cael ei hailadrodd dro ar ôl tro. (A dweud y gwir, dyna un o'r rhesymau y dechreuais i sgwennu'r llyfr yma – i godi ymwybyddiaeth o sefyllfa fregus cleifion Alzheimer. Os ydyn nhw am fyw yn y gymuned, mae'n rhaid wynebu hyn; mae'n rhaid i'r cleifion a'u gofalwyr gael mwy o gefnogaeth gyfreithiol.)

*****

Roedd y Nadolig yn agosáu, a daeth yn amser i mi gadw fy addewid i Mam, a chodi'r hen goeden. Roedd hi'n gawres blastig chwe throedfedd oedd wedi cael ei thynnu o'r atig unwaith y flwyddyn ers cyn cof. Roedd hi mewn tri darn oedd yn ffitio i mewn i'w gilydd ar waelod plastig. Dwi'n cofio Dad yn ei gosod hi, cyn camu'n ôl ac ysgwyd ei ben yn drist, gan addo y bydden ni'n cael un newydd sbon y flwyddyn nesaf.

Rhoddais y goeden at ei gilydd yn ddigon diffwdan, a heb

feddwl, camais yn ôl ac ysgwyd fy mhen wrth edrych arni, yn union fel roedd Dad wedi'i wneud. Mae'n siŵr bod y goeden yn edrych yn eitha da 'nôl yn 1975; erbyn hyn, roedd hi'n barod am y sgip. Roedd hanner y canghennau bach ar goll, a darnau hyll o fetel moel yn ymwthio ohoni. Doedd dim coeden yn y byd oedd yn edrych fel hyn.

Meddyliais fod y goeden hon mor rhyfedd yr olwg â Mam, oedd yn gwisgo coban dan ei chardigan un llawes – ac roeddwn innau'n edrych yr un mor hen a blinedig â'r goeden hefyd.

'O, mae hi'n fendigedig!' meddai, gan guro'i dwylo mewn llawenydd pur. 'Rhaid i ni roi addurniadau arni'n syth bìn.'

'Mae 'na focs o dinsel a pheli bach gwydr yn y groglofft,' atebais. 'A' i i'w nôl nhw.'

Ond erbyn i mi ddod yn ôl i lawr y grisiau roedd Mam wedi cychwyn arni'n barod. Dawnsiai o gwmpas y goeden gyda rholyn o Andrex yn ei llaw, gan rwygo rhubanau mawr ohono a'u taflu ar y goeden. Roedd y goeden wedi ei chuddio bron dan yr holl bapur tŷ bach pinc.

'Hyfryd, Mam,' meddwn.

'Ti'n licio hi?' holodd yn ddiniwed, gan sefyll yn ôl ac edmygu ei gwaith ei hun. 'Dwi'n meddwl bod angen goleuadau arni hi.'

Ar ôl rhoi'r peli bach gwydr ar y canghennau, rhoddais linyn o hen oleuadau bychain ar y goeden. Wrth i mi eu troi nhw 'mlaen, chwarddodd Mam fel merch fach wedi ei hudo gan bopeth.

'Mae hi mor dlws!' meddai, gan wneud dawns fach o flaen y goeden Nadolig ryfeddaf erioed.

Roeddwn i'n disgwyl i'r hen oleuadau achosi i'r papur tŷ bach fynd ar dân unrhyw eiliad, a gwyliais y goeden yn ddrwgdybus.

'Rhaid i ni wahodd pobl draw i weld y goeden!' meddai Mam. 'Be am Mary drws nesa?'

Roedd yr hen wraig mewn cadair olwyn wedi bod yn ffrind da i Mam. Roedd hi wedi dod yn ffrind da i minnau hefyd – hi oedd yr un oedd wedi fy ffonio i yn y gwaith o leiaf ddwywaith yr wythnos ers misoedd i ddweud bod Mam wedi'i chloi ei hun allan o'r tŷ, gan holi a fyddwn i plis yn medru dod i'w gadael hi i mewn. Roedd hi hefyd yn gweld pethau'n gliriach nag oeddwn i.

'Dydy hi ddim yn saff i gael ei gadael tra wyt ti yn y gwaith,' meddai wrtha i'n bendant un diwrnod. 'Mi fyddai 'na rywbeth ofnadwy'n gallu digwydd. Mi fyddai'n gallu syrthio i gysgu efo'r ffwrn ymlaen, neu gael damwain… Mae angen help arnat ti.'

Rhoi Mam mewn cartref oedd ganddi mewn golwg. Gwyddwn ei bod hi'n iawn ond do'n i ddim eisiau meddwl am y peth.

'Ym… mae Mary'n cysgu,' atebais. 'Wnawn ni ofyn iddi ddod draw fory.'

Cyn gynted ag roedd Mam yn ei gwely'r noson honno, tynnais yr holl bapur tŷ bach oddi ar y goeden a rhoi'r tinsel amryliw o Tesco yn ei le. Roedd y goeden yn dal i edrych yn od, ond dyna fo, roedd hi'n hen fel pechod.

Y bore wedyn, es i'r gwaith am 7. Erbyn i mi ddod adref am 4.30, roedd hi'n amlwg bod Mam wedi cael diwrnod prysur yn addurno gweddill y tŷ. Sylwais i ddechrau fod un o fy sanau wedi cael ei rhoi i hongian ar y papur wal yn y cyntedd. Nid hosan Nadolig, nid y math o beth y bydd rhywun yn ei roi dros y lle tân i'r plant; hosan las gyffredin, wedi ei sticio ar y papur wal gyda phîn. Syllais arni am ychydig, cyn symud drwy'r drws a gweld bod pob un o fy sanau wedi cael yr un driniaeth – roedd rhai yn sownd ar y wal, rhai eraill ar y nenfwd. Roedd hi hyd yn oed wedi hongian un frown gyda thwll yn y bawd.

Dawnsiodd Mam ata i. 'Dwi 'di bod yn addurno!' meddai, gan ddangos y cyfan i mi. ''Dan ni'n mynd i gael Dolig anhygoel!'

''Dach chi 'di bod yn brysur.'

'Wel, mi wnaeth Peggy helpu,' atebodd Mam yn bendant.

'Da iawn hi. Ydach chi eisiau bwyd?'

'Ew yndw! Dydw i heb fwyta trwy'r dydd!'

'Mi wna i rywbeth i ni,' dywedais gan dynnu fy nghôt, a thrio peidio poeni am ba sanau ro'n i am eu gwisgo fory.

Yn y gegin, roedd drws yr oergell yn agored a'r cynnwys dros y llawr i gyd. Poteli o laeth, talpiau o gaws, salad, menyn. Roedd yr oergell ei hun yn wag, heblaw am ddwy dafell o fara ochr yn ochr ar un o'r silffoedd.

'Be 'di hyn?' gofynnais.

'Dwi 'di bod yn aros drwy'r dydd i'r blydi tostiwr 'na weithio,' meddai Mam.

Syllodd y ddau ohonon ni i mewn i'r oergell.

''Dan ni angen un newydd,' ysgydwodd Mam ei phen.

'Ewch i wylio'r teledu am 'chydig,' dywedais. 'Mi wna i rywbeth i'w fwyta.'

Rhoddais gynnwys yr oergell yn ôl, a thaflu'r bara oedd bellach yn sych. Yna, agorais y popty a thynnu pâr o sgidiau Mam allan ohono, cyn ei droi ymlaen.

Dwi ddim yn gogydd da iawn. Mi fedra i wneud cinio rhost go lew, ond dim byd crand. Rhoddais sglodion i'w coginio a chracio wyau i mewn i badell. Yn sydyn, daeth sgrech o'r ystafell fyw.

Brysiais yno, a gweld Mam yn cuddio tu ôl i glustog.

'Mae'r hen beth yna newydd fwyta hogyn bach!' sgrechiodd mewn braw, y dagrau'n powlio i lawr ei gruddiau.

Edrychais i'r lle roedd hi'n pwyntio. Roedd *Jaws* ar y teledu.

'Ma'n iawn, Mam.' Rhoddais fy mraich amdani. 'Dim ond ffilm ydy hi.'

Roedd hi'n torri ei chalon. 'Dydy o ddim yn iawn fod 'na bethau fel'na yn y pwll nofio!' meddai. 'Mi sgwenna i lythyr at y cyngor!'

Dyma oedd dechrau'r cyfnod o sgwennu llythyrau.

'Iawn, Mam,' atebais, gan gymryd y teclyn teledu. 'Be am i chi wylio rhywbeth arall?'

Rhoddais sianel blant ymlaen gyda chartŵns. Roedd Jerry'r gath yn cael ei waldio ar ei ben gan frwsh llawr.

'Dyna welliant,' meddwn. 'Gwyliwch chi hwn.'

Ymhen dim, roedd dagrau Mam wedi troi'n chwerthin. Gallwn ei chlywed hi wrth i mi ddychwelyd i'r gegin. Byddai'n mwynhau cartŵns cystal ag unrhyw blentyn.

Roedd cadach llestri a siswrn ar fwrdd y gegin. Codais y cadach a gweld bod Mam wedi torri cylch allan o'i ganol. Roedd y cylch wedi cael ei binio i'r wal, a rhyw staen brown yn ei ganol. Roedd 'na sgwâr o gadach llestri arall yn hongian wrth ei ymyl. Wnes i ddim meddwl ddwywaith am y peth. Mae rhywun yn gallu arfer efo unrhyw beth.

Ar ôl pryd o wyau a sglodion, eisteddodd Mam a minnau'n gwylio cartŵns. Chwarddai Mam yn uchel, a gwnaeth hynny i minnau chwerthin yn uchel hefyd. Ond wrth i mi eistedd yno, fedrwn i ddim peidio â meddwl bod rhywbeth o'i le yn yr ystafell fyw, er na fedrwn i feddwl beth oedd o. Gydag un llygad ar Daffy Duck, edrychais o'n cwmpas. Tua ugain o sanau wedi eu pinio i'r wal a'r nenfwd. Dau liain wedi eu torri dros freichiau'r gadair. Roedd popeth yn normal – wel, mor normal ag yr oedd pethau yn tŷ ni. Ond eto, roedd 'na rywbeth... Be yn y byd oedd o?

Ac yna, fe sylweddolais.

'Be ddigwyddodd i'r drws?' bloeddiais, gan lamu o'r gadair.

'Mae'r dyn wedi bod i'w newid o,' meddai Mam gan ddal i wylio'r teledu.

'Pa ddyn?'

Ar ôl i mi adael am y gwaith y bore hwnnw, roedd y drws rhwng y tŷ a'r ystafell haul roedd 'nhad wedi ei hadeiladu flynyddoedd ynghynt wedi newid o fod yn ddrws digon simsan o bren gwyn i fod yn ddrws plastig uPVC brown, gyda goleuadau bach fel diemyntau yn y gwydr.

'Pa ddyn?' gofynnais eto, gan gyffwrdd y drws, ei agor a'i gau i wneud yn siŵr ei fod o'n beth go iawn. Roedd y plastr o gwmpas y drws yn newydd hefyd. Nid joban geiniog a dime oedd hon.

'Y dyn oedd wedi dod i newid y drws, siŵr iawn,' meddai Mam. 'Stedda i lawr, wir, rwyt ti yn y ffordd.'

Mae'n swnio'n wirion, ond rydych chi'n arfer gyda phethau anarferol pan ydych chi'n byw efo rhywun sydd â chlefyd Alzheimer. Mae'r pethau rhyfeddaf yn digwydd bob dydd, ac rydych chi'n hanner disgwyl am y peth gwallgof nesaf. Ond mae'n rhaid i mi gyfaddef fod y drws newydd sbon yma yn syndod i mi.

'Ond… Ond…' dywedais, gan geisio meddwl sut y medrwn i ddatrys beth yn union oedd wedi digwydd gyda dim ond Mam i roi atebion i mi.

'Sh!' atebodd, gan chwifio'i dwylo i 'nghael i allan o ffordd y teledu.

'Faint o bres roedd y dyn yn gofyn amdano?' gofynnais.

'Dim byd.'

'Wnaeth o adael gwaith papur?'

'Dwn i'm. Gofynna i Peggy.'

'Oeddech chi'n nabod y dyn?' gofynnais.

Ysgydwodd Mam ei phen yn araf. 'Roedd o'n reit debyg i Richard.'

'Yncl Richard?'

'Ia, heblaw ei fod o'n fyrrach.'

Doedd hyn yn fawr o help. Dechreuais chwilio yn y gegin am anfoneb, cerdyn busnes, unrhyw beth. Doedd 'na ddim byd.

Ychydig ddyddiau'n ddiweddarach, cyrhaeddodd anfoneb am £4,000 drwy'r post. Bu bron i mi â llewygu pan agorais yr amlen, ond o leiaf gallwn geisio deall beth oedd wedi digwydd. Ychydig wythnosau ynghynt, roedd dyn gwerthu uPVC wedi dod i'r tŷ pan oeddwn i yn y gwaith. Cytunodd Mam â'i argymhellion i gyd ac arwyddo cytundeb, ac, wrth gwrs, anghofiodd amdano'n syth. Pan ddaeth y gweithwyr, gadawodd Mam iddyn nhw fynd ymlaen â'r gwaith. Roedd hi'n hoffi'r dyn ac yn ymddiried ynddo gan ei fod o'n debyg i Yncl Richard (ond yn fyrrach), ac ar ôl iddo fynd, anghofiodd Mam bopeth am hynny hefyd.

Ffoniais y cwmni. Bu'n rhaid i mi ddal y lein am ugain munud, a wna i ddim eich diflasu chi efo pob sgwrs a ges i efo'r ferch wrth y dderbynfa, yr adran werthu, yr adran waith a'r adran gyfrifon, a bòs pob un o'r adrannau yna: digon ydy dweud na chafodd y sgyrsiau yma ryw lawer o effaith. Ceisiais esbonio wrthyn nhw, fel roeddwn i wedi esbonio wrth y dynion yn yr ardd ychydig wythnosau ynghynt, nad oedd posib i Mam ffurfio cytundeb cyfreithiol, ac felly bod ei harcheb hi gan eu cwmni nhw yn annilys, am nad oedd hi'n deall beth oedd yn digwydd. Mynnodd pawb fod pob canllaw wedi ei ddilyn, fod y cwsmer wedi arwyddo'r cytundeb, a gan nad oedd hi wedi canslo'r gwaith a'i fod o wedi digwydd y byddai'n rhaid i Mam dalu. Yn y diwedd, rhoddais y ffôn i lawr arnyn nhw.

Ro'n i'n teimlo fel petai'r system wedi cymryd mantais ar Mam. Roedd hi wedi cael ei defnyddio, ac ro'n i'n gandryll. Roedd o'n teimlo fel petai rhywun wedi cipio ei bag oddi arni ar y stryd. Yn y diwedd, ysgrifennais 'WORK NOT LEGALLY REQUESTED' mewn llythrennau breision coch dros y bil, cyn ei anfon yn ôl at y cwmni.

Pan mae rhywun yn cysylltu efo cwmni mawr sy'n dibynnu ar gyfrifiaduron i gyfathrebu, mae'r elfen ddynol yn mynd ar goll. Yr wythnos wedyn, cefais anfoneb eto, ac anfonais hi'n ôl drachefn efo'r un geiriau wedi eu sgwennu drosti. Aeth y Nadolig heibio, ac roedd y ceisiadau am arian yn gwibio rhyngof fi a'r cwmni fel pêl dennis. Yn y diwedd, cyrhaeddodd llythyr i'n rhybuddio o achos llys. Dyma fy ymateb; dydw i ddim wedi newid gair, heblaw i mi adael enw a chyfeiriad Mam allan, ac enw'r cwmni:

Annwyl Syr,

Mae'n ymddangos fod yn rhaid i mi ysgrifennu atoch i esbonio mewn iaith glir a syml yr hyn y dylai eich gwerthwr fod wedi ei weld yn syth.

Mae'r ddynes sydd yn cael ei henwi ar eich cytundeb yn ddynes 80 oed sydd â chlefyd Alzheimer, a does ganddi ddim syniad ynglŷn â chanlyniadau arwyddo'r ffasiwn gytundeb. Gan nad yw hi yn compos mentis, mae'n amhosib iddi gael ei dal yn gyfreithiol gyfrifol am unrhyw gytundeb. Gan mai fi sy'n dal ei hatwrneiaeth, mae unrhyw gytundeb sy'n ymwneud â hi yn gorfod cael ei arwyddo gennyf fi. Nid wyf wedi arwyddo unrhyw gytundeb â'ch cwmni chi.

Os oes bwriad gennych fynd ymlaen ag achos cyfreithiol am y mater hwn, cynghoraf chi i baratoi eich hunain ar gyfer sylw negyddol yn y wasg, a chael eich portreadu fel y math o gwmni

sy'n cymryd mantais ar gleifion iechyd meddwl bregus drwy eu
perswadio i wneud gwelliannau nad oes eu hangen i'w cartrefi.
Edrychaf ymlaen at glywed gennych.

   Yn gywir,
   Martin Slevin

Chlywson ni ddim gair gan y cwmni yna wedyn, ac ro'n i'n teimlo bod hynny'n fuddugoliaeth fach dros gleifion Alzheimer a'u teuluoedd.

Cofiwch chi, mae'n rhaid i mi gyfaddef – roedd y drws yn un neis iawn.

Y Ferch Fach yn y Gwresogydd

A R Y DYDD Llun cyn y Nadolig hwnnw, dois adref o'r gwaith i weld Mam yn eistedd yn ei chadair yn yr ystafell fyw yn gwylio'r teledu, ac yn y gadair arall, eisteddai aderyn mawr heb ben na phlu, fel petai'n gwylio'r teledu efo hi.

Roedd o wedi cael ei osod yn y gadair y ffordd gywir, ei goesau bach yn pwyntio am i lawr, ei gefn yn gorffwys ar glustog. Mae'n rhaid bod yr aderyn wedi ei rewi pan gafodd ei osod yna, ond roedd wedi dechrau dadmer ac roedd olion gwlyb yn lledaenu'n staen dros ddefnydd y gadair.

'Be 'di hwn, Mam?' gofynnais, gan ddisgwyl iddi ddweud bod rhyw hen berthynas wedi dod i aros dros yr ŵyl.

'Ein twrci ni, wrth gwrs,' atebodd, fel petawn i'n dwp. 'Mi wnes i'i brynu fo yn y siop heddiw. Ro'n i'n methu peidio! Tydy o'n un da?'

Roedd label papur ar un o goesau'r aderyn:

GŴYDD NADOLIG ENFAWR
DIGON I FWYDO 12

Roedd y blwmin peth yr un maint â Rottweiler.

'Sut yn y byd wnaethoch chi ei chario hi adre?' holais, yn stryffaglu i godi'r bwystfil oddi ar y gadair.

'Ges i lifft yn ôl gan ryw foi,' atebodd Mam.

'Pa foi?'

'Roedd o'n edrych fel dy Yncl Bernard,' meddai Mam, ''mond ei fod o'n dewach.'

Daeth teimlad o *déjà vu* i fy meddwl. Wnaeth llygaid Mam ddim codi oddi wrth sgrin y teledu.

'Dim ots,' ochneidiais. Do'n i ddim am gael yr un sgwrs eto.

Cariais yr ŵydd i'r gegin a'i gollwng ar lawr. Glaniodd gyda sŵn sbloetsh gwlyb, a hedfanodd ambell ddarn o rew oddi arni. Edrychais ar ein hoergell fach. Ochneidiais, a dechrau'r gwaith o glirio dwy o'r silffoedd. Roedd yr ŵydd yn ffitio, ond fedrwn i ddim cau'r drws. Doeddwn i ddim wedi disgwyl treulio fy noson efo aderyn 25 pwys. Ond dyna ni – mae rhywun yn gallu arfer efo'r pethau rhyfeddaf.

Tynnais yr aderyn allan drachefn, heb syniad yn y byd beth i'w wneud nesaf. Roedd wythnos gyfan tan ddydd Nadolig, ac oni bai 'mod i'n dod o hyd i rywle oer i gadw'r aderyn yma, fyddai o ddim ffit erbyn hynny. Doedd dim lle yn y rhewgell. (Dim ond agor a chau'r droriau wnes i'n gyflym, heb sylweddoli ar y pryd mai llawn o fisgedi siocled oedden nhw. Ond stori arall yw honno.)

Oeddwn i'n nabod rhywun fyddai â lle i ŵydd enfawr yn ei oergell? Fedrwn i ddim meddwl am neb. Cerddais o gwmpas y tŷ yn ceisio meddwl am syniadau. Am ryw reswm, crwydrais i mewn i'r garej. Fel y rhan fwyaf o bobl, doedden ni ddim yn cadw'n car yn y garej. Roedd o'n llawn sbwriel a hen bethau – fy hen adroddiadau ysgol ('Nid da lle gellir gwell'), rholiau o garped oedd angen eu glanhau, hen blatiau a chwpanau tsieni oedd angen eu trwsio, twls Dad (roedd ar bob tŷ angen *Allen key*), y peiriant torri gwair oedd wedi colli pob swyddogaeth ar ôl i gerrig mân gael eu rhoi i lawr yn lle'r lawnt...

Twls Dad! Dacw ei hen lif. Roedd hi fymryn yn rhydlyd, ond petawn i'n torri'r ŵydd yn chwarteri, efallai y byddai lle gan bobl yn eu hoergelloedd i'w cadw i ni? Codais y llif a'i chwifio o gwmpas y lle fel petawn i'n dal Caledfwlch. Yna, dywedodd y llais bach yn fy mhen fod llif rydlyd yn debyg o wenwyno'r cig. Byddwn angen syniad arall.

Roedd hi'n rhewllyd iawn y gaeaf hwnnw...

Ychydig eiliadau'n ddiweddarach, sefais gan edmygu fy nghlyfrwch fy hun. Roedd yr ŵydd yn eistedd ar gadair haul blastig yn ymyl bwrdd picnic. Gallai aros yno, yn ddigon oer yn yr ardd ac yn rhy fawr i gael ei llusgo ymaith gan ryw gath. Gwenais – dyna ddatrys problem arall.

*****

Ar ôl swper, byddai Mam a minnau'n gwylio'r teledu efo'n gilydd ac yn rhannu sgwrs. Dyma rai o fy atgofion hyfrytaf i o Mam, er bod y siarad weithiau'n wallgof braidd.

Byddai'n dweud wrtha i am yr hyn roedd hi wedi bod yn ei wneud tra o'n i yn y gwaith – am y cowbois ar eu ceffylau bendigedig oedd wedi gyrru twr o wartheg i fyny'n stryd ni, am yr awyren oedd wedi glanio mewn pelen o dân yn ein gardd ffrynt, ac am y llong oedd wedi suddo yn y tarmac y tu allan.

I ddechrau, credwn mai ffantasi llwyr a chynnyrch dychymyg clefyd Alzheimer oedd y rhain. Yn ddiweddarach, sylweddolais mai dweud wrtha i beth roedd hi wedi'i wylio ar y teledu'r oedd hi. Roedd y cowbois o hen ffilm ddu a gwyn, yr awyren ar dân o ffilm ryfel, y llong oedd y *Titanic*, ac yn y blaen. Wrth wylio ffilm, roedd Mam yn colli'r gallu i wahaniaethu rhwng beth oedd yn real a beth oedd yn ffuglen. Roedd y cyfan yn real iddi, yn digwydd ar y stryd y tu allan neu hyd yn oed yn y tŷ. Erbyn y diwedd, byddwn yn gwrando ar ei hanesion hi ac yn ceisio dyfalu pa ffilm oedd wedi bod ymlaen ganddi heddiw. Ar ôl iddi fynd i'r gwely, byddwn yn edrych yn y cylchgrawn amserau teledu; yn aml iawn, ro'n i wedi dyfalu'n gywir.

Mae gwylio dirywiad meddwl rhywun rydych chi wedi ei charu erioed yn broses emosiynol a blinedig. Mae pethau bach yn diflannu bob dydd, un darn arall o'r meddwl wedi ei ddwyn, a waeth beth fyddwch chi'n ei wneud, ddaw o byth yn ei ôl. Mae gwylio meddwl a fu'n chwim ac yn ddisglair yn dechrau drysu yn rhwygo eich enaid. Mae'r rhwystredigaeth a'r tor calon yn eich tynnu'n ddarnau.

Roedden ni'n gwylio'r teledu ar ôl swper un noson pan drodd Mam i edrych ar y gwresogydd hir oedd ar y wal. Gwyliais mewn penbleth wrth iddi wenu'n annwyl arno, a nodio ambell waith. Symudodd ei cheg fel petai'n dweud rhywbeth, yna nodiodd eto. Trodd yn ôl at y teledu. Ro'n i wedi'i gweld hi'n gwneud hyn o'r blaen, ond ro'n i heb ddweud dim. Petai hi'n berson iach, byddai gwneud peth mor od yn achosi pryder, ond roedd y math yma o beth yn eithaf normal i Mam bellach. Wedi dweud hynny, roedd hyn yn digwydd yn amlach yn ddiweddar, a phenderfynais ei holi.

'Be 'dach chi'n wneud, Mam?' holais yn ysgafn.

Gwridodd Mam, ac ysgydwodd ei phen heb ddweud gair. Edrychai fel petai wedi cael ei dal yn gwneud rhywbeth cyfrinachol.

'Be sy'n bod ar y gwresogydd?' gofynnais.

'Dim,' atebodd Mam.

'Pam 'dach chi'n siarad efo fo 'ta?' holais wedyn, gan drio swnio'n ysgafn a hwyliog.

Ysgydwodd ei phen eto, heb ddweud gair.

Trodd y ddau ohonon ni'n ôl at y teledu, rhaglen ar ôl rhaglen. Gwyliais Mam drwy gornel fy llygad, y ffordd y byddai'n troi at y gwresogydd bob hyn a hyn ac yn gwenu neu'n dweud ambell air tawel, cyn iddi droi'n ôl at y teledu. Aeth yn dipyn o gêm – oeddwn i'n gallu ei dal hi wrthi bob tro?

Yn y diwedd, bu'n rhaid i mi ddatrys y dirgelwch.

'Pam na wnewch chi ddweud wrtha i be sy'n digwydd efo'r gwresogydd, Mam?' gofynnais.

Ysgydwodd ei phen eto.

'Dewch! Deudwch! Wna i ddim dweud wrth neb,' sibrydais.

'Mae hi wedi gofyn i mi beidio dweud!' ebychodd Mam, a'i llygaid yn llenwi â dagrau. 'Pan dwi'n rhoi fy ngair i rywun, dwi'n gwneud fy ngorau i'w gadw fo.'

'Pwy sy wedi gofyn i chi beidio dweud?' holais.

Ysgydwodd Mam ei phen eto.

'Gewch chi ddweud wrtha i, Mam!'

'Y ferch fach yn y gwresogydd,' atebodd.

Ystyriais hyn am eiliad.

'Pam nad ydy hi am i chi ddweud?'

Ar ôl tawelwch hir lle roedd Mam yn meddwl, trodd oddi wrth y teledu i'm hwynebu i.

'Mae hi ar ei phen ei hun yn fanna,' meddai, a'r dagrau'n llifo i lawr ei gruddiau. 'Mae hi'n sownd, ac mae hi'n unig, a dwi ddim yn gwybod sut i'w helpu hi.'

Codais o 'nghadair i fynd draw ati a rhoi fy mraich amdani. Wylodd Mam i 'nghesail i.

'Sut fedra i helpu?' sibrydais.

'Ti ddim i fod i wybod!'

'Dwedwch wrthi'ch bod chi wedi dweud wrtha i,' meddwn. 'A'ch bod chi'n gallu ymddiried ynof fi. Dwedwch y bydda i'n gallu trio helpu!'

Nodiodd Mam a sychodd ei llygaid, ond wnaeth ei llygaid ddim symud oddi wrth y teledu. Yna, gwelais hi'n troi ei phen ryw fymryn tuag at y gwresogydd, a chael sgwrs hir, dawel gyda'r ferch fach yn y gwresogydd. Cymerais arnaf 'mod i ddim yn sylwi. Trodd Mam yn ôl ata i.

'Mae'n dweud ei bod hi'n iawn i ti wybod,' meddai'n dawel.

'Reit dda,' atebais. 'Sut fedra i ei helpu hi?'

'Drwy adael iddi fynd yn rhydd!' Daeth y dagrau eto.

'Dwedwch wrthi fod popeth yn iawn. Mi gaiff hi ddod allan,' atebais.

Gwasgais Mam yn dynn yn fy mreichiau.

Rhoddodd gledr ei llaw ar y gwresogydd cynnes, a sibrydodd wrth y ferch fach oedd yn sownd y tu mewn iddo.

Edrychodd yn ôl arna i. 'Dydy o ddim mor syml â hynna,' meddai.

Mae'n hawdd dechrau ymgolli yng ngwallgofrwydd rhywun arall, yn enwedig os ydych chi'n byw efo nhw. Ar ôl hynny, cefais i fy hun sawl sgwrs efo'r ferch fach yn y gwresogydd – sgyrsiau tair ffordd, rhwng Mam a'r ferch fach a minnau, er mai dim ond drwy Mam y byddai'r ferch fach yn siarad efo fi.

Does gen i ddim syniad a oedd y sgyrsiau yma'n gwneud lles i iechyd meddwl Mam ai peidio. Efallai y byddai seiciatrydd yn dweud 'mod i'n gwneud cam gwag drwy smalio, ond welwn i ddim ffordd arall o'i chwmpas hi. Petawn i'n dweud wrth Mam nad oedd merch fach yn byw yn y gwresogydd, bod system wresogi gyda phibellau dwy fodfedd o led yn llawer rhy fach i gynnwys plentyn, byddai hi'n siŵr o feddwl 'mod i'n rhy ddall i weld neu'n rhy ansensitif i falio am y peth. O leiaf fel hyn, byddai'r tri ohonon ni'n cael sgyrsiau bob nos, a dros yr wythnosau nesaf, cefais fwy o hanes y ferch fach yn y gwresogydd.

Aeth Mam i'r gwely oddeutu hanner awr wedi naw y noson honno, oedd yn gynnar iawn iddi hi. Dywedodd fod sgwrsio efo'r ferch fach yn y gwresogydd wedi ei blino a'i hypsetio. Fedrai hi ddim deall sut y gallai rhywun fod mor greulon efo plentyn.

Gwyliais y teledu ychydig yn hwy, cyn treulio awr yn sgwrsio gydag ambell ffrind dros y we. Pan ddaeth amser gwely, edrychais o gwmpas y tŷ i wneud yn siŵr bod popeth wedi ei gau a'i gloi a'r holl oleuadau wedi eu diffodd. Estynnais am bâr o sanau ar gyfer gwaith yfory o'r goedwig dillad isaf yn yr ystafell fyw, a gweld yr ŵydd drwy'r ffenest, yn eistedd yn hamddenol mewn cadair yn yr ardd gefn.

Roedd popeth yn iawn.

4

Y Band Gwyddelig

FEDRA I DDIM cofio'n union pryd y symudodd y band Gwyddelig i mewn.

Rydw i *yn* gwybod fod 'na chwech ohonyn nhw, o leiaf. Roedd un yn chwarae'r acordion, o leiaf un yn chwarae'r gitâr, ffidlwr a dyn yn chwarae'r banjo. Roedd 'na ganwr o'r enw Michael, meddai Mam, ac roedd ganddo fo lais bendigedig. Ro'n i'n werthfawrogol iawn o'r hogiau yn y band bryd hynny, achos roedden nhw'n cadw Mam yn ddiddig am oriau gyda'u caneuon Gwyddelig a'u tapio traed, a dwi'n gwybod ei bod hi wedi bod wrth ei bodd yn gwrando arnyn nhw ac yn canu efo nhw.

Un peth arall am y band oedd eu bod nhw'n ei chadw hi oddi wrth y teledu, a doedd hi ddim yn ypsetio fel roedd hi'n arfer ei wneud. Dywedodd hi y byddai'r hogiau yn siŵr o ddiddanu pawb dros y cinio Nadolig. Roedd y ferch fach yn y gwresogydd, hyd yn oed, yn hoff o'r band (dwi'n meddwl ei bod hi'n arbennig o hoff o Michael), a dywedodd Mam fod y ferch fach yn hapusach nag erioed.

Daeth y dydd cyn noswyl Nadolig, ac roedd y naw ohonon ni'n tynnu 'mlaen yn wych.

Roedd fy mhenderfyniad i y byddwn i'n cyd-fynd efo dychymyg Mam yn golygu bod rhaid i minnau chwarae'r gêm.

Fyddai Mam byth yn gwneud un baned o de. Byddai'n gwneud un i bob aelod o'r band, ac i'r ferch fach yn y gwresogydd (neu, yn amlach na pheidio, gwydraid o laeth). Byddai cwpan i minnau hefyd. Roedd yr un peth yn digwydd gyda brechdanau pan o'n i yn y gwaith. Byddwn yn dod adref i ganfod pob plât a mỳg allan, o leiaf wyth paned o de oer o gwmpas y lle, cwpanaid o laeth wrth y gwresogydd, a sawl plât o frechdanau'n sychu ar fyrddau bach yma ac acw.

Pan oedd y tŷ'n llawn, fel roedd o'r Nadolig hwnnw, roedd Mam a fi'n mynd drwy dorth o fara a thri pheint o laeth bob dydd, heb sôn am yr holl fisgedi siocled.

Un bore Sadwrn, ro'n i wedi trefnu i gerdded i lawr i'r dafarn i gwrdd â fy ffrind, Andrew, am beint. Doedd Andrew a minnau ddim yn gweld ein gilydd yn aml, ond peth braf oedd ei weld o bob hyn a hyn a chael hel clecs a chwerthin. Rhoddais fy mhres – tua £30 – yn fy mhoced, cyn dechrau cerdded tuag at y dafarn. Gadewais Mam yn y tŷ yn gwrando ar 'I'll Take You Home Again, Kathleen' (wedi'i chanu gan lais angylaidd Michael, oedd bron â gadael Mam yn ei dagrau), ac i ffwrdd â fi i gwrdd ag Andrew. Ar y ffordd, galwais yn siop Harry am baced o sigaréts.

Siop gornel oedd siop Harry, y math o le roedd rhywun yn gallu prynu unrhyw beth yn y byd. Safai tua hanner ffordd rhwng ein tŷ ni a'r dafarn agosaf. Dyn o dras Indiaidd oedd Harry, a fo oedd wedi bod yn rhedeg y siop ers cyn cof. Un da oedd o am gofio enwau ei gwsmeriaid, pwy oedd yn perthyn i bwy, pwy oedd yn licio ac yn drwglicio beth. Byddai wastad yn hwyliog gyda'i gwsmeriaid, yn barod i wneud jôc a thynnu coes. Doedd yna neb oedd yn drwglicio Harry. Roedd o'n cynnig y math o wasanaeth na fyddai byth ar gael yn yr archfarchnad.

'Haia Martin!' galwodd wrth i mi gamu i mewn i'r siop, y gloch yn canu uwch fy mhen.

Estynnodd becyn o fy hoff sigaréts yn barod.

'Haia Harry.' Rhoddais fy llaw yn fy mhoced am arian i dalu.

'£38.60, plis, Martin,' meddai, wrth basio'r pecyn o 20 sigarét i mi.

Syllais arno'n gegrwth. 'E?!'

'Roedd dy fam i mewn ddoe,' esboniodd Harry. 'Mi brynodd hi'r holl fisgedi siocled oedd mewn stoc. Hanner cant o becynnau! Ac mi gerddodd allan efo nhw. Do'n i ddim isio dweud dim byd, achos dwi'n gwybod ei bod hi ddim yn hi ei hun yn ddiweddar, ac ro'n i'n gwybod y byddet ti i mewn cyn hir.'

'Wnest ti ddim meddwl bod hanner can pecyn o fisgedi yn ormod, Harry?' gofynnais, gan osod fy £30 olaf ar y cownter, y gobaith o gael peint efo Andrew yn prysur ddiflannu.

'Wel, do,' cyfaddefodd Harry. 'Ond ddim fy lle i ydy dweud beth mae pobl yn cael ei brynu, naci?'

'Dyna'r cwbl sydd gen i arna i,' meddwn, gan bwyntio at yr arian.

Cododd Harry'r pres papur. 'Dim problem, gei di dalu'r tro nesaf,' gwenodd Harry. 'Hei, sut aeth o, beth bynnag?'

'Sut aeth be?'

'Y cyngerdd! Dy fam oedd yn dweud wrtha i am y band oedd wedi dod acw o Ddulyn, a'r cyngerdd roedden nhw am ei wneud, yr holl ganeuon Gwyddelig. Mi ddywedodd hi fod y bisgedi ar gyfer yr egwyl. Felly sut aeth hi?'

Syllais arno'n gegrwth, cyn ochneidio. Ro'n i'n dechrau mynd yn dda iawn am ochneidio.

'Roedd o'n grêt, Harry, diolch iti.'

Y tu allan, rhoddais ganiad i Andrew i ddweud beth oedd wedi digwydd. Fe chwarddodd o gymaint, ro'n i bron yn siŵr ei fod o'n mynd i wlychu ei drôns.

'Tyrd draw beth bynnag,' meddai. 'Mi bryna i beint iti.'

Eisteddais efo Andrew y pnawn hwnnw, yfed ambell beint, a siarad a chwerthin. Fe wnaeth fyd o les i mi. Ro'n i'n caru Mam, ac yn teimlo mewn ffordd ei bod hi'n anrhydedd cael edrych ar ei hôl hi, ond roedd o'n waith blinedig iawn, yn gorfforol ac yn feddyliol. Mae'n beth anodd ei gyfaddef, ond weithiau, ro'n i angen dianc oddi wrthi. Ro'n i angen ymlacio, a siarad efo rhywun oedd yn byw yn yr un byd â fi. Dwi ddim yn meddwl i Andrew ddeall mor werthfawrogol o'n i o'i gwmni o, a doeddwn i ddim am gyfaddef, ond roedd o'n ffrind da i mi.

*****

Wrth i ni sgwrsio dros beint, canodd fy ffôn bach. Wendy oedd yna, fy nghyn-wraig.

'Haia,' meddai. 'Mae dy fam newydd droi i fyny yma... Mae hi ar goll ac wedi drysu. Fedri di ddod i'w nôl hi? Mor sydyn â phosib, achos 'dan ni ar ein ffordd allan i fod.'

Ochneidiais. Ysgydwodd Andrew fy llaw, a diolchais iddo am brynu diod, ac i ffwrdd â fi.

Ymhen munudau, roedd fy ffôn bach yn canu eto. Wendy.

'Haia, wyt ti'n dod? 'Dan ni'n aros i gael mynd allan!'

'Yndw, dwi ar fy ffordd. Dwi'n cerdded, dydy'r car ddim gen i.'

'Mor sydyn ag y medri di, 'ta.'

Diweddodd yr alwad.

Mae teimlyddion clefyd Alzheimer yn ymestyn allan i bob cyfeiriad, fel gwreiddiau coeden fawr, gan weithio'u ffordd i mewn i fywydau llawer o bobl. Doedd neb o'r teulu'n saff rhag y clefyd. Roedd o wedi tarfu ar fy mhnawn i efo fy ffrind, ac wedi effeithio ar ddiwrnod fy nghyn-wraig a'n plant ni.

Curais ar ddrws y tŷ yr arferwn fyw ynddo.

'Haia,' meddai Wendy pan agorodd y drws. Roedd ei chôt amdani. 'Sori i dy frysio di, ond 'dan ni ar ein ffordd i'r dre. Nath hi jest troi i fyny 'chydig funudau'n ôl.'

'Dim problem,' atebais, gan gamu heibio Wendy ac i mewn i'r tŷ.

Roedd Rebecca a Daniel, fy mhlant, yn sefyll gyda'u cotiau amdanyn nhw.

'Haia Dad,' meddai'r ddau fel côr cydadrodd.

'Haia. Sori mai ymweliad byr 'di hwn, ond dwi'n gwybod eich bod chi ar eich ffordd allan.'

Gwenodd Daniel. 'Dim ots,' meddai'n ysgafn.

'Dewch, Mam,' dywedais. 'Mae'n amser mynd adre.'

'Dwi heb orffen fy nhe eto,' meddai Mam, gan roi ei chwpan a soser i lawr.

'Mi wna i baned arall i chi pan 'dan ni adre. Mae Wendy a'r plant yn aros i gael mynd i'r dre.'

'Wel, tydw i ddim yn eu stopio nhw!'

Daliais ei chôt yn agored. Rhoddodd Mam ei braich yn y llawes anghywir.

'Ydan ni'n mynd i'r dre efo'n gilydd?' gofynnodd, gan geisio rhoi ei braich arall yn y boced yn lle'r llawes, cyn methu a symud mewn cylch, fel ci yn rhedeg ar ôl ei gynffon. Dechreuodd y ddau ohonon ni symud mewn cylch o gwmpas ein gilydd. Dyna pryd y dechreuodd Wendy ochneidio. Edrychodd Rebecca ar y nenfwd, a dechreuodd Daniel chwerthin.

'Dewch yma,' meddai Wendy, oedd yn trio helpu, ac yna ymunodd y plant. Symudodd y pedwar ohonon ni mewn cylch o gwmpas Mam, oedd yn brwydro'n egnïol efo'i chôt. Rhywsut, llwyddodd i gael ei chôt amdani, a chamodd pawb allan ar y stryd.

Cododd Mam a minnau ein dwylo ar y lleill, a dechrau cerdded adref.

'Fedrwch chi ddim dal ati i droi i fyny fel hyn, Mam,' dywedais. 'Dyna'r pedwerydd tro'r wythnos yma.'

'Wel!' atebodd Mam yn bendant. 'Fy nhŷ i ydy o!'

'Naci wir!' ebychais. 'Tŷ Wendy ydy o, a dydach chi ddim yn byw 'na!'

'Ro'n i'n *arfer* byw yna,' meddai.

''Dach chi heb fyw yna erioed! Wendy a'r plant sy'n byw 'na.'

'Wel, lle dwi'n byw 'ta?' gofynnodd Mam mewn penbleth.

Dechreuais ochneidio eto.

''Dach chi'n byw efo fi, yn eich tŷ chi.'

Pendronodd Mam wrth gerdded. Ar ôl ychydig funudau o dawelwch, gofynnodd, 'Sut mae o'n edrych?'

Erbyn hynny, ro'n i wedi anghofio am beth roedden ni'n sôn.

'Sut mae be yn edrych?'

'Fy nhŷ i.'

Roedd ein sgyrsiau'n aml fel hyn. Cofiais yr hyn roedd y meddyg wedi'i ddweud yn ôl yn 2002, am garped ei hatgofion yn cael ei rolio. Roedd hynny'n teimlo fel amser maith yn ôl bellach. Meddyliais fod llawer o pwy ydyn ni, a beth ydyn ni, yn bodoli yn yr atgofion sydd gennym. Mae cofio ddoe yn ein gwreiddio ni, yn ein helpu ni i ganolbwyntio ar ein presennol. Pan mae'r atgofion yna'n breuo neu'n diflannu, mae'n hawdd anghofio pa fath o berson ydyn ni. Mae popeth yn ansicr.

'Mae o'n dŷ hyfryd,' atebais. 'Efo'r band Gwyddelig! A'r ferch fach yn y gwresogydd, 'dach chi'n cofio?'

'Aaa ia, dwi'n cofio rŵan,' atebodd Mam. 'Ond dim dyna 'nhŷ i.'

'Wel ia!'

'Does gen i ddim cof o brynu'r tŷ 'na.'

'Mi wnaethoch chi'i brynu fo efo Dad, flynyddoedd yn ôl.'

Cerddodd y ddau ohonon ni mewn distawrwydd eto.

Roedd dau heddwas, dyn a dynes, yn cerdded tuag aton ni. Pan oedden nhw ar fin pasio, dechreuodd Mam siarad efo'r ddynes.

'Helô!' meddai, fel petai wedi adnabod y ddynes erioed. 'Ydy dy fam yn well rŵan?'

Syllodd y ddynes ar Mam, yn amlwg yn ceisio cofio pwy oedd hi.

'Rhaid i mi adrodd yr hanes yma amdana i a dy fam!' meddai Mam. 'Un diwrnod, roedd Frank a Benny wedi mynd allan am ddiod, ac roedd dy fam a finna'n edrych ar ôl Richard. Hen gythraul drwg oedd o pan oedd o'n hogyn bach, ynde?'

Edrychodd y ddynes arna i.

'Mae ganddi hi glefyd Alzheimer,' meddwn yn dawel.

Nodiodd y ddau.

'Beth bynnag,' meddai Mam. 'Doedd Richard ddim yn cael mynd allan am ei fod o mor ddrwg, ac ro'n i a dy fam...'

Ymlaen â'r stori am chwarter awr o leiaf. Gwrandawodd y ddau'n gwrtais, gan nodio a chwerthin yn y llefydd iawn. Chwarae teg iddyn nhw am wneud hynny. Wrth i Mam barablu, daeth y dyn ata i'n dawel.

'Ydy hi'n iawn?' gofynnodd dan ei anadl.

'Mae'n fam i mi,' atebais. 'Mae ganddi hi glefyd Alzheimer. 'Dach chi 'di clywed amdano fo?'

Nodiodd yntau. 'Dwi wedi ei weld o o'r blaen. Roedd fy nhaid i'n meddwl bod 'na lyn yn ei stafell wely, ac roedd o'n arfer mynd yno i bysgota.'

Roedd y ffordd y dywedodd yr heddwas y geiriau yna mor ffeithiol a di-lol, dechreuais feddwl tybed pa mor gyffredin oedd y clefyd. Ar ôl gwneud ychydig o waith ymchwil, cefais andros o sioc.

'Gwell i ni fynd,' meddai Mam. 'Cofia fi at dy fam!'

'Mi wna i,' atebodd y ddynes dan wenu.

'Un dda oedd ei mam hi,' meddai Mam wrth i ni gerdded ymlaen i lawr y stryd.

Tybed oedd Mam wedi adnabod y ddynes? Roedd hi'n sicr yn swnio fel petai hi. Ro'n i'n amau, ond do'n i ddim yn gwbl sicr. Byddai unrhyw un o'r tu allan yn meddwl bod y ddwy yn hen ffrindiau.

'Mi wnaethoch chi ddweud wrth y ferch fach yn y gwresogydd ei bod hi'n iawn iddi ddod allan, yn do?' gofynnais ar ôl dipyn.

'Do,' nodiodd Mam.

'Be ddeudodd hi?'

Ysgwyd ei phen wnaeth Mam. 'Dweud nad ydy o mor hawdd â hynny.'

5

Ein Cinio Nadolig Olaf

A R ÔL I Mam fynd i'w gwely ar noswyl Nadolig, mentrais allan i'r ardd gefn i edrych ar Godzilla'r Ŵydd. Cymerais gip sydyn dros y croen i chwilio am olion dannedd neu grafiadau, ond doedd dim byd i'w weld. Doedd dim arogl drwg o'i chwmpas chwaith – roedd hi'n ymddangos yn iawn.

Rhaid i mi gyfaddef 'mod i'n ansicr iawn am fwyta'r aderyn ar ôl iddo fod yn yr ardd gyhyd, ond rhwng popeth, doeddwn i ddim wedi cael cyfle i brynu dim byd arall – felly Godzilla neu ddim byd oedd ein dewis ni. Llusgais yr ŵydd o'r gadair yn yr ardd, a'i llusgo'n ôl i'r tŷ dros f'ysgwydd fel petai'n filwr wedi cael anaf. Byddai'n rhaid i mi ei golchi, ond roedd hi'n rhy fawr i'r sinc, felly bu'n rhaid i mi roi bath iddi. Gorweddodd yna fel plentyn bach ufudd wrth i mi ei golchi a'i sychu gyda lliain. Yna, yn ôl â hi i'r gegin. Wrth edrych ar y we, ro'n i wedi dod o hyd i rysáit sut i goginio gŵydd, a gwnes y paratoadau i gyd ar gyfer ei rhostio'n araf dros nos. Byddai'n gorffwys ar wely o bannas, moron a thatws, a byddai'r rheiny'n coginio yn hylifau'r aderyn. Perffaith.

Daeth y broblem yn amlwg wrth i mi drio rhoi'r aderyn yn y ffwrn. Doedd y bwystfil peth ddim yn ffitio drwy'r drws.

'Bolycs!'

Taflais yr ŵydd ar fwrdd y gegin, ac, mewn tymer bellach, es i nôl llif Dad o'r garej. Doedd 'na ddim gymaint â hynny o rwd ar y llafn, meddyliais, cyn mynd ati i dorri'r peth yn ddarnau.

'Pam ddiawl na fasa hi 'di prynu twrci fatha pawb arall?' mwmialais wrth i mi lifio drwy'r cig a'r esgyrn a'r cyhyrau, cyn taflu'r darnau ar ben y llysiau.

O'r diwedd, roedd yr ŵydd mewn rhyw chwe darn, a rhoddais y cyfan yn y ffwrn ar dymheredd isel, isel. Roedd gen i ambell anrheg i'w lapio a'i roi dan y goeden cyn i mi ddisgyn i'r gwely, wedi ymlâdd.

Amser brecwast y bore wedyn, gofynnodd Mam yr un cwestiwn yr oedd hi wedi ei ofyn bob bore ers mis.

'Ydy hi'n Ddolig eto?'

'Ydy, mae hi!' atebais. 'Dolig llawen, Mam.'

Gwichiodd Mam mewn llawenydd, a churodd ei dwylo.

'Gawn ni agor ein hanrhegion rŵan?'

Dan y goeden, dadlapiodd Mam gardigan wlân a'i rhoi amdani. Rhoddodd sws fawr i mi.

'Mae hi'n hyfryd,' meddai. 'Diolch yn fawr i ti.'

Rhoddais anrheg iddi gan Peggy. Roedd ei chwaer wedi marw ers pum mlynedd a mwy, ond roedd Mam yn dal i siarad efo hi o hyd, a'r peth lleiaf y gallai Peggy ei wneud i ddiolch oedd cael anrheg i Mam. Bag lledr oedd o.

'O! Mae hi wedi mynd i drafferth, ac wedi gwario gormod,' meddai Mam. 'Ond fel'na oedd Peggy erioed.'

'Bydd hi'n falch eich bod chi'n licio'r anrheg.'

'Be wyt ti wedi ei gael?' gofynnodd Mam. 'Dwi heb gael unrhyw beth i ti! Sori.'

Edrychai Mam yn ddigalon ac yn llawn cywilydd. Yn anffodus, doedd hi ddim yn saff gadael iddi fynd allan ar ei phen ei hun, felly roedd hi heb gael cyfle i gael dim byd i mi. Ro'n i wedi dyfalu y byddai'n flin gyda hi ei hun am hyn, yn meddwl ei bod hi wedi anghofio, ac y byddai hynny'n ei gwneud hi'n drist ac yn fwy dryslyd.

''Dach chi wedi cael rhywbeth i mi, Mam,' meddwn. 'Mae hon gennych chi, i fi.'

Dadlapiais hen drowsus yr oeddwn i wedi ei nôl o 'nghwpwrdd dillad neithiwr.

'Ew, diolch, Mam,' dywedais, gan roi sws iddi. 'Mae o'n berffaith!'

'Gobeithio dy fod ti'n licio fo,' meddai Mam. 'Gobeithio y bydd o'n ffitio.'

'Dwi'n siŵr y bydd o,' atebais yn onest. Roedd o'n fy ffitio i'n berffaith ddeuddydd yn ôl pan fûm i'n ei wisgo fo.

Gwyddwn erbyn hynny fod gan glefyd Alzheimer ffordd ryfedd o lenwi'r llefydd gwag ym meddwl y claf. Doedd dim ond yn rhaid i mi ymddwyn fel petai Mam wedi prynu'r anrheg i mi, gadael iddi fy ngweld i'n agor yr anrheg, a byddai ei meddwl yn creu atgof ei bod hi wedi bod allan a'i brynu i mi.

'Mi gymrodd hi amser maith i mi ddod o hyd i'r trowsus yna i ti,' meddai. 'Mi ddywedodd y dyn yn y siop ei fod yn un da.'

'Ydy, mae o,' atebais. 'Diolch am fynd i drafferth.'

Cefais grys ganddi hefyd. Roedd Mam yn hapus; doedd hi ddim wedi anghofio gwneud ei siopa Nadolig wedi'r cyfan.

'Pam na ewch chi i wylio'r teledu, ac mi a' i i gadw llygad ar y cinio?' awgrymais.

Roedd yr ŵydd yn ymddangos fel pe bai'n coginio'n iawn. Fedrwn i ddim gweld bod cael ei gadael yn yr ardd am ddyddiau a chael ei thorri'n ddarnau gan lif rydlyd wedi gwneud llawer o niwed. Er mor od oedd y Nadolig yma, ein Nadolig olaf efo'n gilydd, roedd popeth yn mynd i fod yn iawn.

Llenwodd y tŷ gydag arogl yr ŵydd yn rhostio, a holodd Mam a fyddai'n cael gosod y bwrdd.

'Syniad da,' atebais.

Doedd dim ystafell fwyta yn y tŷ, a dim ond pedwar fyddai'n ffitio o gwmpas y bwrdd bach yn y gegin. Ysgydwodd Mam ei phen yn bendant. Doedd hynny ddim yn ddigon. Felly dechreuodd osod llefydd bwyta o gwmpas y tŷ. Rhoddwyd cyllyll, ffyrc a llwyau ar ben y teledu, ar bob gwresogydd, ar yr ochr yn y gegin, ar y cadeiriau esmwyth – a dweud y gwir, roedd lle bwyta wedi ei osod ar bob arwyneb fflat yn y tŷ. Edrychai'n debyg fod y band Gwyddelig a'r ferch fach yn y gwresogydd yn ymuno â ni am ginio Nadolig.

'Fedrwn ni ddim gadael neb allan, dim a hwythau yn y tŷ,' meddai Mam. 'Mi fasa hynny'n ofnadwy o ddigywilydd!'

'Fydd y ferch fach yn y gwresogydd yn dod allan i fwyta cinio, 'ta?' gofynnais yn ofalus.

'Falle bydd hi'n gallu gwneud,' atebodd Mam. 'Ond bydd rhaid iddi fynd yn syth yn ôl ar ôl iddi orffen bwyta.'

'Ro'n i'n meddwl ei bod hi'n methu gadael y gwresogydd,' dywedais.

Ystyriodd Mam am ychydig. 'Ti'n iawn,' meddai. 'Bydd rhaid iddi fwyta'i chinio i mewn yn fanna, y gradures.'

Wrth i Mam wylio'r teledu, brysiais o gwmpas yn paratoi pethau ar gyfer y cinio. Yng nghefn fy meddwl, ro'n i'n dal i bryderu ryw ychydig am hanes yr ŵydd, a'r posibiliad o wenwyn bwyd – yn arbennig a Mam mor fregus – ond roedd hi braidd yn hwyr i newid fy meddwl bellach. Yna, cefais syniad. Am flynyddoedd, roedd 'na gath wedi bod yn dod i'n gardd ni i chwarae a chuddio yn y perthi. Roedd o'n dod i ardd fy rhieni o leiaf ddwywaith yr wythnos, ac roedd Dad wedi mynd i'r arfer o roi pysgod iddo bob dydd Gwener – roedd fy rhieni, fel llawer o Gatholigion, yn tueddu i fwyta pysgod ar ddydd Gwener. Roedd y gath yn yr ardd rŵan. Torrais ddarn o'r ŵydd boeth, a mynd â'r cig at ddrws y cefn. Llygadodd y gath fi wrth i mi daf lu'r cig yn agos ato.

Os oedd y cig yn wenwynig, beryg y byddai'r gath yn synhwyro hynny ac yn troi ei drwyn. Os na fyddai'r gath yn mentro bwyta'r cig, penderfynais na fyddwn innau chwaith yn cyffwrdd ynddo. Sniffiodd y gath, a chamu'n betrus i gyfeiriad y cig. Gwyliais yn ofalus wrth i'r gath lyfu'r cig, ac yna ei fwyta. Wedi iddo orffen, edrychodd i fyny a llyfu ei wef lau; dwi'n meddwl i minnau lyfu 'ngweflau hefyd. Taf lais ddarn arall ato – roedd digon i'w sbario – a neidiodd y gath ar y cig yn syth, a'i fwyta'n awchus. Oedd hyn yn beth call, meddyliais? Beth os oedd y gath yn dwp ac yn bwyta unrhyw hen sothach? Efallai y byddai pawb yn sâl ar ôl bwyta'r cig yma. Ond penderfynais anwybyddu'r llais bach yn fy mhen. *Bydd popeth yn iawn*, meddyliais. Roedd hi'n amser cinio.

Mynnodd Mam fod ein 'hymwelwyr' yn cael digon o fwyd, ac aeth o gwmpas y tŷ yn rhoi mynydd o gig ar bob plât. Ar ôl iddi orffen, roedd ambell dafell o gig a choes yr un ar ôl i Mam a fi: y math o ginio enfawr roedd athletwyr proffesiynol yn ei fwyta. Eisteddodd Mam a minnau wrth y bwrdd bach yn y gegin, hi yn ei byd bach ei hun a minnau'r un fath. Ni oedd yr unig ddau oedd yn byw yn y swigen yma oedd yn cau gweddill y byd allan; ac o fewn ein swigen ni roedd swigen Mam, ac roedd hi ar ei phen ei hun bach yn fanno. Hen gyflwr unig ydy clefyd Alzheimer. Eisteddodd y ddau ohonon ni, y claf a'r gofalwr, y carcharor a'r gard. Doedd gan Mam ddim syniad bod y meddyliau digalon yma yn fy mhen; doeddwn i heb ei gweld hi mor hapus â hyn ers i Dad farw.

Wrth i ni fwyta, ro'n i'n hel meddyliau. Ro'n i wedi cael sgwrs efo Mary drws nesaf yn gynharach yn yr wythnos. Roedd hi'n bendant fod yr amser wedi dod i feddwl am gartref i Mam;

efallai ei bod hi'n iawn? Ro'n i'n sicr yn ei chael hi'n anodd ymdopi. Fi oedd yr unig blentyn, heb frodyr a chwiorydd i rannu'r baich; roedd pob modryb ac ewythr oedd ar ôl yn byw yn Iwerddon. Doedd 'na neb arall.

Ro'n i'n casáu meddwl am ei hanfon hi i gartref, a gwthiais y syniad i gefn fy meddwl.

'Mae'r twrci 'ma'n hyfryd,' torrodd Mam ar y tawelwch. 'Mwy o fraster arno fo nag arfer.'

Mae hynny am mai gŵydd ydy hi, ddim twrci, meddyliais.

'Doedd Peggy byth yn bwyta digon o lysiau gwyrdd,' meddai Mam. 'Mae Mam yn gorfod arthio arni o hyd. Oeddet ti'n gwybod fod 'na haearn mewn llysiau?'

'Na, do'n i'm yn gwybod hynny.'

'Mam soniodd ddoe.'

Roedd fy nain wedi marw ddeugain mlynedd ynghynt.

'Mam ddwedodd, *Fyddi di wastad yn iach, Rose, os ti'n bwyta dy lysiau gwyrdd.*'

Roedd tawelwch am ychydig wrth i mi feddwl am hyn.

Yna, siaradodd Mam eto. 'Oeddet ti'n gwybod fod 'na haearn mewn llysiau?'

'Nag o'n.'

'Mam ddwedodd wrtha i.'

'Ydy'r ferch fach yn y gwresogydd yn licio'i chinio?' gofynnais, gan newid y pwnc; roedd peryg i ni siarad mewn cylchoedd, a minnau'n gorfod clywed bod 'na haearn mewn llysiau dro ar ôl tro ar ôl tro.

(Ychydig wythnosau ynghynt, roedd Mam wedi dweud jôc wrtha i, ac wedi chwerthin wrth iddi adrodd yr hanes. Ychydig funudau'n ddiweddarach, anghofiodd ei bod wedi dweud y jôc, a dywedodd hi eto. Am ei bod hi wedi anghofio'i bod hi newydd ddweud y jôc, roedd o'r un mor ddigri'r eildro.

Digwyddodd yr un peth eto ychydig funudau'n ddiweddarach, yr un jôc a'r un geiriad yn union, ac roedd o'n dal mor ddigri â'r ddau dro cyntaf i Mam. Nid felly i mi, wrth gwrs. Roedd o'n ddigri'r tro cyntaf, a'r eildro ro'n i'n chwerthin am fod Mam yn chwerthin. Y trydydd tro, chwarddais am fod y sefyllfa mor rhyfedd. Roedd y pedwerydd tro yn ddychrynllyd braidd, ac erbyn y degfed tro ro'n i'n teimlo fel llamu allan drwy'r ffenest er mwyn dianc.)

'Mae hi'n dweud mai dyma'r cinio gorau iddi ei gael erioed,' atebodd Mam.

Pwdin Nadolig traddodiadol oedd yn dod wedyn, gan ei rannu gyda'r band a'r ferch fach yn y gwresogydd.

'Dim ond y mymryn lleia maen nhw isio, meddan nhw,' dywedais wrth Mam er mwyn esgusodi'r powlenni bychain.

Ar ôl cinio, roedd rhaid clirio'r naw plât o'u llefydd o gwmpas y tŷ a golchi'r llestri. Ro'n i ar fin troi'r teledu ymlaen, gan feddwl y byddai'n braf i Mam a minnau wylio rhyw ffilm – ond cododd Mam ei llaw fel ro'n i'n ymestyn am fotwm y teledu.

'Mae'r band yn mynd i chwarae cân neu ddwy.'

Felly eisteddais i lawr, a gwylio wrth iddi dapio ei throed gyda'r gerddoriaeth oedd yn digwydd yn ei phen, a hithau'n gwenu a gwrando am hydoedd wrth i'w phen lenwi gydag alawon. Efallai mai clywed y caneuon roedd Dad a hithau'n arfer dawnsio iddyn nhw'n ôl yn Nulyn yr oedd hi. Roedd o wedi dweud wrtha i ryw dro fod y ddau wedi cwrdd mewn dawns yn y ddinas. Yn sicr, roedd llawenydd pur ar wyneb Mam y dydd Nadolig hwnnw, wrth i Michael a gweddill y band dychmygol fynd â hi'n ôl bum degawd i amser a lleoliad arall – i le crand gyda llawr oedd yn sgleinio, a Mam yn ifanc eto, ei bywyd yn ymestyn fel môr o'i blaen.

Sut yn y byd oedd pethau wedi dod i hyn?

Pen-ôl Bruno

DRI NEU BEDWAR mis ynghynt, ro'n i wedi ymuno â gwefan i gwrdd â chariadon. Roedd o'n rhoi rhywbeth i mi ei wneud gyda'r nos, ac yn rhoi cyfle i mi siarad gyda merched 'normal' bob hyn a hyn. Ro'n i wedi bod allan ar ambell ddêt, ac ar y cyfan, roedd pethau wedi mynd yn dda. Un noson, daeth un o'r merched draw am swper.

'Sut mae'r tywydd yn yr Almaen, Anna?' gofynnodd Mam iddi wrth i ni fwyta.

Trodd Anna i edrych arna i, y ddau ohonon ni mewn penbleth braidd. Ro'n i wedi esbonio'r sefyllfa iddi cyn iddi ddod i'r tŷ.

'Dim syniad, cofiwch, Rose.'

'Ers pryd wyt ti draw fama, 'ta?' gofynnodd Mam.

'Wel... Dwi'n byw yma,' atebodd Anna. 'Hynny ydy, dwi'n byw 'chydig filltiroedd i ffwrdd.'

'Ti 'di dysgu'r iaith yn gyflym!' rhyfeddodd Mam. 'A does gen ti ddim acen o gwbl!'

'Dydy Anna ddim yn Almaenes, Mam,' esboniais. 'Mae'n dod o Rugby.'

'Mi wnaeth 'na Almaenwr lanio yng nghanol Dulyn mewn parasiwt rhyw dro,' meddai Mam, gan fy anwybyddu'n llwyr. 'Yn ystod y rhyfel. Roedd o dros y papurau i gyd. Ti'n ei nabod o?'

'Mae Anna'n rhy ifanc i gofio'r rhyfel,' atebais. 'A dydy hi ddim yn Almaenes, Mam.'

Meddyliodd Mam am ychydig. 'Byddwn i 'di disgwyl mai gwallt golau fyddai gen ti,' meddai o'r diwedd.

Wna i ddim cofnodi'r holl sgwrs a gafwyd dros swper. Digon ydy dweud nad oedd dim posib darbwyllo Mam nad Almaenes oedd Anna. Welais i mohoni byth wedyn.

Ro'n i wedi gwneud ambell i ffrind ar y wefan, ac roedd un – Marianne oedd ei henw – yn gorfod symud allan o'i thŷ ac i mewn i fflat. Wnaeth hi ddim mynd i ormod o fanylder am ei sefyllfa, ond ro'n i'n cael y teimlad bod arian yn brin, a hithau mewn gwewyr. Ymddangosai'n ddynes garedig, a phan ddywedodd hi fod ei chi'n gorfod cael ei ladd gan fod ei landlord newydd wedi dweud nad oedd anifeiliaid anwes yn cael byw yn y fflat newydd, ro'n i'n teimlo drosti. Gofynnais pam nad oedd hi'n rhoi ei chi i'r RSPCA; ei hateb oedd fod Bruno yn drwglicio pobl ddieithr, a'i fod o wedi dychryn y bobl yn y lloches gŵn leol. Roedd hi'n tyngu mai Bruno oedd y ci anwylaf, mwyaf addfwyn erioed, ac mewn eiliad wan, cytunais i edrych ar ôl y ci nes bod Marianne yn cael cyfle i wneud trefniadau eraill. Roedd Bruno mewn cenel tua chan milltir i'r de o lle ro'n i'n byw, a threfnais gyda'r perchennog i fynd yn fy nghar i'w nôl ryw bnawn Sadwrn.

Dwi'n hoff o anifeiliaid erioed, ac maen nhw'n tueddu i fy licio innau hefyd. Felly wnes i ddim meddwl gormod am gynnig cartref i Bruno am gyfnod byr. Efallai y byddai'n gwneud lles i Mam, yn helpu iddi anghofio ychydig ar ei ffantasïau. A byddai'n rhoi cyfrifoldeb iddi tra o'n i yn y gwaith, ac yn cadw pobl ddrwg draw o'r tŷ. Roedd cael ci yn aros efo ni am sbel yn ymddangos yn syniad da.

Dywedais wrth Mam am Bruno, ac roedd hi wedi dotio efo'r

syniad. Flynyddoedd yn ôl, bu ganddi bŵdl bach o'r enw Sandy, ac fe griodd y glaw pan fu hwnnw farw.

'Bydd hi'n grêt cael ci bach o gwmpas y lle eto!' meddai'n llon.

Felly pan ddaeth bore Sadwrn, rhoddais sws i Mam cyn ei chloi hi yn y tŷ, ac i ffwrdd â fi i nôl Bruno.

Cymerodd oriau i mi gyrraedd y pentref. Roedd hi'n daith hyfryd, yn nadreddu drwy gefn gwlad, y perthi a'r caeau gwyrddion yn codi 'nghalon. Roedd y cenel drws nesaf i fferm, a bu'n rhaid i mi stopio'r car er mwyn agor giât i fynd i mewn. Lle digon di-lun oedd o, gyda hen ddarnau o sinc rhydlyd yn pwyso yn erbyn waliau, a ieir yn pigo'r llawr o gwmpas y lle. Daeth dynes at ddrws y beudy gyda sgarff goch wedi ei lapio am ei phen. Roedd hi'n ceisio llusgo rhywbeth trwm.

'Dwi 'di dod i nôl Bruno,' cyhoeddais yn siriol.

'Hen blydi bryd!' atebodd hithau'n swta, a diflannodd drachefn.

Daeth yn ôl ymhen dim, yn tynnu ei hun drwy'r drws wrth lusgo ei choes. Meddyliais am eiliad fod rhywbeth yn bod ar ei choes, cyn i fy llygaid setlo ar y ci brown oedd ynghlwm â'r goes honno. Roedd ei bawennau blaen o gwmpas ei bol a'i gluniau yn pwmpio ei choes, ac roedd o'n dangos rhes o ddannedd gwynion milain. Wrth iddi gerdded tuag ata i, roedd y ci'n gorfod hopian ar ei draed ôl i aros efo hi.

'Mae o'n gwneud hyn weithiau,' meddai'r ddynes yn fyr ei gwynt. Roedd y ci'n sgyrnygu wrth symud. 'Mae'n ddoethach jest gadael iddo fo – bydd o wedi gorffen mewn munud.'

Ac yn wir, ar ôl i'r ci roi'r gorau i sgyrnygu, aeth i lawr ar ei bedwar eto ac edrychodd i fyny arna i'n chwilfrydig. Roedd o'n fyr ei wynt, ei dafod yn hongian o'i geg, a phoer yn dripian i lawr at y llawr. Cododd y ddynes un pen i raff oedd wedi bod yn llusgo ar hyd y llawr. Roedd y pen arall ynghlwm â choler y ci.

'Ddeudis i y bydda fo'n gorffen mewn munud,' meddai.

Bruno oedd y ci rhyfeddaf i mi ei weld erioed. Roedd 'na fymryn o Alsatian ynddo fo, yn enwedig yn y gôt a'r gynffon, ac ychydig o ddaeargi hefyd, ond doedd dim posib adnabod gweddill y bridiau oedd yn rhan ohono fo. Roedd ganddo drwyn hir a thenau fel Doberman, a thraed enfawr fel Great Dane. A'i glustiau? Wel, roedd ei glustiau fel Yoda.

'Pa frid ydy o?' gofynnais.

'Dim clem,' atebodd y ddynes. 'Dyma chdi, cymer o!'

Rhoddodd y ddynes y tennyn i mi, ac yn syth bìn, dechreuodd y ci ddangos ei ddannedd.

'Gofalus!' meddai'r ddynes wrth gerdded yn ôl at y beudy. 'Mae o'n brathu.'

Yn ofalus iawn, dechreuais dynnu'n ysgafn ar un pen i'r rhaff; tynnodd Bruno i'r cyfeiriad arall, gan sgyrnygu'n gandryll.

'Helô Bruno!' dywedais mor siriol ag y medrwn i. Roedd pawb yn dweud bod ci'n gallu dweud yn syth os oedd gan rywun ei ofn o. 'Pwy sy'n gi bach da, 'ta?'

Yn syth bìn, llamodd Bruno ata i a 'nharo i gyda'i bawennau blaen; yna, mewn un symudiad chwim, neidiodd i ffwrdd a dechreuodd redeg. Roedd o'n amlwg yn ceisio dianc.

'Iesu Grist!' gwaeddais. Do'n i ddim wedi disgwyl hyn, ac roedd fy nghalon yn fy nghorn gwddw. Rhywsut, llwyddais i ddal gafael ar y rhaff.

Ar ôl dod ataf fy hun, penderfynais fynd â Bruno am dro er mwyn i ni gael dod i adnabod ein gilydd. Efallai y byddai hynny'n ei dawelu o ryw 'chydig.

'Tyrd 'laen, Bruno.' I ffwrdd â ni, i lawr tuag at y ffordd.

Roedd o'n eithaf call wrth gerdded ar y tennyn, ond

byddai'n edrych yn ôl arna i yn amheus bob eiliad neu ddwy, a sylweddolais ei fod o mor nerfus ohona i ag oeddwn i ohono fo. Cerddodd y ddau ohonon ni ar hyd y ffordd fach am ychydig, cyn dilyn llwybr cyhoeddus oedd yn arwain yn ôl at y fferm. Wrth i ni agosáu, roedd Bruno yn ymddangos yn hapusach.

'Ci da, Bruno,' dywedais, a daeth y ddau ohonon ni i stop.

Edrychodd y ci arna i, ac edrychais i arno yntau. Doedd gen i ddim syniad beth i'w wneud nesaf. Penderfynais siarad efo fo, ac es i lawr ar fy nghwrcwd fel 'mod i ddim yn edrych fel cawr dychrynllyd yn pwyso drosto.

'Ydan ni'n mynd i fod yn ffrindiau?' gofynnais.

Dangosodd Bruno ei ddannedd, ond wnaeth o ddim sgyrnygu. Ro'n i wedi dod â bisgedi cŵn, ac estynnais un o'm poced. Dangosais y fisged i'r ci.

'Ti isio hwn?'

Llyfodd Bruno ei weflau.

'Ti'n mynd i fod yn gi da?'

Llyfodd ei weflau eto. Yn araf ac yn ofalus, cynigiais y fisged, a phwysodd Bruno ymlaen i'w chymryd o fy llaw. Pan oedd hi yn ei geg, mentrais ei fwytho tu ôl i'w glust. Byddai wedi bod yn anodd iddo 'mrathu i gyda'i geg yn llawn bisged.

'Ci da, Bruno,' dywedais, yn dal i'w fwytho. 'Awn ni rownd eto, ia?'

I ffwrdd â ni rownd y llwybr eto. Y tro yma, wnaeth o ddim tynnu ar y rhaff na throi i edrych yn amheus arna i wrth i ni gerdded. Ar ôl i ni orffen, rhoddais fisged arall iddo.

'Un waith eto, dwi'n meddwl,' meddwn, a dyna wnaethon ni.

Y tro yma, cerddodd Bruno wrth fy ochr, a wnaeth o ddim cwyno pan ymestynnais fy llaw i'w fwytho. Efallai ei fod o wedi deall nad o'n i am ei frifo, ac ro'n i'n sicr yn gobeithio ei fod yntau'n teimlo'r un fath amdana i. Erbyn i ni gerdded rownd y trydydd tro, ymddangosai Bruno yn gi hapusach.

'Amser mynd i'r car ac am adre,' meddwn.

Agorais ddrws cefn y car, a neidiodd Bruno i mewn. Roedd o wedi arfer teithio mewn car, yn amlwg. Eisteddodd yn y cefn, yn union fel y byddai person yn ei wneud, a chychwynnais i'r injan a dechrau ar y daith hir adref.

Doedden ni ond wedi bod yn y car am ychydig funudau pan ddigwyddodd o. Pwysodd Bruno ymlaen ac yna, a'i geg ddim ond tua modfedd a hanner o 'nghlust, dechreuodd sgyrnygu. Ro'n i mewn traffig, a doedd dim lle i aros ar ochr y ffordd. Dechreuais chwysu: ro'n i wir yn meddwl ei fod o'n mynd i frathu cefn fy mhen.

'Ci da!' galwais wrth i ni wibio ar hyd y ffordd. 'Pwy sy'n gi da?'

Ond ymlaen yr aeth y sgyrnygu, y math o sŵn sy'n dod o rywle yn ddwfn yn y frest. Wnaeth o ddim stopio o gwbl, a ches i erioed ffasiwn ofn. Mwya'n y byd ro'n i'n trio'i gysuro, isa'n y byd oedd ei chwyrnu o, a wnaeth o ddim symud ei geg ddim pellach na dwy fodfedd o 'nghlust. Gallwn deimlo ei anadl boeth ar fy ngwddw yr holl ffordd adref.

Ddwy awr a hanner yn ddiweddarach, gyrrais y car i mewn i ddreif Mam, a 'mhen yn brifo gyda holl bryder y dydd. Roedd Bruno'n dal i sgyrnygu.

Agorais y drws ac allan â fi. Roedd fy nghrys yn wlyb gan chwys. Agorais ddrws cefn y car, ac ymestyn i ddal ei dennyn.

Gwrthododd symud modfedd. Tynnais ar y rhaff, ond doedd o ddim eisiau gadael y car. Yn y diwedd, mewn ymgais i ddangos iddo nad oedd o'n mynd i gael bod yn fòs arna i, gwaeddais, 'Bruno! Tyrd allan o'r ffycin car!'

Neidiodd allan yn syth. Tybed beth oedd hanes y ci yma? Agorais ddrws y ffrynt ac arwain Bruno i mewn i'r tŷ. Ro'n i wedi penderfynu ei gadw fo ar ei dennyn nes 'mod i'n gweld sut oedd o efo Mam.

'Mam,' galwais wrth i ni gyrraedd y gegin. 'Dyma Bruno.'

Rhedodd Bruno o gwmpas coesau Mam, yn ei sniffian hi.

Rhoddodd Mam frechdan gaws i'r ci, a llowciodd Bruno'r cyfan mewn dim.

'Helô Barney,' meddai Mam. 'Dwi 'di gwneud te iti.'

Safodd Bruno yn y gegin, yn bwyta'r frechdan ac yn syllu ar Mam. Gollyngodd Mam domato cyfan i geg y ci.

'Da iawn ti, Boris,' meddai.

Welais i 'rioed y fath olwg o syndod ar wyneb ci o'r blaen, ond pan deimlodd Bruno'r tomato ar ei dafod, mae'n rhaid ei fod o'n deimlad cwbl newydd iddo. Agorodd ei lygaid yn fawr, a syllu arna i.

Dyna ddechrau cyfeillgarwch rhyfeddol a hyfryd rhwng fy mam a'r ci od. Byddai Bruno'n bwyta'r un peth â ni. Mi ddois i adref un diwrnod i'w weld o'n bwyta bîns ar dost, cyn cael bisgedi siocled i bwdin. Roedd ganddo ffordd anhygoel o fwyta bîns ar dost. Rhywsut, llwyddai i godi'r darn cyfan o dost yn ofalus o'i bowlen, gyda'r bîns yn dripian oddi arno; yna, a'r tost wedi'i godi'n uchel, ysgydwai ei ben yn gyflym yn ôl a blaen. Byddwn i'n casáu sŵn y bîns yn glanio'n sbloetsh ar yr oergell, ar goesau Mam, ar y papur wal, ac o 'nghorun i'm sawdl innau.

Byddai'r ci yn cael brechdanau caws yn aml, ac roedd o wrth ei fodd efo pysgodyn o'r siop tsips. Ei ffefryn oedd brecwast saim, gyda chig moch, selsig, wy wedi'i ffrio, bîns, hash brown, madarch, tomatos, pwdin gwaed a thost. Byddai'n cael paned gyda'r band bob prynhawn, meddai Mam, ac ar ddydd Gwener byddai pawb yn cael cacen hufen – Mam, y band, y ferch fach yn y gwresogydd, a Bruno. Tafellau cwstard oer a donyts jam oedd ei ffefrynnau, meddai Mam.

Doedd gen i ddim syniad beth oedd hanes Bruno, ond cawn y teimlad ei fod o wedi cael bywyd caled. Wrth wylio'r ddau yn cwtsio yn y gadair esmwyth un noson, sylweddolais fod y naill a'r llall yn byw mewn bydoedd dryslyd a llawn pryder, ac am yr amser byr yr oedd Bruno efo ni, daeth y ddau o hyd i enaid hoff cytûn, ffrind i fod yno pan oedd pawb a phopeth arall yn teimlo'n ddieithr.

Un noson, a Bruno wedi bod efo ni am ychydig wythnosau, syllais arno ar ôl i mi ddod yn ôl o'r gwaith. Ydych chi 'rioed wedi gweld rhywbeth mor od ac annisgwyl nes i chi fethu tynnu'ch llygaid oddi arno? Nes eich bod chi'n llythrennol yn methu credu'ch llygaid?

Roedd Bruno yn yr ystafell haul ac ro'n i'n ei wylio drwy ffenest y gegin. Ceisiais ddeall yr hyn ro'n i'n ei weld. Pan drodd i un ochr, gallwn weld y darlun cyfan. Syllais yn gegrwth. O dop ei goesau ôl hyd at waelod ei gynffon, roedd o'n foel. Roedd ei din yn gwbl binc.

'Be sy 'di digwydd i ben-ôl Bruno?' gofynnais i Mam, yn dal i syllu ar y ci.

'Dim syniad.'

'Dim syniad? Mae ei din o'n foel!'

'Gofynna i Peggy!' atebodd Mam. 'Falle mai hi wnaeth.'

Allan â fi i'r ystafell haul. Roedd Bruno'n falch o 'ngweld i. Penliniais o'i flaen a rhedeg fy llaw i lawr ei gefn. Roedd ei ben-ôl wedi ei eillio, yr holl ffordd i lawr at y croen. Llyfodd Bruno fy wyneb yn llon. Pan ddaeth Mam i mewn, edrychodd Bruno i lawr. Doedd o'n amlwg ddim yn hapus iawn gyda beth bynnag oedd wedi digwydd rhwng y ddau heddiw.

Ysgydwodd Mam ei phen. 'Am hen jadan ydy Peggy am wneud hynna.'

Yn y bin yn yr ystafell molchi, dois o hyd i rasel, llwyth o hancesi papur, a blew coll Bruno. Doedd gen i ddim syniad beth i'w ddweud.

Cofiais y ci blin yn sgyrnygu arna i pan gwrddais i â fo ychydig wythnosau ynghynt. Dyma'r ci roedd yr hen wraig ar y fferm wedi bod yn falch i'w weld yn gadael. Dyma'r ci oedd wedi trio bwyta'r postmon a'r bachgen papur newydd bob bore. Ac eto, roedd o wedi sefyll yn llonydd ac wedi caniatáu i Mam eillio'i ben-ôl.

'Pam wnaethoch chi hynna, Mam?' gofynnais. 'I be?'

'Wnes i ddim byd!' atebodd yn chwyrn. 'Pam ti'n gofyn i fi?!'

Doedd dim pwynt trio deall. Roedd holi yn ypsetio ac yn drysu Mam. Byddai'n gallach ceisio anwybyddu'r holl beth.

Roedden ni bellach yn byw mewn tŷ oedd wedi ei addurno â dwsinau o fy sanau yn hongian o'r waliau, gyda choeden Nadolig yn y gornel – roedd hi'n wanwyn erbyn hyn – band Gwyddelig, merch fach oedd yn byw mewn gwresogydd, a chi gyda phen-ôl moel.

Does dim ffasiwn beth â normal.

Ro'n i'n sgwrsio un noson gyda pherchennog Bruno, ac fe holodd hi sut oedd y ci. Ebostiais lun o Bruno gyda Mam ati. Ro'n i'n ofalus i beidio â chynnwys pen-ôl Bruno yn y llun. Dywedais wrthi fod y ci yn iawn.

Tua diwedd Ionawr, cwrddais â rhywun newydd ar y wefan. Heather oedd ei henw, ac roedd hi'n digwydd byw ychydig filltiroedd o'n tŷ ni yn Coventry. Ar ein dêt cyntaf, aethon ni i gael cyrri. Roedd hi'n wythnos gyntaf Chwefror, ac ro'n i wedi dweud wrthi am Mam. Doedd hi ddim fel petai'n poeni rhyw lawer am y peth, a dywedodd y byddai wrth ei bodd yn cwrdd â hi. Penderfynais ddweud wrth Mam am Heather.

'Mam,' dywedais yn ysgafn ryw noson, 'mae gen i gariad newydd. Heather ydy ei henw hi.'

'Fedri di'm gwneud hynna!' meddai mewn braw. 'Ti'n briod efo Wendy!'

'Dwi 'di deud o'r blaen. 'Dan ni'n cael ysgariad.'

'Pwy?'

'Wendy a fi.'

'Ti 'di deud wrth Wendy am hyn?'

Allwn i ddim peidio â dechrau ochneidio eto.

'Do siŵr. Hi ddeudodd wrtha i! Dwi 'di symud allan. Dwi'n byw efo chi, dydw?'

'Wel, do'n i ddim yn gwybod am hyn!' meddai Mam. 'Does 'na neb yn deud dim wrtha i!'

'Oeddech chi ddim yn gwybod 'mod i'n byw efo chi?'

Ysgydwodd Mam ei phen. 'Wnaeth 'na neb ddeud.'

'Mam, dim ond dwy lofft sydd yma. Sut fedrwch chi beidio sylwi 'mod i'n byw yma?'

'Dylia Peggy fod wedi deud!'

Anwybyddais hynny. 'Be oeddech chi'n meddwl o'n i'n wneud yma am y tri mis dwytha?'

'Dwi'm yn gwybod!' Roedd Mam yn dechrau colli ei thymer. 'Mae 'na gymaint o bobl yma, ac mae o'n gallu bod yn ddryslyd weithiau! Yr holl fynd a dod yma.'

'Dim ond y ddau ohonan ni, Mam.'

Gwenodd Mam arna i fel pe bawn i'n tynnu ei choes. 'O, ti'n *gwybod* fod hynny ddim yn wir.'

Ceisiais droi'r sgwrs yn ôl at yr hyn ro'n i wedi bwriadu ei ddweud. 'Mae Heather am ddod draw ryw noson. Mae hi isio cwrdd â chi.'

'Wel, tyrd â hi 'ta,' meddai Mam. 'Bydd rhaid i ni wneud lle iddi, rhywsut.' Aeth Mam yn dawel am ychydig, cyn gofyn, 'Ydy hi'n licio bisgedi siocled?'

Bruno'n Setlo

CYN BO HIR, daeth Bruno i drin byngalo Mam fel ei genel bach ei hun. Mewn sawl ffordd roedd o'n gi hyfryd, ac roedd ei gael o gwmpas y lle yn gwneud byd o wahaniaeth i Mam, ond roedd 'na ambell achlysur a wnaeth i mi amau a oedd ei berchennog wedi bod yn hollol onest efo fi.

Roedd o'n ufudd cyn belled â'i fod o yn yr hwyliau iawn; os nad oedd o, byddai un ai'n smalio bod yn fyddar (oedd yn annhebygol iawn o ystyried maint ei glustiau) neu byddai'n sgyrnygu ac yn dangos ei ddannedd.

'Dwi'n mynd i fynd â Bruno i ddosbarthiadau cŵn, Mam,' dywedais un noson ar ôl swper.

'Syniad gwych!' meddai Mam. 'Ga i fynd â fo?'

Teimlais don oer yn golchi drosta i. Byddai Mam a Bruno'n mynd allan o'r tŷ gyda'i gilydd am noson yn sicr o orffen gyda thrychineb neu anffawd o ryw fath. Byddai 'na heddlu ac ambiwlansys a chyfreithwyr.

'Awn ni i gyd efo'n gilydd,' dywedais, gan drio cadw'r panig o fy llais.

Edrychais drwy'r papurau lleol, a dod o hyd i ddosbarth oedd yn cwrdd bob nos Fawrth yng nghampfa ysgol gynradd yn eithaf agos at ein tŷ ni. Ffoniais y rhif oedd yn yr hysbyseb.

'O, mae Mr Bruno'n swnio'n gariad bach!' meddai llais

meddal ac addfwyn y ddynes ar ben arall y ffôn. 'Dewch
â fo ddydd Mawrth... Pwy a ŵyr, falle fydd o'n cwrdd â chi
benywaidd hyfryd yna!'

Mi wnes i 'ngorau i esbonio i'r ddynes fod gan Bruno
broblemau ymddygiad gwirioneddol, er mwyn iddi allu paratoi
ar ei gyfer o fel roedd o go iawn.

'O, peidiwch â phoeni am hynny, Mr Slevin!' meddai gyda
chwerthiniad bach. ''Dan ni wedi bod yn ymdrin â chŵn
gwrywaidd a'u hormonau nhw ers blynyddoedd mawr, a 'dan
ni wastad yn gallu gwella eu hymddygiad nhw. Ar ôl 'chydig
wythnosau efo ni, mae cŵn yn gallu ymdopi efo unrhyw
sefyllfa gymdeithasol... Meddyliwch amdanon ni fel *finishing
school* i'n ffrindiau bach pedair coes.'

Finishing school! Doedd hi ddim yn gwrando ar air ro'n i'n ei
ddweud. Dywedais y byddwn i'n ei gweld hi ddydd Mawrth, a
rhoddais y ffôn i lawr. Roedd Bruno'n edrych arna i, a bron na
allwn ei weld o'n gwenu.

'Ci bach da!' meddai Mam.

Ddydd Mawrth, eisteddodd Mam a Bruno yn eiddgar yng
nghefn y car. Wnaeth o ddim smic wrth i ni yrru yno, dim
ond edrych drwy'r ffenest a braich Mam amdano. Dechreuais
ymlacio.

'Dwi ddim yn meddwl bod angen y dosbarthiadau 'ma ar
Bruno beth bynnag,' meddai Mam. 'Mae o'n gi da.'

'Ond falle bydd o'n mwynhau,' atebais. 'Falle bydd o'n
hwyl.'

I mewn â'r car drwy giatiau'r ysgol, ac i'r maes parcio. Roedd
Mercedes mawr arian o'n blaenau ni, a gwyliodd Mam a fi a
Bruno wrth i ddynes ganol oed mewn siwt gamu allan o'r car.
Cerddodd i'r ochr draw, ac agor y drws. Camodd pŵdl gwyn
perffaith allan o'r car, a hynny'n fwy gosgeiddig nag y byddai'r

rhan fwyaf o bobl yn medru'i wneud. Ymestynnodd y ddynes am dennyn pinc o'i phoced, a'i glipio ar goler binc y ci. Gyda'i gilydd, cerddodd y ddau i mewn i'r gampfa fel petaen nhw mewn sioe ffasiynau i gŵn Hollywood. Suddodd fy nghalon.

'Dyna chdi gi del, yn fan'cw,' meddai Mam.

'Ia. Ond dwi'n dechrau meddwl ai dyma'r lle iawn i Bruno.'

'Wrth gwrs ei fod o!' meddai Mam, yn warchodol o'i ffrind gorau. 'Pam 'sat ti'n meddwl ffasiwn beth?'

Rholiodd Jaguar du i mewn i'r maes parcio. Ynddo roedd ci Golden Retriever hyfryd oedd yn edrych fel petai o newydd ennill medal yn Crufts.

Roedd Bruno'n gwylio'r cŵn yn cyrraedd. Daeth hi'n amser i ni adael y car, felly cymerais dennyn Bruno gan Mam.

'Gad i mi ei ddal o.' Byddai hynny'n siŵr o fod yn saffach.

Roedd y gampfa yn union fel campfa pob ysgol arall – petryal mawr gyda llawr pren a thâp lliwgar yn dynodi cyrtiau pêl-foli, pêl-droed a sawl gêm arall. Roedd gôl fach ar bob pen.

Mewn llinell gwbl syth, roedd tua deuddeg o bobl yn sefyll gyda'u cŵn, a phob ci yn ymddwyn yn hollol berffaith. Pam yn y byd oedd angen iddyn nhw ddod yma? Roedd 'na gi Lhasa Apso oedd yn edrych fel petai ei berchennog wedi cymryd mis i'w frwsio, pob blewyn yn ei le. Roedd 'na Staffordshire Bull Terrier oedd yn sefyll yn dal ac yn stond, yn amlwg yn gwybod yn iawn fod pobl yn edrych ar ei gyhyrau mawrion yn edmygus. Roedd 'na fridiau eraill doeddwn i'n gwybod dim amdanyn nhw, rhai nad oeddwn i wedi gweld eu tebyg o'r blaen, ond roedd pob un yn berffaith, yn lân ac yn daclus ac yn ymddwyn fel plant bach ufudd. Roedd perchnogion y cŵn hefyd yn drwsiadus iawn, fel petai pawb yn mynd allan am swper i fwyty crand ar ôl bod yma.

Do'n i ddim yn meddwl y byddai Mam, Bruno na minnau'n

cael gwahoddiad i'r bwyty crand. Ro'n i mewn hen bâr o jîns a chrys gyda thwll yn y cefn a phaent wedi sychu ar y blaen, roedd Mam fel Mam, ac roedd Bruno, yn enwedig, fel Bruno. Syllodd ambell un ar ei glustiau hirion a'i olwg od. Ar ben hynny, roedd y blew ar ei ben-ôl heb dyfu'n ôl eto.

Ar ben pellaf y llinell roedd dynes ganol oed gyda gwallt *blue rinse*, sgert *tweed*, cardigan fach ac esgidiau fflat; roedd hi'n cymryd arian, ac yn nodi enw pawb ar gofrestr. Roedd hi'n pwyso dros ddesg yn sgwennu mewn llyfr bach, a'i chefn aton ni. Penderfynais y byddai'n well inni adael iddi wybod fod Bruno wedi cyrraedd. Fel roedd hi'n digwydd, roedd gan Bruno ei ffordd ei hun o'i gyflwyno'i hun i bawb. Cerddais ymlaen, gan drio peidio â meddwl am y ffordd roedd pawb yn syllu arnon ni, a diolchais i'r nefoedd fod Bruno'n cerdded yn ufudd wrth fy ymyl. Roedd o'n mynd i fihafio, diolch byth.

Wrth i ni agosáu at y ddynes oedd yn cymryd yr arian, fe ddigwyddodd o. Mae pethau ofnadwy yn digwydd mor sydyn, mae'n bosib i chi fod yng nghanol trychineb cyn i chi sylweddoli be sy'n digwydd. Un eiliad, roedd popeth yn y gampfa'n heddychlon ac yn barchus, a'r nesaf, roedd 'na anhrefn llwyr ym mhob man.

Fel cobra'n llamu, neidiodd Bruno ar y ddynes a'i goesau o gwmpas ei chanol. Syrthiodd hithau yn ôl ar y ddesg a hedfanodd ei sbectol oddi ar ei hwyneb, a dyna pryd y dechreuodd Bruno symud ei gorff yn erbyn un o'i choesau. Udodd yn uchel fel rhyw fath o ddiafol gwallgof.

Gwichiodd y ddynes, a dechreuodd y cŵn i gyd gyfarth yn un côr. Cododd perchennog y pŵdl ei chi yn ei breichiau, ond dechreuodd hwnnw biso drosti mewn un llif melyn poeth. Ceisiodd y perchennog droi'r llif oddi wrthi hi ei hun, a llwyddodd i chwistrellu pi-pi dros bawb yn yr ystafell.

Dechreuodd y Staffordshire Bull Terrier gwffio efo pob un ci arall yn y gampfa, llwyddodd y Golden Retriever i ddianc oddi wrth ei berchennog, a rhedodd hithau allan o'r gampfa yn ei sodlau uchel ar ei ôl o.

Llamais innau er mwyn cael gafael ar ddennyn Bruno. Ro'n i'n mynd i'w dynnu oddi arni, ond roedd o'n chwyrnu mor flin fel y bu'n rhaid i mi adael iddo fod. Roedd o'n dal i bwmpio'n wyllt yn erbyn coes y ddynes druan, ei ddannedd yn sgyrnygu'n filain.

'Dwi mor sori am hyn i gyd!' gwaeddais. 'Mae o'n gwneud hyn weithiau... Fydd o ddim yn hir!'

Roedd hi'n anhrefn llwyr o'n cwmpas i gyd, a'r twrw yn y gampfa yn fyddarol. Roedd y perchnogion yn gweiddi wrth drio rheoli eu hanifeiliaid. Roedd y cŵn yn cyfarth a chwyrnu a chwffio, ac yn chwarae i bob cyfeiriad. Wnaeth Bruno ddim gadael llonydd i goes y ddynes, oedd bellach yn llipa gyda'r sioc o gael ci yn ceisio caru gyda'i choes. Ro'n i'n gweiddi ar Bruno ac roedd Mam yn sefyll yn llonydd, yn dweud dim byd ond yn gwylio'r holl firi oedd yn digwydd o'i chwmpas fel petai'n newyddiadurwraig yn gwneud adroddiad o ganol rhyfel. Hi oedd yr unig un call yn yr holl le.

Yn y diwedd, gorffennodd Bruno a gadawodd lonydd i'r ddynes. Safodd yno gyda'i glustiau i fyny, ei dafod allan, fel petai'r holl ffýs o'i gwmpas yn sioc fawr iddo.

Daliais yn ei ddennyn a'i dynnu oddi wrth y ddynes druan.

'Dwi'n ymddiheuro'n ofnadwy am hyn i gyd,' dywedais.

Safodd y ddynes yn araf, a syllodd arna i; roedd ei sbectol hi'n dal ar lawr. Symudais i nôl y sbectol iddi, ond cafodd Bruno'r un syniad, a neidiodd arnyn nhw.

'Rho'r rheina i fi!' gorchmynnais.

Daliodd Bruno'r sbectol fregus yn ei geg, a gwyddwn ei fod

o'n trio chwarae'r un gêm ag roedd o'n arfer ei wneud adref – y gêm oedd yn diweddu efo'r ddau ohonon ni'n tynnu ar y pren neu'r tedi bêr oedd yn ei geg.

'Gad iddyn nhw!' Cydiais yn ofalus yng nghornel y sbectol. Ysgydwodd Bruno'i ben yn galed, a thorrodd y sbectol yn ei hanner.

Trodd fy stumog wrth glywed y sŵn cracio.

'Blydi hel, jest gollwng y sbectol!' gwaeddais yng nghlust y ci.

'Twt twt!' meddai llais y tu ôl i mi. Anwybyddais y llais.

Agorodd Bruno'i geg, gan adael i mi achub yr hyn oedd yn weddill o'r sbectol.

Rhoddais y sbectol, mewn dau ddarn, i'r ddynes. Ddywedodd hi ddim gair, ond cododd ei llaw i'n rhwystro ni rhag mynd yn agosach ati.

Roedd golwg ofnadwy ar y gampfa. Llusgwyd y Staffie i'r gornel oddi wrth y cŵn eraill. Edrychai'r Lhasa Apso fel petai o wedi bod yn rholio mewn sment, ac roedd y pŵdl yn dal ym mreichiau ei berchennog. Roedd hithau mewn stad, a'i masgara wedi rhedeg i lawr ei gruddiau; roedd hi'n amlwg wedi bod yn crio.

Roedd arweinydd y grŵp, honno oedd wedi cael ei hambygio gan Bruno, bellach ar ei thraed ac yn ceisio dod ati ei hun a dod o hyd i fymryn o urddas. Roedd ei theits yn dyllau hirion i gyd ac yn hongian fel rhubanau o'i choesau.

'Gwell i ni fynd,' dywedais wrthi'n dawel.

Wnaeth hi ddim ateb.

'Dewch, Mam,' meddwn.

Cerddais allan o'r gampfa, a cherddodd Bruno wrth fy ymyl yn ufudd, y bastad. A dyna pryd ddywedodd Mam y llinell fydd yn cael ei chofio am byth yn ein teulu ni. A hithau wedi ei gwarchod rhag pob embaras gan y clefyd Alzheimer, a heb syniad yn y byd o anferthedd yr hyn oedd newydd ddigwydd, cododd ei llaw wrth adael, a galwodd, 'Braf iawn eich cyfarfod chi i gyd. Welwn ni chi wsnos nesa!'

Unwaith i ni gamu allan o'r gampfa, rhoddais ochenaid o ryddhad.

'Mewn â ti!' dywedais wrth Bruno wrth i mi ddal drws cefn y car yn agored iddo.

'Wel, mi aeth hynny'n dda iawn, yn do?' meddai Mam. 'Dwi'm yn siŵr ddysgodd o unrhyw beth, chwaith.'

Ddywedais i'r un gair. Taniais injan y car a gyrru i ffwrdd fel taswn i newydd ddwyn o fanc ac yn trio dengyd cyn gynted â phosib. Wrth edrych yn y drych, medrwn weld Mam a Bruno yn hapus braf gyda'i gilydd ar y sedd gefn. Pwysodd Mam drosodd a phlannu sws ar ben y ci. Trodd Bruno ati a llyfodd ei thrwyn yn ysgafn. Roedd y ddau'n caru ei gilydd yn gyfan gwbl.

''Ngwas i!' meddai Mam yn fodlon.

8

Dianc o'r Tŷ

Roedd Mam wedi codi, ymolchi a gwisgo amdani, ac roedd hi'n barod i fynd. Roedd ganddi gôt law amdani, a sgarff, a menig. Roedd ei bag mawr yn hongian o'i braich, ac roedd ei thocyn bws yn ei llaw.

'Dwi'n mynd!' galwodd arna i dros ei hysgwydd. 'Wela i di wedyn.'

Ond doedd hi ddim yn gallu gadael y tŷ am 'mod i wedi cloi'r drws ac wedi cuddio'r goriad.

'Mae'r drws ar glo!' galwodd. 'Dwi'n methu mynd allan!'

Gwnes i 'ngorau i'w hanwybyddu hi.

'Martin, dwi'n methu mynd allan!'

'Mae'n chwarter i dri yn y bore!' gwaeddais, gan dynnu'r blancedi'n ôl dros fy mhen.

'Mae gen i apwyntiad yn y siop trin gwallt,' gwaeddodd hithau'n ôl. 'A dwi'n methu mynd allan!'

'Mae'n chwarter i dri yn y blydi bore, Mam!' bloeddiais. 'Dydy'r siop trin gwallt ddim yn agor am chwe awr arall. Ewch yn ôl i'ch gwely!'

Gallwn ei chlywed yn troedio'n ôl ar hyd y carped i'w llofft ei hun. Syrthiais i gysgu drachefn.

Roedd hi'n ôl, fel *Groundhog Day*, cyn hir.

'Wela i di wedyn!' galwodd o'r drws ffrynt.

Deffroais eto, gan edrych ar y cloc gydag un llygad. Pedwar o'r gloch. Gallwn glywed bwlyn y drws yn cael ei droi.

'Martin, mae'r drws ar glo, dwi'n methu mynd allan!'

Taflais y dwfe yn ôl a neidio allan o'r gwely. Ro'n i wedi cael llond bol.

Mae symptomau ac effeithiau clefyd Alzheimer yn gwahaniaethu'n fawr o berson i berson; efallai y bydd rhai darllenwyr yn gweld rhai o'r straeon yma'n gyfarwydd yn eu sefyllfaoedd eu hunain, a bydd gan eraill brofiadau hollol wahanol. Ond mae un peth sy'n tueddu i effeithio ar y rhan fwyaf o gleifion, sef colli'r gallu i ddirnad amser. Mae'r holl syniad yn colli ystyr; peth haniaethol ydy wyneb cloc, patrwm o linellau a rhifau sy'n gwneud dim synnwyr. Mae geiriau fel 'tri o'r gloch' mor ddieithr ag iaith estron.

'Mam!' bloeddiais yn llawn rhwystredigaeth. 'Mae'n ganol y blydi nos. Mae'n bedwar o'r gloch y bore, a dwi'n gorfod codi i fynd i'r gwaith am saith. Plis, ewch yn ôl i'r gwely!'

Es yn ôl i fy llofft a gorwedd ar y gwely, fy meddwl prin yn gweithio oherwydd yr holl flinder.

'OS YDW I'N HWYR I'R APWYNTIAD GWALLT, WNEITH HI MOHONO FO!' gwaeddodd Mam nerth esgyrn ei phen.

Agorais fy llygaid. Roedd hi wedi 'nilyn i i'r llofft. Neidiais allan o'r gwely eto, a rhedodd Mam i'w llofft, a minnau'n dynn ar ei sodlau.

'Ewch i'r gwely rŵan hyn!' gwaeddais.

Pwyntiais at y gwely fel tad blin yn dwrdio merch fach.

'Wna i ddim!' meddai Mam.

'Gwnewch, mi wnewch chi!'

'WNA I DDIM!' meddai Mam, ei llais yn codi'n sgrech.

'Iawn!' atebais. 'Peidiwch 'ta, ond dwi'n mynd i gysgu!'

Yn ôl â fi i fy ystafell, a rhywsut, cysgais eto. Ro'n i newydd syrthio i gysgu pan ges i 'neffro gan law fach yn gwthio fy ysgwydd. Eisteddai Mam ar erchwyn y gwely.

'Dwi'm isio byw yma dim mwy,' meddai'n syml. 'Dwi isio mynd adre.'

Cymerais gip ar y cloc wrth y gwely. Roedd hi'n bump o'r gloch y bore.

'Mi rydach chi adre, Mam,' ochneidiais.

'Na, adre go iawn,' mynnodd Mam. 'Dwi isio mynd yna rŵan.'

'Dyma ydy'ch adre go iawn chi.'

'Na.' Ysgydwodd Mam ei phen yn bendant.

'IA!' gwaeddais.

'NACI WIR!' gwaeddodd Mam yn ôl. Roedd hi'n eistedd ar erchwyn y gwely, ac roedd y ddau ohonon ni'n gweiddi ar ein gilydd. Mae Alzheimer yn gwneud pawb yn wallgof.

'Fy nghartre i dwi'n feddwl, yr un efo'r llawr gwyrdd yn y gegin,' meddai'n sydyn, mewn llais meddal.

Ceisiais feddwl. Na, doedd gen i ddim syniad am ble roedd hi'n sôn.

''Dydan ni 'rioed wedi byw mewn tŷ efo llawr gwyrdd yn y gegin,' dywedais. 'Plis ewch yn ôl i'r gwely, Mam.'

'Mae'r gegin yn hyfryd,' meddai. 'Mae'r cypyrddau i gyd yn bren go iawn, a'r llawr yn wyrdd.'

Gwnes fy ngorau i gofio nad bai Mam oedd hyn. Ro'n i'n trio peidio â gwylltio, ond ro'n i mor flinedig fel ei bod hi'n anodd canolbwyntio ar ddim.

'Jest ewch i'r gwely, Mam!'

'Mi a' i i'r gwely yn fy nhŷ fy hun. Dwi'm yn licio fama, mae 'na ormod o weiddi.'

'Chi sy'n gwneud y rhan fwyaf o'r gweiddi,' dywedais.

"Dydan ni 'rioed 'di cael tŷ efo llawr gwyrdd. Dyma'ch cartref chi, a dwi angen cwsg, felly plis… Ewch i'r gwely!'

Dechreuodd Mam edrych drwy ei bag, gan estyn pob math o bethau; pâr o fenig, ymbarél fach, esgid, hen fŷg coffi budr, sawl darn o bapur wedi'i sgrensian. Rhoddodd Mam y pethau yma i gyd ar y gwely, a dechreuodd agor y darnau papur, edrych arnyn nhw, ac yna'u rhoi nhw yn ôl yn y bag.

'Sbia!' dywedodd, gan wthio un o'r papurau ata i.

Edrychais arno – cyfriflen banc.

'Pam 'dach chi'n dangos hwnna i fi, Mam?'

'Fy apwyntiad gwallt i ydy o,' atebodd Mam. 'A ti'n mynd i 'ngwneud i'n hwyr.'

'Llythyr gan y banc ydy o, Mam, ac mae hi'n bump o'r gloch y bore,' ochneidiais. 'Plis ewch i'r gwely.'

O nunlle, glaniodd Bruno ar y gwely. Roedd ei dennyn yn ei geg a'i gynffon yn chwifio'n llawen.

'Iesu Grist,' meddwn, gan blannu fy wyneb yn y gobennydd.

Cododd Mam a gadael yr ystafell, Bruno'n dynn ar ei sodlau. Roedd popeth yn dawel, a minnau ar fin syrthio i gysgu eto pan gefais fy neffro gan waedd arall.

'Dwi'n mynd i ddweud wrth yr heddlu amdanat ti'n 'ngharcharu i fama,' bloeddiodd Mam. 'Yn y carchar fyddi di!'

'EWCH I'R GWELY!' sgrechiais.

Am saith o'r gloch, canodd fy larwm a bu'n rhaid i mi godi. Gwisgais amdanaf ac edrychais yn llofft Mam, ond doedd hi ddim yno. Dois i o hyd iddi yn cysgu yng nghadair yr ystafell fyw, yn dal i wisgo'i chôt a'i sgarff. Edrychodd Bruno i fyny arna i o'i le wrth ei thraed, ond wnaeth o ddim symud. Doeddwn i ddim am ei deffro hi. Cefais baned sydyn, a gadael am y gwaith.

*****

Dwn i ddim sut lwyddais i i fynd drwy'r diwrnod yna heb syrthio i gysgu. Teimlai'r oriau'n ddiddiwedd ond, o'r diwedd, pan ddaeth y shifft i ben, daeth hi'n amser mynd adref.

Cyn gynted ag y parciais fy nghar wrth y tŷ, daeth Mary drws nesaf draw a'i hwyneb yn llawn pryder. Roedd drws ffrynt Mam a drws ffrynt Mary yn wynebu ei gilydd, a dim ond ffens fach yn eu gwahanu nhw.

'Mae Bruno wedi bod yn cyfarth ers oriau!' meddai Mary. 'Mae gen i ofn fod rhywbeth yn bod. Dydy fy ffôn i ddim yn gweithio, felly fedrwn i mo'ch ffonio chi.'

Roedd fy nghalon yn drymio gan ofn yr hyn y byddwn i'n dod o hyd iddo yn y tŷ. Rhoddais y goriad yn y drws. Gallwn glywed y ci yn cyfarth yn wyllt. Cyn gynted ag yr agorais i'r drws, rhuthrodd allan heibio imi, ac yna'n ôl i mewn i'r tŷ, i mewn ac allan o'r ystafelloedd, yn cyfarth ac yn cwyno.

'Mam?' galwais, ond doedd dim ateb. Es i bob ystafell, a'r garej a'r cwt, ond doedd dim arlliw ohoni. Wyddwn i ddim sut roedd hi wedi dianc, ond roedd hi'n amlwg ei bod hi wedi gwneud. Edrychodd Bruno arna i, fel petai'n gofyn, 'Be nesa?'

'Ydy popeth yn iawn?' gofynnodd Mary o'r drws ffrynt. Es allan ati.

'Mae Mam wedi mynd!'

'Bobol annwyl,' atebodd Mary. 'Ffoniwch yr heddlu i ddweud ei bod hi ar goll.'

A dyna a wnes i. Bu'n rhaid i mi roi disgrifiad o Mam, a dweud beth roedd hi wedi bod yn ei wisgo. Dywedodd yr heddlu y bydden nhw'n cadw llygad amdani, ac yn fy ffonio i petai yna unrhyw newydd. Roedden nhw'n cynghori y dylwn i ffonio'r ysbyty hefyd.

Rhoddais ganiad i'r Walsgrave, prif ysbyty Coventry, ac

aros ar y lein wrth iddyn nhw weld a oedd rhywun oedd yn cyfateb i'r disgrifiad o Mam wedi bod i mewn heddiw. Roedd 'na un hen wraig gyda dementia wedi bod yno, ond roedd hi o gefndir Affricanaidd. Tybed faint o hen bobl ddryslyd oedd ar goll mewn dinas fel Coventry? O leiaf dau heddiw, roedd hynny'n amlwg.

Ffoniais Wendy rhag ofn bod Mam wedi mynd yno eto.

'Roedd hi yma am oria,' meddai Wendy. 'Ond mae hi 'di mynd rŵan. Roedd hi'n deud ei bod hi am fynd adre.'

'Mi wnest ti adael iddi fynd?' atebais. 'Yn ei chyflwr hi?'

'Sori, wnes i ddim meddwl. Roedd hi'n edrych yn iawn. Mi arhosodd hi am 'chydig, ac wedyn mi ddeudodd hi fod ganddi apwyntiad trin gwallt. Doedd gen i ddim rheswm i'w chadw hi yma.'

Ymddiheurais; wedi'r cyfan, doedd dim bai ar Wendy. Mae'n rhaid 'mod i wedi anghofio cloi'r drws yn iawn pan adewais i fynd i'r gwaith y bore hwnnw. Roedd hi wedi gallu gadael heb drafferth yn y byd.

Edrychais ar Bruno, oedd yn eistedd ac yn fy ngwylio i'n ofalus.

'Ti'n meddwl y bysat ti'n gallu dod o hyd iddi?' gofynnais. Trodd ei ben ryw ychydig, fel petai'n deall pob gair. 'Mae'n werth i ni drio.'

Rhoddais ei dennyn amdano, ac allan â ni i'r stryd. Erbyn hyn roedd hi'n bump o'r gloch. Gadewais i Bruno'n harwain ni. Sniffiodd y llawr, cyn tynnu i gyfeiriad y siopau. Galwais i mewn i siop Harry wrth basio.

'Haia Harry. Ti 'di gweld Mam heddiw?'

'Roedd hi yma tua awr yn ôl,' atebodd Harry.

Roedd hynny'n newyddion da.

'Oes arna i bres iti?' gofynnais.

'Na. Mi brynodd hi fisgedi siocled, ond roedd ganddi hi bres i dalu. Ydy popeth yn iawn?'

'Mae hi ar goll,' meddwn. ''Sgin i ddim syniad ble mae hi.'

'Ti am i mi ddod efo ti i chwilio?' gofynnodd Harry'n syth.

Ro'n i'n ddiolchgar iawn. Doedd dim rhyfedd fod siop Harry mor boblogaidd.

'Diolch iti, byddai hynna'n grêt.'

Dywedodd Harry rywbeth wrth ei wraig mewn Urdu, ac aeth hi i sefyll y tu ôl i'r cownter tra oedd Harry'n rhoi ei gôt amdano. Roedd ei ddau fab yn llwytho silffoedd yn y cefn, a galwodd Harry arnyn nhw hefyd. Stopiodd y ddau yn syth, a mynd i nôl eu cotiau.

'Mi wnân nhw helpu,' meddai Harry.

'Diolch o galon, Harry.'

Gwenodd y ddau fachgen arna i wrth fynd heibio, a cherddodd y ddau gyda'i gilydd i gyfeiriad tŷ Mam.

'Os wnei di yrru o gwmpas y strydoedd am 'chydig, Harry,' meddwn i, 'mi a' i â'r ci drwy'r parc.'

'Dim problem.' Dringodd Harry i mewn i'w gar.

O fewn munud, roedd llawer o bobl yn helpu i chwilio am Mam. Roedd yr archfarchnad yn lladd busnes Harry, a phan lwyddon nhw i'w gael o i gau drysau ei siop – fel a ddigwyddodd ychydig flynyddoedd ar ôl hyn i gyd – fe lwyddon nhw i ladd canolbwynt y gymuned, y lle arbennig lle roedd pawb yn cwrdd ac yn sgwrsio ac yn cefnogi ei gilydd. Roedd y lle bach ar y gornel yn gymaint mwy na siop. Roedd Harry'n benderfynol o ddal i fynd, ond waeth beth roedd o'n ei wneud, doedd ganddo ddim gobaith o ennill y frwydr yn erbyn yr archfarchnad.

Doedd y parc lleol ddim yn fawr iawn, ond roedd o'n cael ei ddefnyddio drwy'r amser gan blant bach a pherchnogion cŵn. Roedd 'na gae chwarae i blant efo sleidiau a siglenni, a ramp mawr i bobl ifanc gael sglefrfyrddio. Roedd 'na ambell blentyn yn y rhan honno, a dechreuais drwy fynd atyn nhw.

'Hei, hogia,' dywedais wrthyn nhw. 'Ydach chi wedi digwydd gweld hen ddynes mewn côt law wen?'

'Mi aeth hi fyny ffor'na,' atebodd un, gan bwyntio at ben pellaf y parc. Edrychais draw, ond fedrwn i ddim gweld arlliw o Mam.

'Pryd oedd hyn?'

'Ddim yn hir iawn yn ôl,' atebodd. ''Sgin i'm watsh.'

'Diolch i ti,' meddwn, gan ddechrau cerdded i'r cyfeiriad roedd o wedi pwyntio ato.

Tynnodd Bruno ar y tennyn gyda'i drwyn ar lawr, fel cŵn heddlu mewn hen ffilm, ac wrth i ni frysio, gwelais rywun yn y pellter mewn côt law olau. Gwyddwn yn syth mai Mam oedd hi.

'Dyna hi!' gwaeddais, a stopiodd Bruno i syllu arni hefyd. Roedd Mam yn cerdded ym mhen pellaf y parc, lle roedd giât fawr a ffordd allan. Roedd 'na lôn brysur yno – petai hi'n neidio ar fws byddwn i'n siŵr o'i cholli hi'n llwyr.

Penliniais i fwytho Bruno. 'Dos i nôl Mam!' Pwyntiais at Mam yn y pellter, a gollyngais y tennyn. I ffwrdd â Bruno fel bwled i'w chyfeiriad.

Dechreuais redeg ar ei ôl, ond ro'n i'n blino mewn dim. Ci egnïol a phwerus oedd Bruno, ac roedd o wedi cyrraedd Mam o fewn ugain eiliad. Stopiais i gael fy ngwynt ataf, a phan edrychais i fyny, roedd Bruno'n rhedeg mewn cylchoedd o'i chwmpas, yn cyfarth yn llon. Dechreuais wenu gan ryddhad, ond diflannodd y rhyddhad hwnnw pan welais i beth oedd yn digwydd. Roedd Mam wedi codi tennyn Bruno, ac roedd y ddau'n cerdded yn hapus allan o'r parc.

'Y blydi mwngral twp!' gwaeddais. 'Ti'm i fod i...'

Bloeddiais ar Bruno, a chwibanu. Gallwn ei weld yn stopio, ac yn edrych yn ôl arna i. Chwibanais eto, a gwelwn ei fod yn tynnu ar ei dennyn – i'r cyfeiriad arall. Roedd o'n llawer cryfach na Mam. Roedd hi wedi stopio, ond gallwn weld ei chorff yn cael ei dynnu gan nerth y ci. Ond yn y diwedd, dechreuodd Mam dynnu Bruno i'm cyfeiriad i. Dechreuais redeg.

Gallwn weld Mam yn edrych arna i, a chodais fy llaw. Cododd hithau ei llaw yn ôl, a gollyngodd ei gafael ar dennyn Bruno. Rhedodd yntau yn ôl ata i. Roedd o'n meddwl bod hyn yn rhyw fath o gêm.

Yn y diwedd, daeth Mam a minnau at ein gilydd yng nghanol y parc.

Ro'n i'n benderfynol o beidio dadlau gyda hi. 'Lle 'dach chi 'di bod drwy'r dydd?' gofynnais.

'Dwi'm yn siŵr,' atebodd Mam. 'Maen nhw wedi symud y siop trin gwallt. Fedrwn i ddim dod o hyd iddi.'

Fedrwn i ddim peidio â chwerthin.

''Di o ddim yn ddigri!' meddai Mam yn ddig. 'Dwi heb gael gwneud fy ngwallt ers wythnosau! Ti ddim yn dallt!'

'Mi a' i â chi fory,' addewais. ''Di hynny'n iawn?'

'Ydy,' atebodd hithau, a cherddodd y tri ohonon ni'n ôl i ben arall y parc.

'Rhaid i mi biciad i siop Harry,' dywedais. 'Dwi angen dweud rhywbeth wrtho fo.'

'Gawn ni brynu bisgedi siocled?' gofynnodd Mam.

'Faint fynnwch chi,' atebais. 'A chlamp o asgwrn i Bruno.'

9

Trip i'r
Siop Trin Gwallt

Yn yr adeg od yna rhwng cwsg ac effro, gallwn glywed sŵn cyfarwydd bwlyn y drws ffrynt yn troi. Dechreuais ddeffro'n araf.

'Martin, mae'r drws wedi'i gloi. Dwi'n methu mynd allan!' Daeth llais cyfarwydd Mam i ddod â fi at fy nghoed.

Roedd hi'n chwarter wedi pedwar y bore wedi'n hantur ni yn y parc. Ebychais a throi drosodd.

'Mae gen i apwyntiad yn y siop trin gwallt, ac mae'r drws wedi'i gloi,' meddai Mam wedyn.

Cymerais anadl ddofn, a phlannu fy wyneb yn y gobennydd.

'Martin, mae'r drws wedi'i gloi. Dwi angen mynd i'r siop trin gwallt.'

'Mae'n rhy gynnar,' galwais. 'Ewch yn ôl i'r gwely. 'Dan ni ddim yn mynd i'r siop trin gwallt tan hanner dydd.'

'Dwi'n methu mynd allan!' gwaeddodd Mam.

'Ewch i'ch gwely! Mi ddeuda i wrthoch chi pan mae'n amser mynd.'

'Falle wnei di anghofio!'

'Wna i ddim anghofio. Ewch i'ch gwely,' atebais. Ro'n i'n gwbl effro erbyn hyn.

'Falle wnei di anghofio,' meddai Mam eto.

'Wna i ddim anghofio, Mam!'

'Sut ti'n gwybod?'

'Be?' Fedrwn i ddim coelio 'mod i'n cael y sgwrs yma.

'Sut wnei di gofio cofio?'

'WNA I DDIM ANGHOFIO, MAM! RŴAN PLIS... EWCH I'CH GWELY!'

Glaniodd Bruno ar fy ngwely. Roedd ei asgwrn mawr newydd yn ei geg, ac roedd o'n chwyrnu. Ro'n i'n nabod ei synau o erbyn hyn, ac yn gwybod ei fod o'n dangos ei hun efo'i asgwrn newydd sbon.

'Gwely, Bruno!' dywedais. 'A chitha hefyd, Mam!'

Llamodd Bruno oddi ar y gwely. Gallwn glywed Mam yn murmur wrth basio ar ei ffordd yn ôl i'w llofft. 'Falle byddi di'n anghofio.'

Ochneidiais, a throi fy nghefn.

Ychydig yn ddiweddarach, deffroais i weld Mam yn eistedd ar erchwyn fy ngwely. Roedd hi'n chwarter wedi pump. Roedd hi wedi gwisgo, ac yn barod i fynd allan yn ei sgarff a'i menig. Pan welodd hi 'mod i'n effro, dywedodd, 'Falle wnei di anghofio. Mi arhosa i yma, jest rhag ofn.'

Mae gan rai pobl amynedd diddiwedd. Pobl sy'n adeiladu Tŵr Eiffel allan o fatshys, er enghraifft, neu bysgotwyr – mae'n rhaid ei bod hi'n cymryd llwyth o amynedd i eistedd ar lan afon am oriau, yn aros i bysgodyn gymryd ffansi at yr abwyd. Fûm i erioed yn genfigennus o'r bobl yna nes i Mam fod â chlefyd Alzheimer; ar ôl hynny, sylweddolais nad person amyneddgar oeddwn i. A dweud y gwir, ro'n i'n mynd yn fyrrach ac yn fyrrach fy nhymer fesul diwrnod. Wrth edrych yn ôl, dwi'n sylweddoli 'mod i mewn cymaint o drafferth ag oedd Mam, ond fedrwn i ddim gweld hynny. Yn y dechrau, roedd y gwasanaethau cymdeithasol wedi bod yn ein helpu ni, ond doedd dim gweithiwr cymdeithasol wedi bod draw ers talwm, a doedd neb arall y gallwn i siarad ag o. Do'n i ddim yn gwybod am gymdeithasau oedd yn cynnig help i ofalwyr, ac roedd pob dydd yn teimlo fel petawn i'n sefyll ar ymyl clogwyn uchel. Ro'n i wastad ar y dibyn.

Taflais y blancedi'n ôl, a chodi o'r gwely.

''Dan ni'n mynd rŵan?' holodd Mam.

'Dwi'n mynd i wneud brecwast,' atebais, gan wisgo fy nresin-gown. 'Wnewch chi ddim gadael i fi fynd yn ôl i gysgu, na wnewch?'

'Do'n i ddim am i ti anghofio,' meddai Mam.

'Dwi'n gwybod,' dywedais. Doedd Mam ddim yn trio bod fel hyn, wedi'r cyfan. ''Dach chi isio wy?'

'Oes 'na amser?'

Erbyn i fy larwm i ganu ychydig oriau'n ddiweddarach am 7, teimlwn fel petawn i wedi bod ar fy nhraed ers dyddiau. Ffoniais y gwaith a dweud 'mod i'n sâl. Ro'n i wedi bod yn colli gwaith yn aml yn ddiweddar, ac ro'n i'n rhedeg allan o esgusodion; mae'n siŵr bod fy nghyflogwyr, fel finnau, yn dechrau colli amynedd. Petawn i'n colli fy swydd, Duw a ŵyr beth fyddai'n digwydd i ni.

Eisteddodd Mam wrth fwrdd y gegin efo fi, a bwytaodd frecwast mawr, yn dal i wisgo'i chôt a'i sgarff. Roedd hi eisiau bod yn barod i adael unrhyw bryd, cyn gynted ag y byddwn i'n dweud ei bod hi'n amser mynd.

Ro'n i wedi dweud wrthi bod ganddi apwyntiad gwallt am hanner dydd, ond celwydd oedd hynny er mwyn ei chael hi i fynd yn ôl i'w gwely. Edrychais drwy'r Yellow Pages tan i mi ddod o hyd i siop trin gwallt leol oedd yn gallu ei gweld hi'r bore hwnnw. Gwnes yr apwyntiad ar gyfer 11, a chychwynnodd y ddau ohonon ni o'r tŷ chwarter awr cyn hynny.

Roedd y siop trin gwallt yn un o'r rhai modern, ffasiynol yna, gyda llawer o ddu a metel sgleiniog, a phan gerddodd Mam a fi i mewn daeth un o'r merched – oedd hefyd mewn du i gyd – draw aton ni.

'Helô,' meddai gyda gwên. 'Tracy ydw i. Fedra i'ch helpu chi?'

'Mae gan Mam apwyntiad am 11,' atebais. 'Mrs Slevin.'

Edrychodd Tracy yn y llyfr. 'Dyma ni! Ga i gymryd eich côt chi, Mrs Slevin?' Rhoddodd gôt a sgarff Mam ar fachyn. 'Be fedrwn ni wneud i chi heddiw?'

'Perm, a lliw,' atebodd Mam. 'Fedar Barbara'i wneud o? Barbara sy'n gwneud fy ngwallt i bob tro.'

Crychodd Tracy ei thalcen. 'Does 'na neb o'r enw Barbara yn gweithio yma.'

Dechreuodd Mam ymestyn am ei chôt.

'Mam, mae Barbara wedi dweud ei bod hi'n iawn i Tracy wneud eich gwallt chi rŵan,' dywedais yn sydyn.

'O, mae hynna'n iawn 'ta,' cytunodd Mam. 'Cyn belled â bod Barbara wedi dweud.'

'Pwy 'di Barbara?' sibrydodd Tracy.

'Dim syniad,' atebais yn onest. 'Mae Mam yn drysu weithiau, dyna i gyd.'

Nodiodd Tracy. 'Dwi'n dallt yn iawn.'

'Dewch i ista draw fama, Mrs Slevin,' meddai Tracy, gan amneidio i gyfeiriad cadair yn ymyl un o'r sinciau.

'Diolch, Barbara,' meddai Mam, gan ddilyn Tracy.

Eisteddais, a chodi cylchgrawn er mwyn darllen hanesion tri

mis oed rhyw enwogion nad oeddwn i wedi clywed amdanyn nhw.

Roedd Tracy'n wên i gyd wrth baratoi Mam.

'Ydach chi wedi ymddeol, Mrs Slevin?'

'Galw fi'n Rose,' meddai Mam.

'Ydach chi wedi ymddeol, Rose?'

'Na, na, dwi'n wniadwraig dda iawn,' atebodd Mam yn falch. 'Dwi 'di neud llenni i Princess Margaret.'

Stopiodd Tracy'n stond. 'Go iawn?'

'Ew, yndw,' meddai Mam. 'Dwi heb fod yn gweithio'n ddiweddar am 'mod i wedi bod yn cael fy nghadw mewn rhyw dŷ od. Mi wnes i ddianc, ond mi ddaru nhw anfon y ci ar f'ôl i.'

Roedd Tracy'n hollol llonydd erbyn hyn, a'r holl ferched eraill yn y siop trin gwallt. Ro'n i'n meddwl ei fod o'n ddigri, a daliais ati i ddarllen y cylchgrawn fel pe na bawn i'n clywed gair o hyn.

'Y cyfan dwi'n ei gael i'w fwyta ydy bisgedi siocled, ac maen nhw'n fy nrysu i efo'r holl weiddi a'r mynd a dod. O leia mae gynnon ni fand, ac maen nhw'n canu i fi weithiau. Oes 'na lawr gwyrdd yn dy gegin di, Barbara?'

'Ym... Na. Lliw hufen ydy llawr ein cegin ni,' atebodd Tracy.

'Dim dyna 'nhŷ fi 'ta,' meddai Mam yn ddigalon.

Safodd Tracy fel delw, gyda brwsh mewn un llaw a chrib yn y llaw arall. 'Sori...' meddai.

Roedd yn rhaid i mi wenu. Mae wastad yn rhyfedd gweld ymateb pobl pan maen nhw'n wynebu rhywun sydd â dementia. Does ganddyn nhw ddim syniad beth i'w ddweud na'i wneud nesaf.

'Mae 'na hogan fach sy'n garcharor yna hefyd,' meddai Mam.

Pan ddechreuodd Mam sôn am y ferch fach yn y gwresogydd, gwyddwn y byddai'n sgwrs hir ac od iawn. Codais a cherdded at Mam a Tracy.

'Pa mor hir fydd hyn yn ei gymryd?' gofynnais.

'O, cwpl o oriau o leia,' atebodd Tracy.

Roedd tafarn y Craftsman dros y ffordd i'r salon, ac roedd hi newydd agor. Ro'n i wedi gwylio sawl un yn mynd i mewn yn barod.

'Mi fydda i'n ôl mewn dipyn,' dywedais wrth Tracy.

Doedd hi ddim yn edrych yn siŵr o gwbl am hyn.

'Bydd hi'n iawn,' dywedais. 'Dim ond straeon ydyn nhw.'

Nodiodd Tracy, a rhoi gwên fach ansicr.

'Mam, dwi'n mynd i nôl neges,' meddwn. 'Fydda i'n ôl mewn dipyn.'

'Ia, dos di,' meddai Mam. 'Dwi jest wrthi'n deud wrth Barbara am Mr Jackson.'

Doedd gen i ddim syniad yn y byd pwy oedd Mr Jackson.

'Dyna chi 'ta.'

Gadewais y salon a cherdded dros y lôn i'r dafarn. Roedd hi'n fore clir, braf, a byddai cwpl o beints yn yr haul yn gwneud byd o les.

'Ti ddim yma mor gynnar â hyn fel arfer,' meddai'r landlord wrth i mi gerdded at y bar. 'Dim gwaith heddiw?'

'Dwi 'di ffonio mewn i ddeud 'mod i'n sâl,' atebais.

'Hmm. Ti'n edrych yn sâl.' Gwenodd arna i wrth osod peint o lager oer ar y bar. Talais amdano, a chario'r peint i'r bwrdd bach tu allan. Gallwn wylio'r salon o fan hyn. Teimlwn braidd yn euog yn eistedd yna'n slochian a minnau i fod yn y gwaith, a phetai un o fy mosys wedi 'ngweld i yno byddwn i wedi bod mewn trwbl mawr, ond ro'n i'n teimlo 'mod i angen hyn. Pan ydych chi'n gofalu am rywun gyda chlefyd Alzheimer, mae ei ffantasïau'n dod yn rhan o'ch bywyd chithau hefyd. Nid eich bod chi'n dechrau credu ynddyn nhw; rydych chi'n gwybod yn iawn nad ydyn nhw'n bod. Ond maen nhw'n dal i gymryd eich amser chi. Mae'n rhaid i chi ymdopi â nhw rywsut neu'i gilydd, ac yn y diwedd rydych chi'n byw bywyd sy'n hanner ffantasi a hanner realiti. Mae gwahaniaethu rhwng pethau sy'n real a phethau sydd ddim yn blino rhywun, ac weithiau, ro'n i angen amser i mi fy hun.

'Helô 'na,' meddai hen ŵr wrth eistedd wrth fy mwrdd. 'Tywydd bendigedig.'

'Bore da,' atebais. 'Yndi, mae'n braf.'

Agorodd yr hen ŵr ei bapur newydd, a dechreuodd ddarllen. Roedd ei sylw am y tywydd yn amlwg yn ddigon o sgwrs iddo. Roedd y lager yn oer ac yn flasus, ac eisteddais o flaen y dafarn yn mwynhau'r heddwch. Gwyddwn fod Mam yn cael amser da yn y siop trin gwallt, ac y byddai popeth yn iawn.

Gorffennais fy mheint ar ôl ychydig, a dychwelyd at y bar i brynu un arall. Allan â fi eto, ac wrth eistedd, ddywedodd yr hen ŵr 'run gair. Dyn tawel, mae'n amlwg.

Ro'n i tua hanner ffordd drwy'r ail beint pan bwyntiodd y dyn ar draws y ffordd. 'Wannwyl dad,' meddai. 'Mae 'na ryw firi'n digwydd yn fan'cw!'

Edrychais i fyny a gweld Mam yn rhedeg i fyny'r stryd. Roedd ganddi gap plastig glas am ei phen, gyda gwallt yn ymwthio ohono i bob cyfeiriad, ac yn chwifio y tu ôl iddi roedd mantell o'r un plastig glas. Rhedai Tracy y tu ôl iddi, a merched eraill y salon, pawb mewn du ac yn rhedeg ar ôl Mam. Roedden nhw'n edrych fel rhes o frain yn hedfan dros gae.

'Blydi hel!' ebychais. 'Fydda i'n ôl mewn munud.'

Gadewais faes parcio'r dafarn, a rasio dros y lôn. Roedd Tracy a'r gweddill wedi dal i fyny efo Mam erbyn hyn.

'Be ddigwyddodd?' gofynnais.

'Nath hi jest codi ar ei thraed a mynd!' meddai Tracy.

'Dewch rŵan, Mam,' dywedais. 'Dydy Tracy heb orffen gwneud eich gwallt chi eto.'

'Welish i rywun o'n i'n nabod,' esboniodd Mam. 'Rhywun oedd yn yr ysgol efo fi.'

'Ia, wel, gewch chi siarad efo hi wedyn,' atebais. 'Ond mae'n rhaid i chi fynd yn ôl i orffen cael trin eich gwallt rŵan.'

'Wrth gwrs,' meddai Mam. 'Tyrd 'laen, Barbara.'

Ac yn ôl â hi i'r siop trin gwallt.

Roedd golwg bryderus iawn ar Tracy ar ôl i ni ddychwelyd i'r salon. 'Fedrwch chi aros efo hi?' gofynnodd. 'Rhag ofn iddi redeg i ffwrdd eto?'

'Ddeuda i be wna i,' dywedais, gan ymestyn i'm poced gefn. 'Cymer di fy handcyffs i, ac os wyt ti'n cael unrhyw drafferth ganddi, cyffia hi i'r gadair.'

Roedd wyneb Tracy'n bictiwr. 'Fedrwn ni ddim gwneud hynny!' meddai. 'Mae hi'n gwsmer!'

'Maen nhw wastad yn rhoi handcyffs arni yn y lle arall,' dywedais yn ddiniwed.

'Ydyn wir,' cytunodd Mam.

Ro'n i'n meddwl bod Tracy am ddechrau crio.

'Tynnu coes ydw i, siŵr!' meddwn wedyn.

Chwarddodd Tracy a'r lleill – gormod, efallai.

'Ond wnewch chi aros, plis?' gofynnodd.

Nodiais fy mhen, gan eistedd i lawr. Roedd y cylchgrawn yn dal yn yr union le roeddwn i wedi ei adael o. Adroddodd Mam fwy o hanesion am artaith a herwgipio, ond doedd staff y salon ddim yn cymryd gymaint o sylw ag o'r blaen; roedden nhw'n dod i ddiwedd eu gwers gyntaf ar sut i drin cleifion sydd â dementia.

Meddyliais gymaint ro'n i wedi mwynhau'r peint yna, ac fe gofiais i mi adael peint ar ei hanner ar y bwrdd dros y lôn. Codais i edrych drwy'r ffenest. Roedd yr hen ŵr yn dal i eistedd yno, ac roedd fy ngwydr i'n dal yno hefyd. Gwyliais wrth iddo godi ar ei draed, plygu'r papur newydd a'i osod dan ei fraich. Yna, edrychodd o'i gwmpas cyn codi 'mheint i at ei geg a drachtio'r cyfan. Sychodd ei wefusau gyda chefn ei law, a chrwydrodd ymaith.

Roedd Mam yn dal i sgwrsio gyda merched y salon, ond doeddwn i ddim yn gwrando. Roedd gen i fwy o ddiddordeb yn y dyn dros y lôn a'r ffaith iddo ddwyn fy mheint gwerthfawr, hyfryd.

O'r diwedd, roedd Mam yn barod i adael. O ystyried yr holl drafferthion, roedd Tracy wedi gwneud gwyrthiau efo gwallt Mam. Edrychai'n grêt.

'Dwi am roi tip i ti, Barbara,' meddai wrth Tracy wrth iddi roi ei chôt amdani.

'Diolch i chi, Rose,' atebodd Tracy gyda gwên.

Dwi ddim yn meddwl bod Tracy ar gyflog da iawn, ac roedd hi'n siŵr o fod yn werthfawrogol iawn o unrhyw dip.

Agorodd Mam ei phwrs, ystyriodd am eiliad, ac yna pwysodd i mewn at Tracy. Pwysodd hithau ymlaen i glywed yr hyn oedd gan Mam i'w ddweud. Roedd eu hwynebau bron â chyffwrdd.

'Dwi isio i ti fod yn ofalus iawn efo pennau duon ar dy wyneb,' meddai Mam.

Diflannodd gwên Tracy.

'Dwi'n gweld fod gen ti un mawr ar ochr dy drwyn yn fanna,' sibrydodd Mam. 'Paid â'i wasgu fo rhag ofn iddo fo adael marc.'

Nodiodd Mam ar Tracy, a chau ei phwrs drachefn. Roedd hi'n aml yn cynnig 'tips' fel yna i ddieithriaid.

10

Y Ddrama Barhaus

FEL NIFER o gleifion Alzheimer, roedd gan Mam syniadau pendant iawn. Unwaith i un o'r rhain gydio, doedd dim posib cael gwared arno: byddai'n codi dro ar ôl tro. Ar ôl ychydig, byddai'n pylu – tan y tro nesaf.

Ro'n i'n arfer dychmygu'r syniadau yma fel rhywun yn nofio dan y dŵr. Wyneb y dŵr oedd meddwl Mam, a bob hyn a hyn, byddai'n gorfod dod i'r wyneb – a dyna pryd y byddai syniad newydd yn cymryd gafael. Roedd hi'n mynd â fo efo hi wedyn dan wyneb y dŵr, a byddai'r syniad ar goll yn ei phen tan y tro nesaf iddi ddod i fyny am aer.

Un o syniadau mwyaf pendant Mam oedd yr un am y ferch fach yn y gwresogydd. Doedd hi ddim yn meddwl amdani o hyd – byddai dyddiau'n mynd heibio heb iddi sôn amdani o gwbl. Yna, yn sydyn ac yn ddirybudd, byddai'r ferch yna, a byddai Mam yn siarad efo hi nes i'r syniad bylu eto am ychydig.

Dwn i ddim o ble y daeth y syniad, ond gan 'mod i'n gallu ymdopi'n iawn ag o, doedd o ddim yn fy mhoeni'n ofnadwy. Roedd 'na syniad arall oedd yn llawer mwy anghyfleus i mi, sef y syniad fod rhywun yn torri i mewn i'r tŷ. Doedd hyn ond yn digwydd fel roedd yr haul yn machlud, a doedd o ond yn parhau am ychydig ddyddiau cyn pylu. Yn anffodus, tra oedd o ar ei meddwl, byddai'n cau pob drws a ffenest yn y tŷ – hyd yn oed y drysau rhwng ystafelloedd – a'u cloi nhw. Yn waeth na hynny, byddai'n pwyso'r botwm bach i lawr ar glo Yale drws y ffrynt oedd yn golygu na allai gael ei agor, hyd yn oed gyda goriad. Cefais fy nghloi allan o'r tŷ. Un wythnos, dychwelais o'r gwaith a chael fy nghloi allan bob un nos.

Y tro cyntaf, roedd hi'n stido bwrw.

'Mam!' gwaeddais drwy'r blwch postio. 'Mae'n bwrw, agorwch y drws!'

'Does 'na neb yma,' atebodd Mam. Dim ond rhywun â chlefyd Alzheimer fyddai'n rhoi ateb fel'na.

''Dach chi yna!' gwaeddais. 'Mi glywais i chi'n siarad!'

Aeth popeth yn dawel, dawel.

'Agorwch y drws, Mam, mae'n stido bwrw!'

Gallwn ei gweld hi'n symud o gwmpas y tŷ drwy'r gwydr yn y drws, ond doedd hi ddim am fy ngadael i mewn.

'Mam!' bloeddiais drwy'r drws, y glaw yn llifo i lawr fy nghefn. 'Agorwch y drws, Mam! Plis!'

'Fedra i ddim!' atebodd hithau. 'Dydy o ddim yn saff!'

Roedd hi wedi cael y syniad yn ei phen nad oedd hi am ateb y drws, a doedd dim pwynt dadlau. Waeth beth roeddwn i'n ei ddweud, doedd hi ddim am newid ei meddwl.

'Popeth yn iawn?' galwodd Mary. Roedd hi'n eistedd yn ei chadair olwyn wrth ddrws agored ei thŷ, yn amlwg wedi clywed y gweiddi.

'Mae Mam wedi 'nghloi i allan, Mary. Ac wedi pwyso'r botwm ar y clo Yale.'

'O diar,' atebodd Mary. 'Ti am i mi roi caniad iddi hi?'

'Os 'dach chi ddim yn meindio.'

Cododd Mary'r ffôn, a deialu rhif Mam. Gallwn glywed ffôn Mam yn canu ar ochr arall y drws. Ro'n i'n socian erbyn hyn.

Gwelais siâp Mam yn symud heibio'r drws ffrynt, ac atebodd y ffôn.

'Helô?' meddai Mam.

'Rose, Mary drws nesa sy 'ma.'

'O, helô Mary! Sut wyt ti?'

'Iawn diolch. Fedri di ddod at ddrws y ffrynt, plis?'

'Iawn siŵr.'

Rhoddodd Mam y ffôn i orffwys ar y bwrdd bach, a cherddodd draw at y drws, cyn sefyll yno'n stond.

Arhosais yn y glaw. Arhosodd Mary. Arhosodd Mam.

'Rose...' meddai Mary eto, ond roedd Mam yn methu clywed y ffôn bellach.

'Mam!' galwais drwy'r blwch postio eto.

'Ia?'

Edrychais drwy'r blwch. Roedd Mam yn syllu'n ôl arna i drwy'r twll.

'Mam, agorwch y drws!'

'Fedra i ddim, dydy o ddim yn saff,' meddai Mam.

'Mam, ewch yn ôl at y ffôn. Mae Mary eisiau siarad efo chi.'

'Ocê,' meddai Mam.

Yn ôl â Mam at y ffôn. 'Helô?'

'Rose, Mary sy 'ma,' meddai Mary yn amyneddgar. Roedd hithau'n dechrau gwlychu rŵan, a'r gwynt yn chwythu'r glaw i mewn ati.

'O, helô Mary! Sut wyt ti?'

'Iawn diolch. Meddwl oeddwn i, wyt ti'n ffansïo dod draw am baned?'

'Grêt!' atebodd Mam. 'Pryd?'

'Rŵan.'

'Iawn,' meddai Mam, cyn rhoi'r ffôn i lawr.

Clywais glic y clo Yale, a throdd bwlyn y drws. Agorodd y drws, a brysiais i mewn.

'Dwi'n blydi socian!'

'Ddylet ti fod wedi mynd ag ymbarél efo ti ar ddiwrnod fel heddiw,' meddai Mam. 'Dwi'n mynd draw at Mary am baned. Fydda i ddim yn hir.'

Crwydrodd draw at dŷ Mary. Gwenais ar fy nghymdoges, a gwenodd hithau'n ôl.

'Mi ro i'r tegell 'mlaen, Rose,' meddai'n garedig.

★★★★★

Digwyddodd yn union yr un peth y diwrnod wedyn.

'Agorwch y drws, Mam!' gwaeddais drwy'r blwch postio.

Doedd hi ddim yn bwrw'r diwrnod hwnnw, ond roedd o'n teimlo'n llawer gwaeth am ei fod o'n digwydd eto. Mae'r teimlad o *déjà vu* wrth fyw gyda pherson sydd â chlefyd Alzheimer yn ddigon i yrru rhywun o'i go'. Rydych chi'n gwybod fod rhywbeth gwirion yn mynd i ddigwydd, am ei fod o wedi digwydd o'r blaen, ac mae hanes yn dechrau ailadrodd ei hun. Rydych chi'n cael eich dal ynghanol y ddrama, yn gwybod beth sy'n dod nesaf ond yn methu gwneud dim amdano.

'Does 'na neb yma!' gwaeddodd Mam. Teimlwn fel trio torri'r drws i lawr efo 'mhen.

''Dach *chi* yna!' gwaeddais drwy'r blwch postio, gan ddefnyddio'r un llinell ag a wnes i ddoe.

A dyna fel oedd o – fel adrodd llinell mewn drama. Roedd o fel bod yn actor sy'n gorfod gwneud yr un pethau dro ar ôl tro.

'Ydy popeth yn iawn?' gofynnodd Mary.

Edrychais arni, a gorfodi fy hun i wenu.

'Mae hi 'di 'nghloi i allan eto, Mary.'

'Ddyliwn i roi caniad iddi eto? Mi wnaeth hynny weithio neithiwr.'

'Diolch, Mary. Sori am hyn i gyd.'

'Twt lol,' meddai. 'O leia mae hi'n sych heddiw!'

Gallwn glywed y ffôn yn canu yn y tŷ.

'Helô?' meddai Mam ar ochr arall y drws.

'Helô Rose, Mary drws nesa sy 'ma.'

'O, helô Mary! Sut wyt ti?'

Teimlwn fel sgrechian.

'Iawn diolch, Rose. Wyt ti'n ffansïo dod draw am baned?'

'Grêt!' meddai Mam. 'Pryd?'

'Rŵan. Mi ro i'r tegell ymlaen.'

'Iawn.'

Agorodd drws y ffrynt.

'Helô cyw,' meddai Mam wrtha i. 'Dwi jest yn piciad draw at Mary. Fydda i ddim yn hir.'

Codais law ar Mary, a chododd hithau ei llaw yn ôl.

A dyna'r ddrama yna drosodd am y dydd.

Arhosais adref o'r gwaith y bore wedyn i aros am saer cloeon i ddod i dynnu'r clo Yale oddi ar y drws. Fyddai Mam ddim yn gallu 'nghloi i allan mwyach. Doedd o ond yn y tŷ am ryw 25 munud ac fe gododd o £90, ond roedd o'n werth pob ceiniog.

Cyrhaeddais adref yn hyderus y noson honno. Ro'n i'n gwybod y byddai pethau'n wahanol i fel roedden nhw wedi bod y nosweithiau diwethaf yma. Ro'n i'n teimlo'n glyfar ac yn falch iawn ohona i fy hun am ddatrys y broblem mewn ffordd mor ddiffwdan. Rhoddais y goriad newydd yn y clo, a... crash! Roedd y drws yn gwrthod agor. Roedd Mam wedi cau'r tsiaen. Teimlwn fel rhedeg i lawr y lôn dan sgrechian.

'Dwi'n methu dod i mewn, Mam,' galwais. 'Gadewch fi i mewn!'

'Dydy o ddim yn saff,' atebodd Mam.

Maen nhw'n dweud mai llinell denau iawn sydd rhwng bod yn gall a bod yn wallgof, ac ro'n i'n teimlo'n beryglus o agos i'r llinell honno.

'Ddyliwn i roi'r tegell ymlaen?' gofynnodd Mary.

'Diolch, Mary.'

Mae'n anodd esbonio sut beth ydy proses fel hyn i rywun sydd heb brofiad ohono. Mae o fel gwylio ffilm 'dach chi wedi ei gweld o'r blaen, ond mae o'n llawer mwy byw am eich bod chi'n rhan o'r ffilm, yng nghanol y stori, a waeth beth wnewch chi, does 'na ddim llawer y gallwch ei wneud i newid y ffilm. Ymhen hir a hwyr, mae'r holl beth yn siŵr o ddechrau chwarae gemau gyda'ch meddwl. Mae'r digwyddiadau yn eich bywyd allan o'ch rheolaeth chi ac mae eich rôl wedi ei sgwennu eisoes, a'r cyfan y gallwch ei wneud ydy dilyn y sgript.

Ro'n i'n siarad efo fi fy hun fel gwallgofddyn blin wrth ddadsgriwio'r sgriws bach oedd yn dal y tsiaen ar y drws yn ei lle. Ro'n i fel dyn gwyllt. Fedrwn i ddim hyd yn oed fynd i mewn i'r tŷ ar ôl gwaith heb frwydr. Ond o leiaf ro'n i wedi cael gwared ar y tsiaen rŵan. Doedd dim modd i Mam fy nghloi i allan bellach.

Yn anffodus, dydy'r sgript ddim wastad yn mynd fel 'dach chi wedi gobeithio.

★★★★★

Y noson wedyn, dois adref yn llawn egni. Rhoddais y goriad yn y drws, a – haleliwia! – agorodd. Cyn… crash!

Roedd y drws wedi agor oddeutu tair modfedd. Fedrwn i ddim coelio'r peth.

'Mam, mae'r drws yn sownd!' bloeddiais.

Dim ateb.

Agorais y blwch postio a gweld ei bod hi wedi gosod cadair ar ongl yn erbyn bwlyn y drws.

Rydych chi'n gallu newid y sgript, ond mae'r claf yn gallu gwneud yr un fath – os ydych chi'n mynd ati i ddinistrio'r rhwystrau, maen nhw'n mynd ati i'w hachub. Yn ei meddwl hi, roedd Mam wedi gwneud y tŷ yn saff eto, ac ro'n i'n anobeithio.

'Mam! 'Dach chi'n fy nghlywed i? Mae'r drws yn sownd.'

'Does 'na neb yma!'

Daeth yr ateb i'n drama fach ni mewn ffordd eithaf annisgwyl.

Galwodd Mary draw: 'Martin, mae'r tegell ymlaen. Ddyliwn i ei ffonio hi rŵan?'

'Plis, Mary,' ochneidiais.

'Be ma' hi'n neud rŵan?' gofynnodd Mary.

Edrychais drwy'r blwch postio.

'Mae'n aros wrth y ffôn. Mae'n aros i chi ei ffonio hi!'

Yna digwyddodd rhywbeth rhwng Mary a fi. Deallodd y ddau ohonon ni fod y frawddeg olaf yna'n un bwysig iawn, ac, efallai, yn cynnwys datrysiad i'r broblem fawr yma.

Sylweddolais fod gan bawb rôl yn ein drama fach ni. Mam oedd y prif gymeriad, fi oedd y dyn drwg, a Mary oedd yr achubiaeth. Fel roedd Mary a minnau'n gwybod ein llinellau, roedd Mam yn gwybod ei rhai hithau. Yn ei meddwl hi, prif elfennau'r olygfa oedd:

1. Mam yn dod o hyd i ffordd o gadw Martin allan o'r tŷ pan mae o'n dod adref o'r gwaith.
2. Martin yn cyrraedd ac yn methu dod i mewn.
3. Martin yn gweiddi, a Mam yn ei anwybyddu.

4. Mary'n ffonio Mam.

5. Mam yn agor y drws ac yn mynd at Mary.

6. Martin yn dod i mewn i'r tŷ.

Roedd hi'n dilyn y patrwm bob un tro, ac yn disgwyl am alwad Mary cyn iddi allu ateb y drws. Yr unig beth roedd Mam yn ei wneud oedd bod yn ffyddlon i'r sgript roedden ni'n tri wedi ei chreu.

'Dwi newydd gael syniad!' meddai Mary gyda gwên. 'Be am i mi ffonio dy fam hanner awr cyn i ti ddod adre o'r gwaith?'

Sylweddolais yn syth mor syml a pherffaith oedd y syniad.

'Wedyn, bydd hi wedi agor y drws cyn i ti gyrraedd adre, a byddi di'n gallu mynd i'r tŷ heb drafferth!' meddai Miss Marple yn fuddugoliaethus.

A dyna ddatrys y broblem.

Gweithiodd y syniad yn berffaith. Petawn i wedi bod yn glyfrach ac wedi sylweddoli hyn ynghynt, byddwn wedi gallu arbed y £90 a dalais i'r saer cloeon.

Y cyfan oedd rhaid ei wneud oedd newid mymryn ar y sgript.

1. Mam yn dod o hyd i ffordd o gadw Martin allan o'r tŷ pan mae o'n dod adref o'r gwaith.

2. Mary'n rhoi caniad i Mam.

3. Mam yn agor y drws ac yn mynd i dŷ Mary.

4. Martin yn rhydd i fynd i mewn i'r tŷ.

Fy nghyngor i unrhyw un sy'n delio gyda drama ailadroddus wrth fyw efo rhywun sydd â chlefyd Alzheimer ydy bod angen cofio mai sgript ydy'r cyfan, a bod rhaid meddwl am ffyrdd o newid y sgript honno. Gallwch dorri allan ddarnau mawr o'r sgript. Wrth gwrs, mae'n haws dweud na gwneud: y cyfan sy'n rhaid i chi ei wneud ydy ceisio edrych ar y sefyllfa o'r tu allan.

11

Y Dyn yn y Macintosh Llwyd

Ro'n i wedi bod yn ymwybodol ers tro 'mod i'n trin Mam fel carcharor. Byddwn yn mynd i'r gwaith yn y bore gan ei chloi hi yn y tŷ rhag ofn iddi wneud niwed iddi hi ei hun, a byddai yno nes i mi ddod adref gyda'r nos. Byddwn yn cloi'r drysau eto pan awn i'r gwely, rhag ofn iddi drio dianc. Heblaw am ambell dro, fel ddigwyddodd yn y siop trin gwallt, wnaeth Mam ddim cwyno. Ond roedd hi wedi bod yn ddynes fywiog a phrysur cyn yr Alzheimer, ac ro'n i'n gwybod ei bod hi'n hiraethu am gael mynd allan o'r tŷ.

Un peth roedd hi'n arfer hoffi ei wneud oedd neidio ar drên ar ddydd Sadwrn, a gwneud y daith fer i Birmingham. Roedd marchnad Birmingham wedi bod yn enwog yn y 60au a'r 70au, ac roedd yr holl fwrlwm yn siwtio Mam i'r dim. Byddai'n brysio o gwmpas y farchnad, yn chwerthin ac yn tynnu coes y stondinwyr. Gallai ddod o hyd i'r fargen orau bob tro, fel eryr yn chwilio am lygoden. Byddai Dad a hithau'n dod adref ar y trên ar ddiwedd y dydd yn wên i gyd ac yn drymlwythog dan fagiau.

Roedd hi'n nos Wener ac roedden ni'n gwylio'r teledu yn yr

ystafell fyw. 'Mam,' dywedais. ''Sach chi'n licio mynd i farchnad Birmingham fory?'

Gwyddwn yn iawn beth fyddai'r ateb.

'O, byddwn i wrth fy modd!' meddai, wedi gwirioni'n llwyr. 'Fedrwn ni fynd â Bonso efo ni, a mynd ar y trên!'

Meddyliais am yr holl bethau allai fynd o le wrth fynd â Mam ar drên, heb sôn am y pwysau ychwanegol o orfod cadw llygad ar gi oedd yn licio rhwbio'i hun yn erbyn dieithriaid.

'Gwell i ni adael Bruno yma, Mam,' atebais. 'Dydy o ddim yn licio trenau.' Doedd gen i ddim syniad a oedd hyn yn wir ai peidio.

Eisteddodd Bruno i fyny'n gefnsyth wrth glywed ei enw. 'O, sbia!' meddai Mam. 'Mae o isio dod i siopa efo ni!'

'Na, dydy o ddim.'

''Ngwas i!'

Roedd Bruno'n edrych ar Mam, ac yna arna i, yna'n ôl at Mam. Wrth gwrs, ym meddwl Mam roedd hyn yn golygu fod Bruno'n erfyn am gael dod efo ni.

'Bydd o *mor* siomedig os nad ydy o'n cael dod,' meddai Mam.

'Na fydd siŵr.'

'O, mi fydd o! Dwi'n ei ddallt o gymaint gwell nag wyt ti.'

'Na 'dach. Dydy o ddim yn dallt be 'dan ni'n ddeud, a dydy o ddim yn dod efo ni.'

Taflodd Mam ei breichiau o gwmpas gwddf Bruno fel petai'n hen berthynas coll.

'Benji druan!' meddai. 'Mi ddo i â choler newydd i ti, ac asgwrn mawr.'

Plygodd ei phen a chusanu corun y ci.

''Ngwas i!' dechreuodd eto.

'Bydd raid i ni gychwyn yn gynnar bore fory,' meddwn. 'Mi gawn ni ddiwrnod tawel o siopa.'

Drannoeth, codais am wyth o'r gloch y bore. Roedd Mam wedi gwisgo ac yn barod i fynd, ac roedd hi'n dal Bruno ar ei dennyn; roedd darn bach o bapur ynghlwm â'i goler.

'Be 'di hwn?' Craffais ar y papur.

'Ei enw a'i gyfeiriad, rhag ofn iddo fo fynd ar goll ynghanol yr holl bobl,' meddai Mam, yn amlwg yn falch iawn ohoni ei hun.

'Mi ddwedais i wrthoch chi neithiwr, Mam, dydy o ddim yn dod efo ni. Ac mae'r cyfeiriad yna yn Iwerddon, beth bynnag. Dwi'n mynd i gael brecwast.'

'Wrth gwrs ei fod o yn Iwerddon! Ein cyfeiriad ni ydy o!'

Ochneidiais wrth dywallt grawnfwyd i fowlen. ''Dan ni ddim yn byw yn Nulyn, Mam. 'Dan ni'n byw yn Coventry.'

Edrychodd Mam arna i fel petawn i'n mynd yn anghofus iawn, a hithau'n teimlo bechod drosta i. Rhoddodd ei llaw ar fy mraich.

'Ydan, Richard. Dwi'n meddwl fod angen gwyliau arnat ti.'

Tywalltais lefrith i'r fowlen.

'Dim Richard ydy f'enw i, a 'dan ni ddim yn byw yn Nulyn. Ond 'swn i *yn* gallu gwneud efo gwyliau.'

Aeth Mam a Bruno i eistedd yn yr ystafell fyw. Roedd Mam yn dawel iawn: efallai ei bod hi'n meddwl pwy oeddwn i, os nad Richard.

Ar ôl brecwast es i newid, tynnu tennyn Bruno oddi arno, a llwyddo i gael Mam allan o'r tŷ hebddo. Parciais yng ngorsaf reilffordd Coventry ac aeth y ddau ohonon ni i mewn i brynu tocynnau.

'Dau docyn dwyffordd i Birmingham, plis,' meddwn wrth y dyn tu ôl i'r cownter.

'Ydy'r môr yn llonydd heddiw?' gofynnodd Mam.

'Dim syniad,' atebodd y dyn. Roedd golwg o syndod ar ei wyneb; o gofio bod Coventry yng nghanol Lloegr, ac mor bell o'r môr ag y gall rhywun fynd ym Mhrydain, welwn i ddim bai arno fo.

'Dwi ddim yn grêt ar y môr,' esboniodd Mam. 'Dwi wastad yn mynd yn sâl ar y fferi. Meddwl sut daith oedd hi'n mynd i fod i Loegr o'n i, dyna i gyd.'

''Dach chi yn Lloegr yn barod,' atebodd y dyn yn dawel.

Nodiodd Mam, a gwenodd, ond doedd hi ddim yn deall. Llithrodd y dyn y tocynnau draw aton ni.

'Diolch,' meddwn wrth symud i ffwrdd. Mae hi'n gallu bod yn ddiflas iawn gorfod esbonio i bawb fod clefyd Alzheimer ar yr un sydd efo chi. Ar ôl sbel, rydych chi'n rhoi'r gorau i drafferthu, achos maen nhw'n siŵr o weithio'r peth allan eu hunain – ac os nad ydyn nhw, pa ots?

'Pryd mae'n trên ni i fod i ddod?' gofynnodd Mam.

Edrychais ar un o'r sgriniau mawr uwchben.

'Mae 'na un mewn chwarter awr.'

'Be am gael paned?'

Yn y caffi bach, cafodd Mam a minnau baned yr un, ac archebodd hi ddonyt jam, a'i lapio mewn papur cyn ei rhoi yn ei bag.

'Be 'dach chi'n ei wneud?' gofynnais.

'Ei gadw fo i Bili.'

'Pam na wnewch chi roi bwyd ci iddo fo? Dwi'n siŵr ei fod o ddim i fod i gael donyts a chacennau hufen a'r holl rwtsh arall 'dach chi'n ei fwydo iddo fo. Dim rhyfedd ei fod o'n nyts.'

'Dydy o ddim yn nyts!' meddai Mam. ''Dan ni wrth ein bodd efo'n cacennau ganol bore. 'Dan ni'n dau'n edrych ymlaen yn arw atyn nhw!'

Wrth gwrs ei fod o: roedd yr hen gi wedi glanio ar ei bawennau. Gallwn ddweud yn barod fod y trip yma am fod yn antur fawr, yn union fel mynd i'r siop trin gwallt.

Roedd y trên mwy neu lai ar amser, ac roedden ni'n gorffen ein paneidiau wrth iddo gyrraedd yr orsaf.

'Be am gael pryd o fwyd ar y trên?' meddai Mam. Dwi'n meddwl ei bod hi'n trio gwneud y mwyaf o'i thrip.

'Fedrwn ni ddim,' atebais. 'Dim ond taith fer ydy hi – fyddwn ni yna mewn ugain munud.'

'Mae'n cymryd yn hirach na hynny i fynd i Dún Laoghaire,' meddai Mam, gan chwerthin am fy mhen. Dún Laoghaire ydy'r porthladd yn Nulyn lle mae'r llongau yn gadael am Gaergybi.

'Lle 'dach chi'n meddwl 'dan ni'n mynd?' holais.

'Lloegr, ia ddim?' gofynnodd Mam.

''Dan ni yn Lloegr, Mam,' meddwn. ''Dan ni'n byw yn Lloegr. 'Dan ni wedi byw yn Lloegr ers degawdau. Mynd i farchnad Birmingham ydan ni.'

'O.' Roedd Mam yn siomedig.

'A 'dan ni ddim yn mynd ar y fferi, 'dan ni'n mynd ar y trên.'

Nodiodd Mam. 'Ia siŵr.'

Mae'r trên i Birmingham ar fore Sadwrn wastad yn brysur, ac mae rhywun yn lwcus i gael sedd. Ro'n i'n gwybod ein bod ni'n annhebygol o ddod o hyd i seddi efo'n gilydd, felly penderfynais y byddai Mam yn eistedd, a minnau'n sefyll gerllaw er mwyn i mi allu cadw llygad arni.

Ymlaen â ni ar y trên.

'Arhoswch efo fi,' dywedais. 'Dwi ddim am i chi fynd ar goll.'

'Does dim rhaid i ti boeni amdana i,' meddai Mam. 'Dwi'n gwybod be dwi'n neud.'

Gwasgodd y ddau ohonon ni ein ffordd i lawr y trên. Fi oedd yn arwain, gan edrych yn ôl dros fy ysgwydd ar Mam. 'Eisteddwch chi draw fanna, Mam, ac mi a' i i eistedd fan'cw.'

Daethon ni at y sedd wag. 'Gewch chi eistedd fama, Mam,' meddwn, gan droi.

Doedd hi ddim yno.

'Shit!'

Edrychais yn wyllt i'r cyfeiriad ro'n i wedi dod ohono. Roedd pobl ym mhob man, a fedrwn i ddim gweld pen pellaf y cerbyd.

Dechreuais wthio fy ffordd drwy'r trên.

'Be 'di'r brys?' meddai rhywun yn flin wrth i mi wasgu heibio iddo.

Yn sydyn, rhwystrwyd y ffordd gan ddynes fawr dew mewn het goch. Doedd gen i ddim amser i fod yn gwrtais efo hi. Ro'n i angen dod o hyd i Mam. Roedd y ddynes yma'n sefyll yng nghanol y trên yn tyrchu drwy fag enfawr.

'Aros funud, dwi'n gwybod 'mod i wedi'i roi o yn fy mag bore 'ma,' clywais hi'n dweud wrth rywun.

Pan o'n i'n fach, roedd Dad wastad wedi mynnu 'mod i'n bod yn gwrtais, yn arbennig wrth ddelio gydag oedolion, pobl mewn awdurdod neu ferched o unrhyw oed. 'Mae cwrteisi'n rhad ac am ddim, 'ngwas i,' dywedai. Dwi'n gobeithio y byddai o wedi deall. Cymerais gam mawr wysg fy ochr heibio'r ddynes enfawr.

'Oooo!' meddai'r ddynes, gan ddisgyn ar ei hochr i mewn i'r sedd wrth ei hymyl, a syrthiodd cynnwys ei bag dros lawr metel y trên.

'Sori!' galwais wrth fynd heibio.

'Diawl powld!' atebodd hithau.

Fedrwn i ddim gweld Mam yn unlle. Chwythwyd chwiban

ar y platfform, a dechreuodd y trên symud. Edrychais allan drwy ffenestri'r trên, yn gobeithio i Dduw na welwn i Mam yn sefyll ar y platfform. Fedrwn i mo'i gweld hi. Wrth i'r trên adael yr orsaf, a phobl yn setlo i mewn i'w seddi, gallwn weld pob un wyneb yn y cerbyd. Fedrwn i mo'i gweld hi.

Cerddais yn ôl i lawr y cerbyd, gan graffu ar bob un wyneb. Dim lwc. Erbyn cyrraedd pen draw'r ail gerbyd, roeddwn i'n dal heb ddod o hyd iddi.

Lle ddiawl mae hi? meddyliais.

Efallai ei bod hi wedi mynd i un o'r toiledau rhwng y cerbydau. Brysiais atyn nhw, a gweld fod un wedi ei gloi.

'Mam?' gofynnais yn dawel wrth guro'r drws.

'Dwi'm yn fam i chdi!' meddai llais dyn blin o'r ochr arall.

'Sori!'

Cerddais yn ôl yr un ffordd ag yr oeddwn i wedi dod, yn chwilio a chwilio. Os nad oedd hi yn y cerbyd yma, rhesymais, mae'n rhaid ei bod hi yn y llall.

Doedd hi ddim yno.

Ro'n i'n teimlo'n sâl. Mae'n rhaid nad oedd hi ar y trên o gwbl. Mae'n siŵr ei bod hi ar y platfform yng ngorsaf Coventry. Os oedd hynny'n wir, byddai'n crwydro'r ddinas erbyn hyn, ar goll yn llwyr a minnau ar drên oedd yn teithio i'r cyfeiriad anghywir.

Ond ro'n i'n siŵr ei bod hi wedi bod efo fi ar y trên. Ar y trên cyflym, dim ond dau stop oedd rhwng Coventry a New Street, a'r un yn y canol oedd y National Exhibition Centre. Mae miloedd o bobl yn mynd i'r NEC i weld arddangosfeydd a chyngherddau. Ro'n i fy hun wedi gweld The Who a David Bowie yno flynyddoedd ynghynt.

'A'r stop nesaf ydy'r National Exhibition Centre,' dywedodd y llais dros yr uchelseinydd, a dechreuodd y trên arafu. Cododd llawer o'r teithwyr ac ymestyn am eu bagiau. Ro'n i ynghanol twr o gyrff eto, a doedd gen i ddim syniad lle roedd Mam.

Gwthiais fy ffordd drwy'r trên eto. Ro'n i'n dechrau mynd i banig. Roedd dwsinau o bobl yn gadael y trên yn yr orsaf yma, a dwsinau'n aros i ddal y trên hefyd.

Ar ôl ychydig, dechreuodd y trên symud eto. Ro'n i mewn coblyn o stad. Os na fyddwn i'n dod o hyd iddi erbyn cyrraedd Birmingham, beth oeddwn i am ei wneud? Wrth i'r trên adael yr orsaf, edrychais drwy'r ffenest ar blatfform yr NEC.

Dyna pryd y gwelais gefn ei phen.

Hi oedd hi. Ro'n i'n adnabod y dillad. Y peth od oedd ei bod hi'n cerdded fraich ym mraich efo hen ddyn mewn côt law lwyd a het drilbi. Fedrwn i ddim coelio fy llygaid – roedden nhw'n sgwrsio fel petaen nhw'n adnabod ei gilydd erioed. Dyma'r ddau'n troi'r gornel, a diflannu. Ro'n i bellach ar fy ffordd i Birmingham.

Sefais yn syllu drwy'r ffenest. Gwyddwn fy mod i wedi ei gweld hi, ond prin y medrwn i goelio'r peth. Edrychais drwy'r cerbydau eto rhag ofn 'mod i wedi gwneud camgymeriad. Edrychodd rhai pobl arna i wrth i mi basio, wrth i eraill fy anwybyddu. Am gymysgedd o wahanol fathau o bobl sydd yn y wlad yma! Pobl o bob lliw a llun, pob mathau o steiliau gwallt, cyrff mawr tew a rhai bach main. Mae pob un rhan o gorff pob unigolyn ychydig yn wahanol i'w gilydd. Do'n i heb edrych ar bobl yn y ffordd yma erioed o'r blaen.

Chwiliais a chwiliais, ac erbyn i mi gyrraedd gorsaf New Street ro'n i'n bendant nad oedd Mam ar y trên yma. Hi roeddwn i wedi'i gweld ar y platfform yn yr NEC, doedd dim dwywaith.

Fi oedd y cyntaf oddi ar y trên. Rhuthrais at y ddesg. 'Pryd mae'r trên nesa i'r NEC, plis?' gofynnais.

Edrychodd y dyn ar ei sgrin. 'Mae'r un ar blatfform 2 ar fin gadael.'

Rhedais i fyny'r grisiau a dros y bont fach sy'n croesi'r cledrau, a gwibio i lawr y grisiau bach ar yr ochr draw. Roedd drysau'r trên yn cau – ond llwyddais i agor un, a neidio i mewn.

Diwrnod tawel o siopa, wir!

*****

Wrth i'r trên daranu'n ôl i'r NEC, y cyfan oedd ar fy meddwl oedd y dyn yn y macintosh llwyd.

Pwy ddiawl oedd o? Do'n i ond wedi ei weld o am hanner eiliad, ond ro'n i'n eithaf sicr nad o'n i wedi ei weld o erioed o'r blaen. Roedd o'n f'atgoffa i o gymeriad mewn ffilm ddu a gwyn o'r 50au; yn ei gôt laes a'i het drilbi ddu, roedd o'n edrych fel fersiwn Hollywood o sut roedd ysbïwr Seisnig i fod i edrych. Gallasai o fod yn unrhyw un! Efallai ei fod o'n ddihiryn oedd yn teithio Prydain yn herwgipio hen ferched, ond i beth? I gael arian? Dydy'r rhan fwyaf o hen bobl ddim yn cario llawer o arian, ac ro'n i'n gwneud yn siŵr nad oedd Mam yn gwneud. I gael *rhyw*? O Iesu Grist, fedrwn i ddim dechrau meddwl am hynny.

Ond pam, 'ta? Efallai ei fod o'n seico gwallgof oedd yn teithio ar y trenau, yn casglu hen ferched? Yn sydyn, daeth y ddelwedd ryfeddaf i fy meddwl, o sgubor fawr yng nghanol y wlad yn llawn hen ferched, i gyd yn crwydro mewn cylchoedd ac yn siarad wrth i'r hen ŵr yn ei gôt macintosh eu gwylio o falconi uchel, gan chwerthin fel gwallgofddyn.

'A nawr,' byddai'n gweiddi'n uchel, 'nawr, rydyn ni'n mynd i chwarae BINGO!'

Roedd rhaid i mi stopio gwneud hyn. Fel y dywedais i

o'r blaen, roedd clefyd Alzheimer yn gyrru'r teulu i gyd yn wallgof.

'A dyma ni'n cyrraedd gorsaf y National Exhibition Centre,' meddai'r llais dros yr uchelseinydd. 'Yr NEC fydd y stop nesaf.'

Bu'n rhaid i mi aros yn boenus o amyneddgar i bawb adael y trên o 'mlaen i, a sefais ar yr union blatfform lle ro'n i wedi gweld Mam a'r hen ddyn ryw 25 munud ynghynt. Symudodd y dorf i gyd fel diadell tuag at yr allanfa.

Sylwais fod y rhan fwyaf o bobl yn symud i gyfeiriad y neuaddau arddangos, ac fe wnaethon ni basio arwydd mawr oedd yn dweud:

FRANCHISE AND SMALL BUSINESS EXHIBITION

I fanno roedd pawb yn mynd, felly roedd hi'n gwneud synnwyr i minnau fynd hefyd. Os nad oedd Mam yno, os oedd hi wedi gadael yr NEC efo'r dyn yna, doedd gen i fawr o obaith dod o hyd iddi.

Dechreuodd y dorf ffurfio ciw, a chyn bo hir, roeddwn i ar flaen y rhes. Gofynnodd y ddynes am gael gweld fy nhocyn.

'Does gen i'r un. Dwi jest yn edrych am Mam, mae hi ar goll.'

'Wyth bunt, plis.'

Doedd dim ots gan y ddynes am Mam – fyddwn i ddim yn cael mynd i mewn heb docyn. Talais.

Mae neuaddau'r NEC yn enfawr ac yn dal miloedd o bobl; roedd hi'n mynd i fod yn hunllef dod o hyd i Mam ynghanol y bobl yma. Yr unig obaith oedd y dyn yn yr het. Does prin neb ym Mhrydain yn gwisgo hetiau bellach, felly dylwn i fod yn medru ei weld o bellter. Roedd balconi mawr a chaffis a bwytai i fyny'r grisiau, a phenderfynais fynd i fyny yno ac edrych i lawr – byddwn yn gallu edrych i lawr ar y stondinau ac edrych am yr het ddu.

Gwthiais fy ffordd i fyny'r grisiau, drwy'r dorf, a thrwy'r bar oedd yn gweini cwrw drud. Doedd Mam ddim yma. Rhuthrais at y balconi ac edrych i lawr.

Roedd yr arddangosfa yn digwydd dros ddwy neuadd fawr, ac ro'n i'n edrych i lawr ar fôr o bennau mewn dim ond un ohonyn nhw. Syllais yn ofalus, gan feddwl tybed a fyddai'n bosib i mi ddod o hyd i het drilbi ddu ynghanol y bobl yma i gyd.

Na oedd yr ateb.

Roedd y dorf yn symud fel dŵr mewn afon, neu fel gwaed mewn gwythïen. Edrychai pawb yn union yr un fath â'i gilydd.

Es i lawr y grisiau drachefn. Roedd gen i deimlad ym mêr fy esgyrn nad oedd Mam yn y neuadd honno, ond efallai ei bod hi yn un o'r lleill. Roedd y stondinau'n ddifyr ac yn amrywiol. Am £20,000, gallwn weithio i gwmni yswiriant; neu fod yn arbenigwr ar ddamweiniau, yn tynnu lluniau o ddamweiniau car; gallwn deithio'r wlad yn trwsio craciau mewn windsgrins neu grafiadau ym mhaent ceir. Gallwn gael fy hyfforddi i fod yn gyfrifydd neu'n filfeddyg; neu agor siop sgidiau, neu siop ffrogiau, neu siop rhentu ffrogiau priodas; gallwn werthu tŵls.

Tybed beth oedd Mam wedi rhoi ei henw i lawr i'w wneud? Gallwn ei dychmygu hi'n eistedd i lawr gyda rhyw ddyn gyda gwên deg, ac yntau'n dweud, 'Wnewch chi ddim difaru hyn, Mrs Slevin, bydd eich gyrfa newydd fel dynes torri coed yn siŵr o wneud ffortiwn i chi.'

Roedd yn rhaid i mi ddod o hyd iddi.

Roedd y dorf yn yr ail neuadd yn fwy fyth. Gwthiais drwyddi, gan edrych ar y bobl oedd yn eistedd yn y stands, y bobl oedd yn sefyll o gwmpas, y bobl oedd yn symud i fyny ac i lawr y grisiau. Ro'n i'n edrych, ond do'n i ddim yn gweld neb yn iawn.

Yna, drwy gornel fy llygad, fe welais i o!

Y dyn yn y macintosh lwyd a'r trilbi. Roedd o newydd adael yr ail neuadd, ac yn mynd am y drydedd. Dim ond cip ar ei gefn welais i, ond ro'n i'n siŵr mai fo oedd o. Dechreuais wthio drwy'r dorf, gan agosáu gyda phob cam. Gwthiais drwy'r giât i mewn i'r drydedd neuadd, ac edrych o'm cwmpas. Ble roedd o? Yna, fe welais o eto. Roedd o'n cario dwy baned mewn cwpanau plastig draw at un o'r stondinau. Dilynais y dyn, a'i weld yn gosod y paneidiau ar fwrdd, cyn cynnig un i ddynes mewn cap coch. Wrth agosáu, gwelais mai Mam oedd y ddynes yn y cap.

'O! Richard!' meddai Mam wrth fy ngweld i. 'Dyna chdi! Dwi'n mynd i ddechrau busnes yn brodio capiau i bobl. Da, ynde?'

Roedd gan gap Mam yr enw ROSE mewn llythrennau mawrion ar y blaen.

Cymerais anadl ddofn.

'Sut hwyl?' meddai'r dyn yn y macintosh llwyd. 'Mae'n rhaid mai chi ydy Richard.'

Ysgydwais ei law. 'Martin, a dweud y gwir. Mae Mam yn meddwl mai fi ydy ei brawd hi weithiau. Richard ydy o. Mae ganddi glefyd Alzheimer.'

'A,' meddai yntau. 'Ro'n i'n meddwl mai Alzheimer oedd o. Roedd fy niweddar wraig yn dioddef, a Mam a 'Nhad.'

Trodd y siwgr yn ei de gyda llwy blastig.

'Mae o'n rhedeg mewn teuluoedd, wyddoch chi,' meddai.

'Mae'n debyg y bydda i'n ei gael o, ryw ddydd. Ro'n i'n disgwyl i rywun ddod i chwilio am eich mam.'

'Aeth hi ar goll ar y trên,' esboniais.

'Mae'n hawdd gwneud,' atebodd y dyn. 'Ro'n i'n gweld ei bod hi'n ddryslyd, felly es i â hi efo fi. Ro'n i'n siŵr y byddai rhywun yn dod i'w nôl hi yn y diwedd.'

'Roedd hynny'n garedig iawn. Diolch i chi.'

'Dim o gwbl,' atebodd, gan osod ei baned ar y bwrdd. 'A pheidiwch â phoeni am y busnes capiau 'ma. Mi wnes i'n siŵr nad oedd hi'n arwyddo unrhyw beth, nac yn rhoi pres. Hyd yn oed petai hi wedi gwneud, dwi'n eithaf siŵr na fyddai o'n ddilys.'

'Na, 'dach chi'n iawn. 'Dan ni wedi cael y drafferth yna o'r blaen, efo dynion gwerthu ffenestri dwbl.'

Nodiodd y dyn. 'Ydach chi'n gobeithio dechrau busnes bach, 'ta?'

'Na. Dim ond dod yma ar ôl Mam wnes i. Roedden ni ar ein ffordd i New Street, ond Mam adawodd y trên un stop yn rhy gynnar.'

'A.'

'A chithau?'

'Dwi wedi ymddeol o'r lluoedd arfog. Ro'n i yn y fyddin am 22 o flynyddoedd. Mae gen i bensiwn da, a dwi ddim wir angen y gwaith, ond ro'n i'n meddwl dod o hyd i rywbeth i 'nghadw i'n brysur. Dwi'n diflasu adre ar fy mhen fy hun.'

Nodiais.

Bu tawelwch am ychydig, yna gwenodd arna i. 'Mae eich mam wedi bod yn dweud wrtha i eich bod chi'n ddyn cwffio teirw yn Coventry. Mae hynny'n swnio'n ddifyr.'

'Mae hi'n dweud hynny wrth bawb,' atebais. 'Dwn i ddim o ble daeth y syniad.'

A dweud y gwir, ro'n i'n eithaf siŵr iddo ddod o'r teledu. Roedd y geiriau 'mad cow disease' wedi bod ar y newyddion yn aml yn ddiweddar. Dwi'n meddwl bod Mam wedi defnyddio hyn i greu swydd newydd a diddorol i mi.

Nodiodd y dyn. 'Mae o'n afiechyd difyr. Roedd fy ngwraig i'n meddwl 'mod i wedi marw. Roedd hi'n siarad efo fi o hyd, ond wedyn yn dweud wrth bobl 'mod i wedi cael fy lladd yn y rhyfel. Roedd hi'n crio am y peth weithiau, hyd yn oed a finna'n eistedd ar y soffa yn ei hymyl hi.'

Ysgydwais fy mhen. 'Gyda llaw, dwi ddim yn meddwl ei fod o'n cael ei basio ymlaen gan rieni. Er ei fod o gan eich mam a'ch tad, dydy hynny ddim yn golygu y byddwch chithau'n dioddef hefyd.'

(Mae hyn yn wir. Mae'r Alzheimer's Society yn dweud nad yw etifeddeg yn golygu dim mewn 99% o achosion. Y prif ffactor risg yw oedran.)

'O, dwi'n meddwl ei fod o,' atebodd yntau'n sicr. 'Y peth ydy, fydda i byth yn sylweddoli os ydy o arna i, na fydda?'

Ysgydwais fy mhen. 'Bydd popeth yr un fath i chi.'

Bu tawelwch rhyngom eto.

'Dwi wedi bod yn meddwl!' cyhoeddodd Mam yn sydyn. 'Mi fedra i roi'r peiriant yn y stafell haul, a gweithio o fanno.'

'Pa beiriant?' holais.

'Y peiriant sy'n brodio'r capiau, siŵr iawn. Sbia!'

Tynnodd ei chap oddi ar ei phen, a'i wthio tuag ata i.

'Neis iawn, Mam.'

'Mae o'n dweud "Rose" arno fo!' meddai'n llawn cyffro. 'Mi wnaeth y dyn o i fi!'

'Ia, dwi'n gweld.'

'Wel. Gwell i mi fynd,' meddai'r hen ŵr.

'Gadewch i mi dalu am docyn Mam,' dywedais, gan ymestyn am fy waled.

'Na, na, chymera i'r un geiniog,' meddai'r dyn. 'Mae hi'n gwmni da, chwarae teg.'

'Wel, gadewch i mi brynu diod i chi, neu frechdan neu rywbeth.'

'Wel... Ro'n i yn meddwl cael diod cyn gadael.'

'Grêt,' atebais. 'Gawn ni i gyd fynd am ddiod.'

Aeth y tri ohonon ni i far heb fod yn bell i ffwrdd.

'Mi ga i wisgi, plis,' meddai'r dyn.

'A finna,' ychwanegodd Mam.

'Dydach chi 'rioed wedi yfed wisgi yn eich bywyd!' ebychais.

'Do tad!' atebodd Mam yn bendant. 'Dwi'n cael wisgi bob amser gwely!'

Roedd hyn yn gelwydd noeth. Doedd hi'n yfed prin ddim alcohol, a hyd yn oed mewn partïon neu briodasau, fyddai hi ond yn cael un gwydraid bach o sieri. Fel yna roedd hi wedi bod erioed.

'Iawn.'

Cychwynnais tuag at y bar.

'Rhai mawr!' galwodd Mam ar f'ôl.

Archebais ddau wisgi mawr – a dŵr yn un Mam. Cefais innau beint.

Daeth Mam a'r dyn â'u gwydrau ynghyd. Rhywsut, roedd Mam wedi cael y syniad fod y ddau'n mynd i fod yn bartneriaid busnes.

'Iechyd da,' meddai'r dyn, wrth iddo lyncu ei ddiod ar ei ben.

'Iechyd da,' meddai Mam, gan wneud yr un fath.

Ymestynnodd y dyn draw a chodi cap Mam. 'Mae'r plant

cŵl i gyd yn eu gwisgo nhw fel hyn,' meddai, a'i droi fel bod y pig yn ymwthio o ochr ei phen.

Gwenodd Mam.

'Wel, gwell i mi fynd,' meddai'r dyn. Ysgydwodd ein dwylo ni'n dau, cododd ei gap i gyfeiriad Mam mewn ffordd fonheddig iawn, a diflannu drwy'r dorf. Dyna pryd y sylweddolais i na wyddwn ei enw. A does gen i'n dal ddim syniad, yn anffodus.

'Be am gael un arall?' meddai Mam, gan bwyntio at ei gwydryn gwag.

Mae cleifion Alzheimer yn aml yn newid cymeriad yn sydyn fel hyn.

'Peidiwch â symud o fama,' meddwn, gan fynd â'r gwydrau gweigion yn ôl at y bar.

'Wna i ddim.'

Dois yn ôl gyda gwydraid arall o wisgi a dŵr. Cleciodd Mam y cyfan fel petai wedi bod yn yfed erioed.

'Mae'n bryd inni fynd,' dywedais, a symudodd y ddau ohonon ni tuag at yr allanfa. Cydiais yn ei llawes yr holl ffordd yn ôl i'r orsaf.

Doedd y trên ddim mor brysur ar y ffordd adref. Daeth y ddau ohonon ni o hyd i seddi yn hawdd, ac o fewn munud roedd Mam yn cysgu'n drwm, ei chap coch yn fflat ar ochr ei phen.

Wrth i ni wibio'n ôl tuag at Coventry, meddyliais am y dyn yn y macintosh llwyd, am ei wraig a'i rieni, ac am yr holl bobl eraill 'dan ni byth yn clywed sôn amdanyn nhw, ond sy'n brwydro 'mlaen o ddydd i ddydd gyda chyflwr nad ydy'r rhai sydd mewn grym yn ymddangos fel petaen nhw'n malio rhyw lawer yn ei gylch.

12

Penderfynu

Ro'n i wedi bod yn sgwrsio efo Heather un noson ar y we, ac wedi ei gwahodd hi draw i'n tŷ ni i gwrdd â Mam ac i gael tamaid o fwyd. Y diwrnod hwnnw, fe ddaeth i fy meddwl y byddai'n well i mi wneud rhywbeth am y tŷ cyn iddi ddod draw.

Sefais ar gadair yn y gegin a dechrau tynnu'r rhesi o sanau o'r nenfwd, gan gymryd gofal efo'r pinnau er mwyn gwneud yn siŵr nad oedd niwed yn cael ei wneud i'r paent a'r plastr. Roedden ni wedi dod i ryw drefn od, Mam a fi, efo'r busnes sanau 'ma. Byddwn i'n tynnu pâr i lawr, eu gwisgo nhw, a'u rhoi nhw yn y fasged olchi. Byddai Mam yn eu golchi a'u sychu cyn eu rhoi nhw'n ôl ar y wal neu'r nenfwd.

'Gawn ni ddechrau rhoi'r sanau yn ôl yn y drôr fel roedden ni'n arfer gwneud, Mam?' mentrais wrth sefyll yno, yn tynnu'r sanau i lawr. 'Mae o'n well, 'dach chi ddim yn meddwl?'

'Dwi ddim yn siŵr,' atebodd Mam. 'Gofynna i Peggy. Hi sy'n eu rhoi nhw yna.'

'Mae Anti Peggy yn dweud y bydd hi'n eu rhoi nhw'n ôl yn y drôr o hyn ymlaen,' atebais.

Ro'n i'n dechrau dysgu sut i chwarae'r gêm yma.

'Mae hynny'n iawn, 'ta,' meddai Mam.

Pan oedd yr holl sanau wedi eu rhoi yn y drôr, es i'r ystafell fyw i dynnu'r goeden Nadolig i lawr: wedi'r cyfan, roedd hi'n ganol Chwefror.

'Be ti'n neud?' meddai Mam.

'Dwi'n cadw'r goeden tan Dolig nesa.'

Rhoddodd Mam ei dwylo ar ei hwyneb a dechreuodd grio. 'Plis paid!'

Rhoddais fy mraich o'i chwmpas, gan drio ei chysuro. 'Fedrwn ni ddim ei gadael hi i fyny o hyd, Mam.'

'Pam lai?'

Cwestiwn da, pan 'dach chi'n meddwl am y peth.

'Dydy pobl ddim yn gwneud hynny,' oedd yr ateb gorau oedd gen i. 'Mae coeden Dolig i fod ar gyfer cyfnod y Nadolig. Mae pobl yn eu tynnu nhw i lawr wedyn.'

'Mae hi mor dlws!' meddai. 'Rho'r goleuadau 'mlaen.'

Cynheuais y goleuadau bach lliwgar. Syllodd Mam ar y goeden yn disgleirio. Doedd hi byth yn talu sylw i'r goeden pan oedd y goleuadau wedi'u diffodd, ond pan oedden nhw ymlaen byddai'n sefyll ac yn syllu am amser hir, ar goll yn ei meddwl dryslyd. Roedd o'n debyg i'r ffordd mae pobl yn syllu i mewn i fflamau'r tân.

'Mae o'n hudolus,' meddai.

Mae gan glefyd Alzheimer ffordd o drio gwneud iawn am y ffaith bod y rhai sy'n cael eu heffeithio ganddo yn colli eu hatgofion. Mae'n eu gadael nhw gyda llygaid a meddwl a hud plentyn, fel petaen nhw'n gweld y byd am y tro cyntaf. Mae swyn gan bopeth eto, ond yn anffodus dydy hyn ddim yn hanner digon i gydbwyso gwewyr y cyflwr. Mae cyfnewid hen atgofion am rai newydd yn brofiad dychrynllyd, ar y cyfan.

'Ocê, mi gawn ni gadw'r goeden.'

Roedd Bruno'n rhan o'r teulu bellach, ac roedd ganddo yntau ei ffyrdd bach ei hun o wneud pethau. Rhedai allan i'r ardd gefn ac aros i mi ddod ato. Byddai wrth ei fodd yn gwneud hyn. Byddwn yn rhedeg ato gan guro fy nwylo, a byddai yntau'n cyfarth ac yn rhedeg i gornel arall o'r ardd fach. Doedd ganddo ddim syniad mai trio ei gael i wneud mymryn o ymarfer corff oeddwn i. Ro'n i wedi rhoi'r gorau i fynd â fo am dro ers talwm, am fod gen i gywilydd cael fy ngweld efo mwngral efo tin moel. Bellach, roedd y blew wedi dechrau tyfu'n ôl, fel barf fach dynion ffasiynol – byddai'n rhaid i mi ddechrau mynd â fo allan eto.

Tua'r cyfnod yma y digwyddodd rhywbeth digon annifyr. Cefais fy neffro oddeutu pump y bore gan sŵn cnocio uchel ar ddrws y ffrynt. Llamais o 'ngwely, gan wisgo fy nresin-gown a brysio at y drws. Dwi'n cofio i mi gael sioc nad oedd o ar glo.

Agorais y drws a gweld Joe yn sefyll yno – dyn y bûm i yn yr ysgol efo fo 35 mlynedd ynghynt. Safai Mam wrth ei ochr yn ei choban. Roedd hi'n dal sandal yn un llaw. Roedd hi'n rhewi y tu allan.

'Haia Martin,' meddai Joe. 'Mi ddois i o hyd i dy fam yn crwydro yn ymyl y siopau lawr fanna.'

Amneidiodd i gyfeiriad y siopau bychain ar waelod ein stryd ni.

'Mae hi wedi drysu braidd,' meddai Joe. 'Ro'n i'n meddwl mai hwn oedd eich tŷ chi.'

'Dewch i mewn, Mam,' dywedais. 'Diolch iti, Joe. Dwi'n gwerthfawrogi hyn.'

'Mae'n iawn,' meddai. 'Ro'n i jest ar y ffordd i'r gwaith.'

Cododd ei law, ac i ffwrdd â fo.

'Steddwch wrth y tân, Mam. 'Sach chi wedi medru rhewi i farwolaeth allan yn fanna! Be oeddech chi'n neud?'

'O'n i'n edrych am y dyn sgidia,' atebodd Mam dan grynu. 'Dwi angen trwsio'r sandals 'ma.'

Daliodd un ohonyn nhw i fyny i mi gael gweld. Roedd y strap wedi torri, a doedd dim angen gofyn pwy oedd wedi gwneud – doedd o ddim yn fi nac Anti Peggy.

Dyna oedd yr eiliad y dechreuais i sylweddoli gwirionedd y sefyllfa.

Roeddwn i'n methu ymdopi.

Do'n i ddim yn y tŷ yn ddigon aml, nac yn ddigon hir, i edrych ar ôl Mam yn iawn. Hyd yn oed pan *oeddwn* i yna, fel rŵan, doedd hi ddim yn saff. Fedrai Mam ddim byw adref mwyach. Ro'n i'n gwybod y byddai'n rhaid i mi wneud y penderfyniad yma'n hwyr neu'n hwyrach, ond doedd hynny'n gwneud pethau'n ddim haws. Ceisiais ddweud wrtha i fy hun mai dyma oedd orau, y byddai Mam yn llawer gwell yn rhywle lle roedd pobl yn gallu gofalu amdani'n iawn, y byddai'n saffach, yn hapusach. Fel ddywedais i o'r blaen, mae pobl yn gallu arfer efo popeth, ac maen nhw'n gallu cyfiawnhau popeth hefyd. Ar hyd ei hoes, Mam oedd yr un oedd wedi helpu pan oedd ar unrhyw un angen cymorth; bellach, hi oedd angen help, a'r cyfan oedd ganddi oedd ei mab, oedd yn dda i ddim iddi. Theimlais i erioed ffasiwn euogrwydd. Roedd y cyfan mor blydi annheg.

Y pnawn hwnnw, a 'nghalon yn drwm, ffoniais y weithwraig gymdeithasol oedd wedi cysylltu fisoedd yn ôl i ofyn a oeddwn i angen cefnogaeth.

'Na, na, fydda i'n iawn,' oedd yr ateb a rois i ar y pryd.

Ro'n i'n anghywir.

'Mi ddo i draw wythnos nesa am sgwrs,' meddai hi'n siriol.

*****

Roedd Mam yn dal i syllu ar y goeden Nadolig pan gyrhaeddodd Heather.

'Dwi 'di dod â mymryn o swper i chi,' meddai wrth ddod i mewn. '*Lasagne* cartref. Gobeithio'i fod o'n iawn!'

Roedd hi fel Nadolig eto i Mam a minnau. Bwytaodd Mam fel petai wedi bod ar lwgu ers wythnosau. Dydw i ddim yn gogydd da iawn, ac roedd bwyd Heather yn anhygoel. Cafodd Mam ail blatiaid – rhywbeth na wnaeth hi byth efo 'mwyd i. Fel arfer, byddai'n siarad wrth fwyta hefyd, ond roedd hi'n dawel heno. Canolbwyntiodd yn llwyr ar y bwyd nes bod pob tamaid wedi mynd.

'Roedd hwnna'n hyfryd, Wendy,' meddai'n glên.

'Heather ydw i,' atebodd Heather, ond doedd y drysu enwau ddim yn ei phoeni hi o gwbl.

'Do'n i byth yn gwybod dy fod ti'n gallu coginio fel'na, Wendy!'

'Dwi'n *chef*,' atebodd hithau, oedd yn esbonio popeth. 'A Heather ydw i, Rose – dim Wendy.'

Nodiodd Mam fel petai'n deall yn iawn.

'Ti 'di rhoi llawer iawn o bwysau 'mlaen ers i mi dy weld di,' meddai. 'Dylet ti gael mwy o ymarfer corff.'

'Diolch,' gwenodd Heather.

Yn rhyfedd iawn, dyna oedd cychwyn cyfeillgarwch arbennig rhwng Mam a Heather. Byddai Mam yn ei galw hi'n Wendy bob tro, a dechreuodd Heather weld yr ochr ddigri.

Ychydig ddyddiau'n ddiweddarach, daeth y weithwraig gymdeithasol i'r tŷ i siarad efo ni, a daeth pennod o hanes ein teulu ni i ben.

Roedd y weithwraig gymdeithasol yn ddynes dlws, ganol oed oedd â synnwyr digrifwch a llygaid craff.

'Sut wyt ti y dyddiau yma, Rose?' gofynnodd.

'Da iawn, diolch!' atebodd Mam yn frwd.

'Grêt. Y tro dwytha i mi siarad efo Martin, dy fab, roedd o'n dweud dy fod ti'n drysu pethau weithiau. Ydy hynny'n dal yn wir?'

Edrychodd Mam arni mewn penbleth. 'Ond mae Martin yn byw yn Affrica.'

Syllodd y weithwraig gymdeithasol arna i. Codais fy ysgwyddau.

'Dyma Martin,' meddai, gan bwyntio ata i.

'Dim Martin ydy hwnna!' chwarddodd Mam. 'Fy mrawd, Richard, ydy o.'

Ysgydwodd y weithwraig gymdeithasol ei phen. Doedd dim rhaid iddi hi gytuno efo ffantasïau Mam fel roeddwn i. 'Na, Rose. Dy fab, Martin, ydy o. Mae o wedi bod yn edrych ar d'ôl di.'

Ysgydwodd Mam ei phen. 'Dwi ddim angen neb i edrych ar f'ôl i. Dwi'n gallu gwneud popeth ar fy mhen fy hun.'

'Ond rwyt ti'n gwybod mai Martin ydy hwn, dwyt?'

'Dwi'm yn gwybod pwy ydy pawb sy'n dod yma,' atebodd Mam. 'Mae'r lle 'ma'n debycach i westy na thŷ. Mae 'na bobl yn mynd a dod o hyd, a dwi'm yn gwybod pwy ydy eu hanner nhw.'

'Wela i.' Trodd y weithwraig gymdeithasol ata i. 'Ydach chi am i mi chwilio am le i'ch mam?'

Felly. Dyma ni. Petawn i'n cytuno, fyddai dim troi'n ôl.

Edrychais ar Mam, oedd yn eistedd yna heb syniad yn y byd fod ei dyfodol ar fin cael ei benderfynu. Nodiais fy mhen. Fedrwn i ddim dweud y geiriau.

Caeodd y weithwraig gymdeithasol ei ffolder a gwenodd. 'Mi wela i be sy'n bosib,' meddai, gan godi o'i chadair wrth fwrdd y gegin. 'Mi ro i ganiad i chi'r wythnos nesa.'

Ysgydwodd fy llaw, a gadawodd.

'Roedd hi'n neis,' meddai Mam ar ôl iddi fynd. 'Pwy oedd hi?'

Teimlais fy wyneb yn dechrau gwrido. 'Rhywun o'r cyngor. Roedd hi eisiau gwneud yn siŵr eich bod chi'n iawn.'

Nodiodd Mam, yn hapus efo'r esboniad. Ond roedd rhywbeth am y weithwraig gymdeithasol oedd yn ei phoeni. Roedd hi'n feddylgar iawn dros y dyddiau nesaf, a phan ddois i adref o'r gwaith, roeddwn i wedi 'nghloi allan o'r tŷ, cadair yn dynn dan fwlyn y drws ffrynt.

Roedd y ddrama honno'n cael ei hailadrodd, wrth gwrs, ond fel arfer fyddai hi ond yn para am ychydig ddyddiau. Y tro yma, roedd ei rhesymeg ychydig yn wahanol.

Pan o'n i'n gofyn iddi pam roedd hi'n cloi'r drws, byddai'n dweud, 'Mae'n rhaid i mi warchod fy hun!'

'Rhag pwy?'

'Rhag y bobl sy isio fy rhoi dan glo!'

'Does 'na neb isio gwneud hynny!' gwaeddwn drwy'r drws, yr euogrwydd fel ton drosta i.

'Ti ddim yn dallt! Dwi'n clywed pethau. Mae pobl yn dweud pethau wrtha i. Yn fy rhybuddio i. Yn dweud wrtha i bod rhaid i mi edrych ar ôl fy hun.'

Byddai Mam yn edrych ar y gwresogydd yn sydyn, cyn edrych i lawr.

'Y ferch fach yn y gwresogydd?' gofynnais. 'Mae isio iddi hi feindio ei busnes!'

Fedrwn i ddim credu 'mod i wedi dweud hynny.

'Mae hi'n gwybod pethau,' sibrydodd Mam.

Troais y sgwrs at bwnc arall, a symud ymlaen, nes i'r ddrama gael ei hailadrodd eto'r noson wedyn, air am air.

★★★★

Ryw wythnos yn ddiweddarach, cefais alwad gan y weithwraig gymdeithasol, a roddodd i mi gyfeiriad cartref gofal oedd yn arbenigo mewn trin cleifion dementia. Gofynnodd i mi alw draw yno dros y penwythnos er mwyn gweld y lle.

Gofynnais i Heather a fyddai hi'n fodlon dod efo fi. Roedden ni'n gariadon selog bellach, ac er mai dim ond ers tua mis roedden ni'n canlyn, ro'n i'n ymddiried yn ei barn hi.

Cytunodd y ddau ohonon ni i yrru yno ar y dydd Sul canlynol. Tŷ mawr, crand yng nghanol nunlle oedd y cartref, ar fryn bach ger y ffordd. Roedd o fel y tŷ yn y ffilm *Psycho*.

'Neis iawn,' dywedais.

'Aros nes i ni weld y tu mewn,' atebodd Heather.

Ar ôl cerdded i fyny'r grisiau at ddrws y ffrynt, canais y gloch. Ro'n i'n hanner disgwyl i rywun fel Lurch o'r Addams Family ateb y drws, ond merch ifanc siriol mewn gwisg las oedd yno.

'Helô!' meddai. 'Wedi dod i ymweld â rhywun ydych chi?'

'Na, wedi dod i weld y lle,' atebais. 'Falle bydd Mam yn dod yma i aros.'

Sylweddolais 'mod i'n siarad yn dawel; dwi'n meddwl 'mod i'n teimlo cywilydd wrth ddweud 'mod i'n meddwl rhoi Mam mewn cartref.

'Mi a' i i nôl y rheolwraig i chi,' meddai'r nyrs. 'Dewch i mewn.'

Arhosodd Heather a minnau yn y cyntedd. Roedd y tŷ yn grand, ac yn amlwg wedi bod yn gartref i bobl fawr flynyddoedd yn ôl. Roedd o'r math o le oedd wedi cyflogi gweision a morwynion, ond bellach roedd o'n gartref i bobl anffodus fel Mam.

Daeth dynes ganol oed gyda gwallt llwyd aton ni. 'Helô,' meddai, gan ysgwyd llaw. 'Sylvia ydw i. Dwi'n clywed eich bod chi am gael cip o gwmpas y lle?'

'Plis,' atebais, yr euogrwydd yn pigo.

Dechreuodd Sylvia ddangos y lle i ni, gan ein tywys drwy'r coridorau, a chwifiodd ei llaw i gyfeiriad yr ystafelloedd fel petai ar frys. 'Dyma'r stafell fwyta. Dyma lle maen nhw'n gwylio'r teledu. Dyma'r gegin.'

Edrychodd Heather a minnau'n gyflym ar bob ystafell. Gosodwyd yr ystafell fwyta fel caffi bach, gyda byrddau wedi'u gorchuddio â phlastig. Roedd cwpan blastig las a gwyrdd gyda chaead a dwy glust wedi cael ei gadael ar un bwrdd. Edrychai fel cwpan babi. Tybed ai un o'r cleifion oedd yn berchen arni?

Edrychodd Heather ar yr ystafell deledu. Roedd hen wraig yn gwylio gêm bêl-droed ar ei phen ei hun. 'Helô,' meddai Heather. 'Sori i dorri ar eich traws chi...'

'Ffyc off!' gwaeddodd yr hen wraig.

Camais innau i mewn i'r ystafell.

'Ffyc off i chditha hefyd!' gwaeddodd y ddynes arna i.

'Peidiwch â chymryd sylw ohoni,' meddai Sylvia. 'Dyma Alice. Popeth yn iawn, Alice?'

'Ffyc *off!*' bloeddiodd Alice.

'Mi wnawn ni adael llonydd iddi,' meddai Sylvia, ac aeth y tri ohonon ni i gael cip ar y gegin.

Roedd popeth wedi ei wneud o ddur sgleiniog. Doedd dim llawer i'w weld, ond roedd popeth yn lân.

'Mae brecwast am wyth, cinio am hanner dydd, a the am bump. Pawb yn eu gwlâu erbyn deg,' meddai Sylvia. 'Deietegydd sy'n cynllunio'r prydau, ac mae 'na *chef* yn coginio.'

Nodiais fy mhen.

'Awn ni i edrych ar rai o'r stafelloedd gwely,' meddai Sylvia, 'i fyny'r grisiau.'

Aethom ar ôl Sylvia i fyny'r grisiau cul. 'Byddai Mam yn cael trafferth efo'r grisiau,' dywedais. 'Maen nhw'n serth.'

'Mae'n hen dŷ,' atebodd Sylvia. 'Ond mae 'na lifft i'r rhai sy'n cael trafferth.'

Roedd coridor hir arall ar ben y grisiau. Y tu allan i bob ystafell, roedd llun bach o bob preswyliwr, a'u henwau wedi eu sgwennu'n daclus.

'Mae hon yn wag ar hyn o bryd,' meddai Sylvia gan agor un o'r drysau. Roedd llun o hen ŵr heb ddannedd ar y wal, a'r enw Charlie. Tybed beth oedd wedi digwydd iddo fo?

Roedd hen ystafell Charlie yn ddigon moel. Roedd hanner uchaf y waliau yn wyrdd golau, a'r hanner isaf yn lliw hufen budr. Roedd 'na wely sengl, bwrdd bach gyda lamp a bwrdd ymbincio bach.

'Mae'r stafelloedd i gyd yn rhai sengl,' meddai Sylvia. 'Ond maen nhw'n iawn. Ac mae gan hon ei stafell molchi ei hun.'

Agorodd Sylvia ddrws bach yn y gornel. Ystafell wlyb oedd hi: dim bath, dim ond llawr teils oedd yn gwyro rhyw fymryn, lle roedd Charlie wedi gallu sefyll ac ymolchi, y swigod a'r trochion yn llifo ymaith drwy dwll yn y llawr. Roedd toiled a sinc yn y gornel.

'Ydy'r stafelloedd i gyd yr un fath?' holodd Heather.

'Ydyn.'

Daeth hen ŵr i mewn i'r ystafell y tu ôl iddi. Roedd o'n gwisgo hen ddresin-gown ac roedd ganddo focs o ddominos yn ei law. Trodd Sylvia i edrych arno.

'Na, Fred!' meddai, a'i llais fel petai'n siarad gyda phlentyn bach drwg. 'Rŵan, dos i chwilio am rywun arall wneith chwarae efo ti.'

Edrychai Fred yn ansicr.

'Mae Charlie'n methu chwarae dominos efo ti heddiw, Fred,' meddai Sylvia mewn llais uchel. 'Mae o wedi mynd, yn do?'

Symudodd Fred ei bwysau o un droed i'r llall, ddim yn siŵr beth i'w wneud.

Cydiodd Sylvia yn ysgwyddau'r dyn, a throi ei gorff tua'r drws. 'I ffwrdd â ti, Fred.'

'Dominos, efo Charlie,' meddai Fred wrth iddo grwydro i lawr y coridor.

Gwyliodd Sylvia wrth iddo ymbellhau, ac yna trodd yn ôl at Heather a fi. 'Unrhyw gwestiynau?'

Ysgydwodd y ddau ohonon ni ein pennau, yn methu dod o hyd i eiriau, cyn gyrru adref mewn tawelwch llethol.

13

Dydd Sul Cofiadwy

O FEWN YCHYDIG wythnosau, roedd Heather wedi symud i mewn. Doedd 'na'r un ohonon ni'n ifanc – ein dau yn ein pedwardegau hwyr – ac os oedd rhywbeth yn teimlo'n iawn, rhaid oedd mynd amdani a pheidio gwastraffu amser. Does 'na ddim llawer o ferched canol oed sy'n fodlon dechrau bywyd carwriaethol efo dyn sydd â mam 80 mlwydd oed efo clefyd Alzheimer yn byw efo fo. Chwarae teg i Heather.

Un bore Sul, roedden ni'n dau yn araf ddeffro ar fore diog, gan grwydro o gwmpas y gegin yn ceisio penderfynu beth i'w gael i frecwast a pha bapur i'w ddarllen gyntaf. Roedd Mam yn ei dresin-gown, yn gwisgo sanau a slipars oedd o ddau bâr gwahanol, yn siarad gyda'r ferch fach yn y gwresogydd. Edrychai Heather yn y droriau yn ceisio dod i arfer gyda ble roedd popeth yn cael ei gadw, ac roeddwn i wedi mynd i'r ystafell haul i fwydo Bruno.

'Be am gael cinio dydd Sul traddodiadol heddiw!' meddai Heather. 'Mi gawn ni gig eidion a *Yorkshire pudding*, stwffin, pob dim... Sut mae hynny'n swnio i bawb?'

Rhaid i mi gyfaddef, ar ôl byw ar fy sgiliau coginio ofnadwy i, roedd o'n swnio'n grêt.

Curodd Mam ei dwylo mewn llawenydd. 'O, mi fydd hynna'n

berffaith, Wendy! 'Dan ni heb gael cinio dydd Sul go iawn ers hydoedd!'

Roedd gen i fymryn o gywilydd wrth glywed Mam yn dweud hynny.

'Mae Bruno wrth ei fodd efo cig eidion a *Yorkshire pudding*,' meddai Mam yn bendant, fel petai'r ci yn cael cinio rhost bob penwythnos.

'Dyna setlo hynny, 'ta,' meddai Heather. 'Mi fydd cinio ar y bwrdd am un.'

Sgipiodd Mam i mewn i'r ystafell fyw i wylio'r teledu. Crwydrodd Bruno i'r gegin ar ôl clywed ei enw, yn gobeithio am rywbeth arbennig i'w fwyta.

Mae Heather yn gogydd gwirioneddol anhygoel, a chyn bo hir roedd y gegin yn brysur ac yn llawn stêm. Roedd y tatws wedi eu plicio mewn sosban ar y stof, darn enfawr o gig eidion yn barod i fynd i'r ffwrn, a llwyth o wahanol fathau o lysiau ar ochrau'r gegin. Pan fo rhywun yn byw ar wy a tsips, neu fwyd o'r têc-awê lleol, mae pryd o fwyd cartref yn gallu bod yn uchafbwynt yr wythnos. Ro'n i wedi gwneud fy ngorau dros Mam yn y gegin, ond doedd fy ngorau i ddim yn dda iawn.

A dweud y gwir, wrth edrych yn ôl, mae'n anodd iawn peidio â bod yn feirniadol o'r pethau wnes i dros Mam. Mae fy ffaeleddau'n amlwg iawn yn fy meddwl. Ar y pryd, mae byw o ddydd i ddydd yn ddigon anodd, ond mae'n hawdd edrych yn ôl a gweld y byddwn i wedi gallu bod yn garedicach, yn llai blin, yn ddoethach, yn fwy amyneddgar. Yr unig esgus sydd gen i ydy nad oes neb yn cael gwersi am sut i ofalu am rywun arall. Does 'na ddim cwrs i'w gwblhau. Pan ydych chi'n cymryd y rôl o fod yn ofalwr, mae'r gwasanaethau cymdeithasol yn werthfawrogol – rydych chi'n cymryd y cyfrifoldeb oddi arnyn nhw, ac maen nhw'n rhoi llonydd i chi allu bwrw 'mlaen gyda phethau. Dyma eu ffaeledd mwyaf. Felly nid fy mai i oedd y cyfan. Byddwn i wedi gallu gwneud yn well, ond fel'na mae bywyd; rhaid i mi fyw efo'r teimladau yma.

Beth bynnag, wrth i Heather weithio'n brysur yn y gegin ar y bore Sul hwnnw, roedd popeth yn teimlo'n dda. Ro'n i'n hapus, roedd Heather yn hapus, roedd Bruno'n bihafio. Beth allai fynd o'i le?

'Be ga i wneud i helpu?' gofynnodd Mam.

'Wnewch chi osod y bwrdd plis, Rose?' meddai Heather.

'Wrth gwrs,' meddai Mam, gan estyn y cyllyll a'r ffyrc o'r drôr.

'Mae gan bawb joban yma ond fi!' dywedais wrth Heather.

'Mae popeth yn mynd fel watsh,' atebodd hithau. 'Does 'na ddim byd i ti wneud.' Wedyn, ar ôl ystyried, dywedodd, 'Mi gei di fynd â Bruno am dro os wyt ti isio. Mae o dan draed braidd.'

Roedd Bruno wedi sylweddoli fod rhywbeth rhyfeddol yn digwydd yn y gegin, ac roedd o wedi bod yn sniffian o gwmpas Heather, yn benderfynol o fod yn ffrind gorau iddi ers iddi ddadlapio'r cig eidion a'i osod ar yr ochr yn y gegin.

Roedd y blew ar ei ben-ôl wedi tyfu'n ôl bellach, ac felly roedd hi'n saff i fynd â fo am dro.

'Tyrd 'laen, boi, awn ni am dro bach,' meddwn, gan nôl ei dennyn. Rhedodd Bruno at ddrws y ffrynt yn syth.

Roedd hi'n rhy gynnar i fynd i'r dafarn, felly i ffwrdd â ni i'r parc. Roedd y lle'n gwbl wag, a'r glaswellt fel môr llonydd gwyrdd o'n blaenau. Tynnais y tennyn oddi ar goler Bruno, a chafodd yntau amser bendigedig yn rhedeg a rhedeg. Mae rhai cŵn yn rhedeg gyda'r ffasiwn orfoledd, ac roedd Bruno wrth ei fodd. Byddai wedi bod yn braf gallu dod o hyd i lawenydd yn y pethau mwyaf syml fel roedd Bruno'n ei wneud.

Yn y diwedd, fe ddaeth yn ôl, ei dafod yn hongian o ochr ei geg, a gorweddodd ar y gwair yn fy ymyl. Rhoddais fy mraich amdano a'i fwytho. Er bod Bruno'n boen weithiau, roedd ei bresenoldeb yn ein tŷ ni wedi gwneud byd o les i Mam, a fedrwn i ddim peidio â bod yn werthfawrogol.

Ar ôl ychydig, rhoddais y tennyn yn ôl amdano, a dechreuodd y ddau ohonon ni gerdded yn araf yn ôl i'r tŷ. Yn hwyr neu'n hwyrach, gwyddwn y byddai perchennog Bruno am ei gael yn ôl. Byddwn i'n hiraethu amdano, a dyn a ŵyr pa fath o effaith fyddai colli'r ci yn ei gael ar Mam. Efallai y byddai'n rhaid i ni gael ci arall – ci bach i Mam gael edrych ar ei ôl o'n ystod y dydd. Byddai'n rhaid i mi drafod y syniad efo Heather, gan ei bod hi'n byw efo ni rŵan. Tybed oedd gan Bruno hiraeth am ei berchennog, ac a fyddai ganddo hiraeth amdanon ni ar ôl iddo ddychwelyd ati hi?

''Dan ni'n ôl!' galwais wrth gamu drwy'r drws ffrynt.

'Dwi wedi gosod y bwrdd,' cyhoeddodd Mam yn falch.

Aeth Bruno a minnau i'r gegin i weld. Roedd Mam wedi gosod pedwar lle, er mai dim ond tri ohonon ni oedd yna – efallai am fod 'na bedair cadair o gwmpas y bwrdd. Roedd hi wedi gosod deuddeg llwy o gwmpas y bwrdd, heb gyllell na fforc o gwbl.

'Neis iawn, Mam,' dywedais.

Gwenodd Mam.

'Mae Mam wedi gorffen gosod y bwrdd,' dywedais wrth Heather.

'Wyt ti wedi ei weld o?' holodd hithau.

'Do. Mi wna i'i newid o pan dydy hi ddim yn sbio.'

Roedd bwyd bron yn barod, a Heather yn brysur efo'r paratoadau. Eisteddodd Bruno yn y gegin, gan bwyso yn erbyn y peiriant golchi. Roedd hi'n teimlo fel petai'r holl redeg yn y parc wedi ei flino'n lân; roedd ei lygaid bron â chau, ac roedd o'n hanner cysgu.

'Mae Bruno'n gysglyd iawn,' meddai Mam. 'Be sy'n bod arno fo?'

'Dim byd. Wedi blino mae o – mi redodd o am hydoedd yn y parc. Gadwch lonydd iddo fo.'

Aeth Mam i'r ystafell fyw i wylio'r teledu. Gwenais wrth edrych ar Bruno. Roedd o'n edrych fel petai'n cysgu'n sownd, yn pwyso yn erbyn y peiriant golchi, a gyda'i lygaid ynghau a'i anadl yn drwm roedd golwg ddigri arno. Dechreuodd Heather a minnau sibrwd rhag ofn ei ddeffro fo. Agorodd Bruno un llygad i sbecian arna i, ac yna'i chau drachefn.

Ci od, meddyliais. 'Oes 'na rywbeth fedra i wneud i helpu?' gofynnais i Heather.

'Dim ond ailosod y bwrdd,' atebodd hithau.

Es i nôl cyllyll a ffyrc a'u ffeirio am y llwyau roedd Mam wedi eu gosod i bawb. Yna es i eistedd gyda Mam am ychydig nes bod bwyd yn barod. Roedd hi'n ddydd Sul perffaith, gydag arogl cig rhost yn llenwi'r tŷ.

Dyna lle roedd Mam a fi nes bod bwyd yn barod, a Bruno'n dal i gysgu yn erbyn y peiriant golchi yn y gegin.

Roedd Mam wedi bod yn sgwrsio gyda'r ferch fach yn y gwresogydd yn amlach yn ddiweddar, ond pan fyddwn i'n holi roedd hi'n ymateb yn bositif. Byddai'r ddwy yn cael sgyrsiau llai digalon yn ddiweddar, gan siarad am bob math o bethau, yn enwedig digwyddiadau o blentyndod Mam, a byddai Mam yn hapus ar ôl sgwrs gyda'r ferch fach yn y gwresogydd, os braidd yn hiraethus weithiau.

Dechreuais feddwl eto am gael ci bach. A fyddai hynny'n gweithio tybed? Yn lle anfon Mam i gartref, efallai y byddai cael ci i gadw cwmni iddi'n ddigon. Ond roedd yn rhaid i mi wynebu dau beth. Y cyntaf oedd bod clefyd Alzheimer yn salwch sy'n gwaethygu, a byth yn gwella. Ro'n i'n wirion i feddwl bod gen i'r amser a'r profiad i roi bywyd da iddi. Yr ail beth oedd nad oedd Mam mewn unrhyw stad i ofalu am gi bach. Roedd hi'n methu gofalu amdani hi ei hun. A pha fath o fywyd fyddai'r ci druan yn ei gael?

Mae'n hawdd osgoi gwneud penderfyniad anodd mewn bywyd os oes 'na esgus i feddwl am rywbeth arall. Rydan ni i gyd yn ei wneud o. Ro'n i'n meddwl a meddwl am ffyrdd o osgoi'r hyn oedd yn anochel – ond yn fy nghalon, fe wyddwn y gwir. Doedd hi ddim yn meddwl am y tŷ fel ei chartref mwyach, felly fyddai gadael ddim yn torri ei chalon – do'n i ddim yn meddwl y byddai'n hiraethu am y lle o gwbl.

'Mae bwyd bron yn barod!' galwodd Heather.

Dilynodd Mam a minnau arogl bendigedig y cinio rhost i'r gegin fach. Sylwais yn syth fod Bruno'n dal i gysgu wrth y peiriant golchi, ei lygaid ar gau.

Ysgydwais fy mhen. Dyna od nad oedd o'n chwilio am ddarn bach o fwyd, yn enwedig a'r arogl mor hyfryd yma. Efallai fod 'na rywbeth mawr yn bod arno?

Roedd Heather yn didoli'r llysiau i'n platiau. Tatws rhost, sgewyll, bresych, stwffin, *Yorkshire puddings* perffaith, a'r cyfan yn aros am dafellau poeth o gig.

'Fedri di agor y drws cefn, plis?' gofynnodd Heather. 'Mae'n berwi yn fama.'

Tueddai'r gegin fach i boethi pan oedd y ffwrn wedi bod ymlaen.

Agorodd Bruno un llygad, ac yna ei chau yn ofalus.

'Iawn siŵr.' Agorais ddrws y gegin, oedd yn arwain i'r ystafell haul. I gael mwy o awyr iach, agorais ddrws y cefn o'r ystafell haul i'r ardd hefyd. Roedd llwybr clir o'r gegin i'r ardd.

Mae rhai yn dweud ei bod hi'n teimlo fel petai damwain car yn digwydd yn araf, araf. Mae amser yn teimlo fel petai'n arafu wrth i'r sylweddoliad fod rhywbeth ofnadwy ar fin digwydd gyrraedd y meddwl. Dyna'n union fel roedd hi'r dydd Sul hwnnw.

Wrth imi gamu yn ôl i mewn i'r gegin, llamodd Bruno o'i 'gwsg' i'r awyr fel bwled o wn. Glaniodd ei bawennau blaen ar ochr y gegin, ac ymestynnodd ei geg, a suddodd fy nghalon.

'Aaaaaaaaaaaa!' sgrechiodd Heather, wrth i sgyrnygiad diafolaidd y ci lenwi'r lle. Gwibiodd Bruno heibio i mi, drwy'r gegin a'r ystafell haul ac allan i'r ardd, yn gwbl rydd.

Safodd Mam, Heather a minnau yn gegrwth, yn edrych ar y man gwag lle bu'r cig eidion yn gorffwys.

'Mae o wedi mynd â'r cig!' bloeddiodd Heather.

Rhedais ar ôl y ci, a Mam a Heather i 'nghanlyn. Roedd Heather yn dal y gyllell gerfio a fforc fawr yn ei dwylo.

Eisteddai Bruno ym mhen draw'r ardd yn ein gwylio ni. Roedd ei glustiau'n sticio i fyny, a rhywsut llwyddodd i edrych yn euog, yn flin ac yn edifar ar yr un pryd. Roedd y cig yn dal yn gyfan yn ei geg, ac roedd o'n dal i sgyrnygu er mwyn gwneud yn siŵr ein bod ni'n cadw'n ddigon pell.

Safodd y tri ohonon ni yn yr ardd, fel heddlu'n ceisio cornelu dihiryn.

'Tydy o'n hogyn drwg am wneud hynna!' meddai Mam. 'Ti'n. Gi. Bach. Drwg!' Chwifiodd ei bys gyda phob gair. Ro'n i'n ei chofio hi'n gwneud yn union yr un fath i mi pan o'n i'n fach.

'Gwna rywbeth!' gorchmynnodd Heather, gan fy mhwnio â'i phenelin.

Rhoddodd Bruno ei ben i lawr a gollyngodd y cig ar y gwair. Roedd ei boer yn llifeirio dros y cig eidion. Rhoddodd ei bawen ar y cig a'i rolio o gwmpas y gwair am ychydig, cyn cymryd cegaid ohono. Glynai darnau o fwd a gwair wrtho.

'Be fedra i wneud?' gofynnais. 'Hyd yn oed os dwi'n ei gael o'n ôl, fedrwn ni ddim bwyta hwnna rŵan.'

'Ci. Drwg. Iawn. Iawn. IAWN,' meddai Mam. 'Dwi. DDIM. Yn. Mynd. I. Siarad. Efo. TI!'

Rhoddodd Bruno ei ben i lawr, a cherddodd Mam yn ôl i mewn i'r tŷ.

Edrychodd Heather arna i ac ochneidiodd, cyn dilyn Mam. Gallwn ei chlywed hi yn y gegin, yn taflu sosbenni a llestri i'r sinc yn flin. Syllais ar y ci twp yma ro'n i wedi dechrau ei garu. Siglodd ei gynffon, a chodi'r cig eto. Fedrwn i ddim peidio â gwenu. Dwi'n meddwl ei fod o'n trio dangos i mi mor glyfar roedd o wedi bod. Roedd Bruno wedi'n twyllo ni i gyd i feddwl bod y cig yn saff yn y gegin. Do'n i ddim wedi sylweddoli bod ci'n gallu bod mor glyfar.

Roedd yr awyrgylch yn y tŷ wedi newid ryw fymryn. Doedd neb yn siarad. Rhoddodd Heather fwy o foron a bresych ar bob plât, ac eisteddodd y tri ohonon ni i fwyta'n cinio rhost llysieuol.

Dydy hi ddim yn ddigon i ddweud ei fod o'n siom. Cafodd Bruno ei gloi allan yn yr ardd am weddill y dydd gan Mam, ac eisteddodd y tri ohonon ni o flaen y teledu mewn tawelwch tan amser gwely. Cafodd Bruno ddod i mewn tua deg o'r gloch.

'Dos. I'r. Gwely. I. Feddwl. Am. Be. Ti. 'Di. Neud!' meddai Mam, ei bys yn yr awyr.

Yn anffodus, nid dyna ddiwedd y stori. Pan ddeffroais y bore wedyn wrth i'r larwm ganu, roedd Bruno'n cysgu ar fy ngwely.

'Be ddiawl…?' gofynnais. Rholiodd Bruno drosodd, a dylyfu gên. Roedd ei anadl yn arogli fel cig eidion.

Ble oedd Heather?

Codais, a dod o hyd iddi'n cysgu'n drwm ar y soffa.

'Be ti'n da yn fama?' holais. Tynnodd Heather y flanced oddi ar ei hwyneb, a chododd ar ei heistedd.

'Mi wnes i godi yn y nos i fynd i'r tŷ bach,' meddai. 'Pan o'n i yn y stafell molchi, mi aeth Bruno i'r gwely efo ti. Roedd o'n sgyrnygu bob tro ro'n i'n trio mynd yn ôl i'r gwely. Mi ddois i gysgu yn fama. Roeddet ti'n cysgu'n sownd!'

Doedd fy nghariad newydd ddim yn hapus.

'Mae'n rhaid i ni wneud rhywbeth am y ci,' meddai. 'Dos â fo i ddosbarthiadau cŵn!'

'Mi wnes i, ond nath o drio caru efo'r athrawes,' atebais.

Edrychodd Heather arna i mewn diflastod, gorweddodd i lawr a thynnu'r flanced dros ei phen. Dyna oedd diwedd y drafodaeth.

14

Y Gegin efo'r Llawr Gwyrdd

Tua wythnos yn ddiweddarach, cefais alwad ffôn annisgwyl gan fy Anti Ellen yn Nulyn.

'Martin,' meddai, 'dwi wedi bod yn meddwl am dy fam yn ddiweddar, ac wedi bod yn breuddwydio amdani. Falle dyliwn i ddod draw i'w gweld hi…'

Aeth yn dawel wedyn.

'Mae croeso i chi bob amser, Anti Ellen,' dywedais.

'Reit dda,' atebodd hithau. 'Achos fydda i yno yn y bore.'

'O, reit…'

Roedd Ellen wedi bod yn ddynes benderfynol erioed. Rhoddodd fanylion ei thaith awyren o Ddulyn, a chytunais i'w nôl o faes awyr Birmingham y diwrnod wedyn.

'Mam,' dywedais ar ôl i mi roi'r ffôn i lawr, 'mae Anti Ellen yn dod i'ch gweld chi fory.'

'Does gen i'r un Anti Ellen.'

'Na, ond mae gen i. Eich chwaer chi.'

'O, Ellen!' gwenodd Mam. 'Mi fydd hynna'n hyfryd!'

Roedd Mam wastad wedi bod yn agos at yr un chwaer oedd ganddi ar ôl. Roedd hi saith mlynedd yn hŷn nag Ellen, ac roedd cysylltiad arbennig wedi datblygu rhwng y ddwy pan oedden nhw'n fach. Gwirionodd Mam o wybod fod rhan o'i phlentyndod yn dod draw i'w gweld.

Daeth gyda mi i'r maes awyr y diwrnod wedyn. Ar ôl i ni barcio, trois i'w hwynebu hi yn y sedd gefn.

'Gwrandewch, Mam,' dywedais, gan drio swnio'n ddifrifol, fel athro. 'Dwi ddim isio unrhyw lol yn fama.'

'Be ma' hynna i fod i'w feddwl?' gofynnodd Mam mewn syndod.

'Mae hwn yn faes awyr mawr,' atebais. 'Mae 'na filoedd o bobl yn mynd a dod o bob cornel o'r byd, drwy'r amser. Dwi ddim isio treulio'r rhan fwyaf o'r dydd yn trio dod o hyd i chi. Peidiwch â mynd ar goll, Mam, arhoswch efo fi.'

'Dwi byth yn mynd ar goll! Dwi'm yn ferch fach!'

'Mi aethoch chi ar goll pan aethon ni i Birmingham ar y trên.'

'Dim fy mai i oedd hynna! Dod oddi ar y trên yn y lle anghywir wnes i. Mi fyddai hynny wedi gallu digwydd i unrhyw un!'

'Wel, aethoch chi ar goll dro arall a cherdded i lawr i'r siopau yn eich coban.'

'Camddealltwriaeth oedd hynna.'

'Mi aethoch chi ar goll pan wnaethoch chi anghofio lle roedden ni'n byw, ac mi aethoch chi i dŷ Wendy.'

'Ro'n i'n *ymweld* â hi!' meddai Mam yn flin. 'Dwi ddim yn dwp!'

'Wnes i ddim dweud eich bod chi'n dwp, Mam,' dywedais yn dawel. 'Dim ond eich bod chi'n mynd yn gymysglyd weithiau.'

Roedd tawelwch am ychydig.

'Weithiau,' cyfaddefodd.

'Ro'n i jest am i chi aros yn agos ata i yn y maes awyr, dyna i gyd.'

'Mi wna i,' cytunodd, a dechreuodd edrych drwy ei bag. Dyma ei ffordd hi o ddweud bod y ddadl yma drosodd, a doedd hi ddim eisiau trafod ymhellach.

Agorais y drws, ac roeddwn i ar fin gadael y car pan deimlais ei llaw ar fy ysgwydd.

'Eistedda am funud, Richard,' meddai. 'Dwi isio gofyn rhywbeth i ti.'

Caeais y drws.

'Ydw i'n sâl?'

Do'n i ddim wedi disgwyl hyn. Teimlai'r geiriau'n drwm yn y car. Doedd gen i ddim syniad beth i'w ddweud.

'Be sy'n gwneud i chi ddeud hynny? Ydach chi'n teimlo'n sâl?'

'Weithiau dwi'n meddwl 'mod i,' sibrydodd Mam.

'Be sy'n gwneud i chi ddeud hynny?'

Cododd Mam ei hysgwyddau ac edrychodd drwy'r ffenest. Roedd pobl mewn siorts a chrysau T yn llusgo cesys mawr dros y tarmac. Roedd 'na blismon yn cyfeirio'r traffig. Roedd 'na bobl ym mhob man. Edrychai pob un yn llawn pwrpas a phenderfyniad, yn gwybod yn union i ble roedden nhw'n mynd. Tybed faint o'r rhain fyddai â chlefyd Alzheimer un diwrnod? A fyddai ambell un yn cyrraedd pwynt lle bydden nhw'n methu adnabod eu plant eu hunain?

''Dach chi yn mynd yn gymysglyd weithiau, Mam,' dywedais.

'Wyt ti'n meddwl mai f'oed i ydy hynna?'

'Wrth gwrs.'

Er ei bod hi'n byw'r rhan fwyaf o'i bywyd yn ei phlentyndod, ar yr eiliad honno, fe sylweddolodd Mam ei bod hi'n hen. Am eiliad fer, roedd hi'n deall.

'Peidiwch â phoeni am y peth,' dywedais.

Nodiodd Mam. 'Iawn 'ta.'

Agorais ddrws y car eto.

'Ble 'dan ni'n mynd?' gofynnodd Mam wrth gamu allan o'r car. 'Rhywle neis?'

''Dan ni ddim yn mynd i unlle,' atebais. ''Dan ni'n cwrdd ag Ellen, eich chwaer chi, sy'n dod draw o Ddulyn.'

'Wel ia siŵr!' ebychodd Mam. 'Fedra i ddim aros i'w gweld hi!'

Cydiodd yn fy mraich, a cherddodd y ddau ohonon ni at y giât yn y maes awyr lle roedd awyren Ellen yn cyrraedd.

Bore Sadwrn oedd hi, ac roedd y maes awyr yn brysur. Roedd y lle'n llawn pobl yn aros am deulu, ffrindiau a chydnabod.

'Mae'n rhaid i mi wneud yn siŵr fod awyren Anti Ellen yn brydlon,' meddwn wrth Mam, ac fe aeth y ddau ohonon ni at y sgrin fawr i ddarllen y manylion.

'Fedra i mo'i gweld hi,' meddai Mam, gan edrych o'i chwmpas yn llawn cyffro.

'Dim ond newydd lanio mae hi, Mam,' atebais. 'Rhaid i ni aros draw fan hyn.'

Aethom i sefyll wrth y drysau mawr lle byddai Anti Ellen yn ymddangos cyn bo hir.

'Fedra i mo'i gweld hi,' meddai Mam.

'Dydy hi ddim yma eto,' dywedais. 'Mae hi'n gorfod nôl ei bagiau. Gwyliwch y drysau 'na.'

'Pa mor hir fydd hi'n aros?'

'Ddeudodd hi ddim, dim ond ei bod hi'n cyrraedd bore 'ma.'

Edrychodd Mam o'n cwmpas i gyd. Craffodd ar bob merch ifanc gyda gwallt brown. Oedd hi'n disgwyl i'w chwaer fod yn blentyn hefyd?

Agorodd y drysau, a dechreuodd y bobl o awyren Ellen gerdded drwyddyn nhw.

'Bydd hi efo'r rhain yn rhywle,' dywedais.

Edrychodd Mam drwy'r dorf yn frwd.

'O, Ellen!' meddai'n sydyn, ei breichiau allan. Taflodd ei breichiau o gwmpas hen ddynes gyda gwallt llwyd, gan blannu sws ar bob boch. Cofleidiodd y ddwy. Daeth dyn i sefyll yn eu hymyl, a brysiais innau draw.

'Mam, dim Anti Ellen ydy honna!'

Gwenodd y dyn.

'Be?' Ciliodd Mam oddi wrth y ddynes.

Cydiodd y ddynes ym mraich y dyn, gan edrych wedi synnu braidd.

'Sori am hyn,' dywedais wrthyn nhw. 'Roedden ni'n meddwl mai rhywun arall oeddech chi.'

Nodiodd yr hen wraig a gwenu ar Mam. Arweiniais Mam yn ôl at ein lle.

'Dim Anti Ellen oedd honna,' meddwn. 'Arhoswch nes 'mod i'n ei gweld hi.'

'Roedd hi'r un ffunud â hi!'

Ochneidiais. 'Roedd o'n gamgymeriad hawdd ei wneud.'

Eiliadau'n ddiweddarach, daeth fy modryb go iawn drwy'r drysau.

'Dyna hi!' dywedais gan bwyntio.

Rhedodd Mam draw i gofleidio'i chwaer, a daeth y ddwy draw ata i fraich ym mraich i mi gael cofleidio'r fodryb nad o'n i wedi ei gweld ers blynyddoedd. Yna, cydiodd Mam ynof fi a'm cofleidio, er ei bod hi wedi 'ngweld i ddau funud ynghynt.

'Fedra i'm coelio dy fod ti yma!' meddai Mam.

'Wel, dyma fi, felly be am i ni fynd am baned?' meddai fy modryb. 'Mae 'ngheg i fel y Sahara.'

Aeth y tri ohonon ni i chwilio am gaffi yn y maes awyr, a dewis bar coffi. 'Awn ni i fama,' meddai Anti Ellen.

'Sut oedd yr awyren?' gofynnais wedi i ni eistedd.

'Iawn,' atebodd hithau. 'Dwi'n falch 'mod i wedi dod draw.'

Edrychodd Ellen ar Mam fel petai'n gallu pwyso a mesur rhywbeth yn ei phen. 'Sut wyt ti wedi bod, Rose?'

'Iawn,' atebodd Mam. 'Does 'na ddim byd o'i le efo fi, heblaw 'mod i'n hen.'

'Dwi'n falch o glywed,' meddai Anti Ellen, ac yna trodd ata i. Pwysodd draw, a sibrwd, 'Dwi am i ni gael sgwrs, Martin, pan gawn ni funud bach efo'n gilydd.'

Nodiais.

Dros y flwyddyn ddiwethaf, roedd Anti Ellen wedi cadw mewn cysylltiad efo ni ar y ffôn. Doedd dim patrwm i'r galwadau, dim ond ffonio pan oedd hi'n ffansïo gwneud, ac ro'n i wastad wedi bod yn onest efo hi am gyflwr Mam. Gwyddai fod pethau'n wael.

Es at y cownter ac archebu'r paneidiau. Pan es i'n ôl, roedd y ddwy yng nghanol sgwrs.

'… A heblaw am Richard, dwn i ddim be faswn i wedi'i wneud yn ddiweddar 'ma,' meddai Mam, wrth droi i edrych arna i.

'Richard?' gofynnodd Ellen.

'Ia, Richard.' Nodiodd Mam i'm cyfeiriad i.

'O Rose,' meddai Ellen yn ysgafn. 'Nid Richard ydy hwnna. Martin ydy o.'

Roedd Mam wedi drysu.

'Ti yn gwybod, yn dwyt?' gofynnodd fy modryb.

Nodiodd Mam. Roedd hi'n casáu meddwl ei bod hi wedi gwneud camgymeriad; os oedd rhywun yn ei chywiro, byddai'n ei anwybyddu, fel petai'r peth ddim yn bwysig beth bynnag.

'Wrth gwrs 'mod i,' atebodd.

Edrychodd fy modryb arna i gyda gwên.

'Felly, sut mae pethau efo ti, Martin?' gofynnodd. 'Dwi'n clywed fod gen ti gariad newydd?'

'Oes. Heather. Mae hi'n byw efo ni rŵan.'

'Da iawn. Sut mae hi'n tynnu 'mlaen efo dy fam?'

'Yn dda iawn,' atebais.

Yn sydyn, cododd Mam a cherddodd at gwpl ifanc oedd yn eistedd wrth fwrdd gerllaw. Edrychai fel petai'n siarad gyda'r ferch i ddechrau, ac yna'r dyn, ac yna eisteddodd gyda nhw.

'Be mae hi'n wneud rŵan?' gofynnodd fy modryb.

'Mae hi'n gwneud hyn yn aml,' atebais. 'Mae'n gweld rhywun ac yn meddwl ei bod hi'n eu hadnabod nhw. Mi wneith hi ddechrau sgwrs efo unrhyw un. Mae'r rhan fwyaf o bobl yn ymateb yn ocê iddi.'

Ysgydwodd Ellen ei phen.

'Mae'n rhaid i mi gadw llygad arni o hyd,' meddwn, 'neu mi fyddai hi'n mynd efo unrhyw un.'

'Mi fedra i ddychmygu,' atebodd fy modryb. 'Sut wyt ti'n ymdopi efo hi adre?'

'Dim yn dda iawn, a dweud y gwir.' Penderfynais fod yn onest. 'Mae Heather yn helpu, ond dwi wir yn meddwl ei bod hi'n bryd inni ddod o hyd i rywle lle bydd Mam yn cael gofal iawn.'

'A finna hefyd. Mi faswn i'n mynd â hi adre efo fi, ond does gen i mo'r lle.'

'Dim jest y lle ydy'r broblem, Anti Ellen,' dywedais. 'Fedrwch chi mo'i gadael hi ar ei phen ei hun am bum munud. Mae'n gadael yr haearn smwddio 'mlaen, a'r nwy, ac mae'n gadael y drysau'n 'gored. Mi fasa unrhyw beth yn gallu digwydd. Mae hi'n meddwl mai Wendy ydy Heather, mae hi'n meddwl mai

Yncl Richard ydw i, ac mae ei phen hi yn ei phlentyndod, a dwi'n gwybod dim am yr amser yna.'

'Mi ga i sgwrs efo hi,' meddai Ellen.

Cododd y cwpl oedd efo Mam. Dechreuodd y tri ohonyn nhw grwydro i ffwrdd.

'Lle mae'n mynd?' gofynnodd fy modryb.

'Mae hi'n gadael efo'r cwpl diarth yna. Mi a' i ar ei hôl hi.'

Rhedais ar eu holau, a chyffwrdd penelin Mam. 'Ffor' hyn, Mam.'

'Hwyl rŵan!' meddai Mam wrth y cwpl, a wenodd arni'n betrus braidd cyn brysio i ffwrdd.

'Amser mynd,' dywedais wrth i Anti Ellen frysio draw.

Roedd y daith adref yn dawel, ac ar ôl cyrraedd yn ôl, cyflwynais Ellen i Heather. Roedd y ddwy'n tynnu 'mlaen yn wych yn syth, yn sgwrsio am oriau am ddim byd, ac weithiau byddai Mam yn ymuno â nhw ac yn adrodd rhyw stori, a phawb yn chwerthin. Gwyddai Ellen yn iawn sut i wneud i Mam drafod y pethau oedd yn digwydd yn ei bywyd, ac yn ddiweddarach, fe ddywedodd wrtha i ei bod hi'n meddwl bod Mam yn byw yn tua 1940 yn ei phen, pan oedd hi'n bymtheg ac Ellen yn naw.

'Wyt ti'n cofio'r siop fferins 'na ar gornel Bath Avenue, Rose?' gofynnodd fy modryb. 'Roedd Mam yn mynd â ni yna bob dydd Sul ar ôl yr offeren, a phrynu bag mawr o fferins i ni.'

'Ew ia!' meddai Mam yn frwd. 'Y *gobstoppers* mawr yna, a'r taffis bach... Roedden ni'n edrych ymlaen atyn nhw drwy'r bore.'

'Ac wedyn byddai'n rhaid i ni fynd adre a mopio'r llawr leino gwyrdd hyll 'na,' chwarddodd Ellen.

'Ond doedd Richard ddim yn gorfod gwneud am mai hogyn oedd o!'

Chwarddodd y ddwy wrth gofio.

Do'n i heb fod yn gwrando'n iawn, ond cliciodd rhywbeth yn fy meddwl a gwyddwn fod rhywbeth pwysig wedi cael ei ddweud.

'Roedd gan y gegin lawr gwyrdd?'

'Clamp o gegin fawr oedd hi, Martin,' meddai Anti Ellen. 'Y tŷ roedden ni'n byw ynddo fo pan oedden ni'n fach. Llawr leino gwyrdd. Roedd pawb posh yn cael leino'r dyddiau hynny!'

Chwarddodd y ddwy chwaer.

'Roedd o'n hyll, a dweud y gwir. Fyddai neb isio fo rŵan. Roeddet ti'n ei blicio fo oddi ar rôl fawr ac yn ei sticio fo ar lawr, ac roedden ni ferched yn gorfod mopio'r blydi peth bob dydd Sul, neu doedden ni ddim yn cael y fferins.'

Roedd Mam a'i chwaer yn chwerthin yn hapus am bethau a ddigwyddodd dros chwe deg mlynedd yn ôl.

Y tŷ efo'r llawr gwyrdd!

Ro'n i wedi meddwl yn siŵr mai ffantasi oedd y llawr gwyrdd, ond dim ond byw yn ei hatgofion oedd Mam. Roedd ei chyflwr wedi dod â'r hen ddyddiau yn ôl at Mam fel petai'n digwydd heddiw.

Arhosodd fy modryb dros y penwythnos, a hedfan yn ôl ar nos Sul.

Wrth iddi ffarwelio â fi yn y maes awyr, roedd dagrau yn ei llygaid.

'Dwi mor falch i mi ddod,' meddai. 'Dwi ddim yn meddwl y bydda i'n ei gweld hi eto, ond os bydda i, dwi ddim yn meddwl y bydd hi'n fy nabod i.'

Cododd Mam ei llaw yn siriol, a dweud, 'Wela i di, Ellen', fel petai'r ddwy am gwrdd eto dros y dyddiau nesaf.

Daliodd Ellen fi mewn coflaid dynn. 'Edrycha ar ôl Heather. Mae hi'n berson hyfryd.'

Yna, gwenodd unig chwaer mam a oedd yn dal i fod yn fyw, ei ffrind gorau o ddyddiau pell y llawr gwyrdd, a chodi ei llaw, cyn gadael ei bywyd am byth.

15

Y Cartref Cyntaf

DYDY PENDERFYNIADAU ANODD ddim yn mynd yn haws o gael eu gadael. Un dydd, mae'n rhaid eu hwynebu nhw.

Roedd yr ymweliad â'r cartref nyrsio wedi cychwyn y broses, ond ro'n i'n gwneud fy ngorau i gadw Mam rhag gorfod mynd yno nes bod gwir angen. Roedden ni i fod i gysylltu efo'r weithwraig gymdeithasol ar ôl mynd yno i ddweud a oedden ni am iddyn nhw gadw gwely i Mam, ac erbyn hyn roedd wythnosau wedi mynd heibio. Gwaethygu roedd cyflwr Mam, a bellach doedd hi ddim yn saff ei gadael hi ar ei phen ei hun o gwbl.

Roedd Heather yn gweithio hefyd, felly dim ond Mam a Bruno oedd yn y tŷ drwy'r dydd. Gwyddwn fod ei chloi hi yn y tŷ yn beryglus ac yn annheg.

Cawsom ein hatgoffa o'r cartref nyrsio un nos Wener, pan ffoniodd y weithwraig gymdeithasol.

'Dim ond caniad i ofyn ydach chi wedi gwneud unrhyw drefniadau ar gyfer Mam eto?' gofynnodd yn siriol, fel pe baen ni'n trafod ei mam hi.

'Dim eto, na.'

'Dwi 'mond yn gofyn am fod 'na le gwag arall wedi dod yn rhydd yn y cartref.'

Tybed pwy oedd wedi marw?

'Iawn. Mi wna i siarad efo 'nghymar i, a'ch ffonio chi'n ôl.'

'Ia plis… Mae'r llefydd yma'n brin, 'dach chi'n gweld…'

Y noson honno, ar ôl i Mam fynd i'r gwely, siaradais gyda Heather.

Ysgydwodd hithau ei phen. 'Mi ges i sioc i weld cyflwr rhai o'r hen bobl yna…'

'A finna.'

'Roedd gen i gymaint o biti dros Fred.'

'Ro'n i'n licio Alice, cofia,' dywedais, a chwarddodd y ddau ohonon ni.

'Fyddai dy fam ddim yn ei licio hi,' meddai Heather. 'Dwi 'rioed 'di clywed dy fam yn rhegi.'

'Na, na finna.'

'Tybed ydy pob cartref nyrsio'r un fath?' gofynnodd Heather.

'Dwn i ddim,' atebais. 'Falle y dyliwn i gael gair arall efo'r weithwraig gymdeithasol. Falle bod 'na lefydd gwahanol iddi hi.'

Nodiodd Heather yn frwd. 'Gawn ni air efo hi fory.'

*****

Drwy'r dydd wedyn, roedd fy meddwl yn mynnu troi'n ôl at ein hymweliad â'r cartref nyrsio. Roedd Alice – oedd efallai'n fam i rywun, efallai'n nain – ar fy meddwl, ar ei phen ei hun mewn ystafell, dim ond hi a theledu.

A dyna Fred druan yn ei ddresin-gown carpiog, yn crwydro'r coridorau yn chwilio am ffrind oedd wedi marw; dim ond eisiau rhywun a fyddai'n chwarae dominos efo fo, a'r staff yn ei anfon o'n ôl yn lle dod o hyd i ffrind newydd iddo.

A dyna Sylvia, yn rhedeg y lle fel busnes, yn oeraidd, fel petai'n ffermwr yn gofalu am ddiadell.

A'r lle ei hun wedyn: y grisiau cul, y ffotograffau o gleifion ar y waliau. I bwy oedd y rheiny? I'r cleifion, er mwyn iddyn nhw allu adnabod pa ystafell oedd eu un nhw? Neu i'r staff? Neu i'r ymwelwyr?

Pan o'n i a Heather wedi ymweld, dwi'n cofio sylwi mai ni oedd yr unig rai yno oedd heb fod un ai'n glaf neu'n aelod o'r staff. Ble oedd yr ymwelwyr? Dydd Sul oedd hi, wedi'r cyfan. Roedd hynny cyn i mi weld mai dyma ydy'r patrwm mewn cartrefi nyrsio. Mae cleifion yn cael eu hanghofio gan eu teuluoedd yn reit sydyn.

Os ydy rhywun mewn oed yn syrthio ac yn torri ei glun ac yn mynd i ysbyty arferol, mae'n cael tri ymweliad teuluol y dydd ar gyfartaledd. Os ydy rhywun mewn oed yn mynd i fyw mewn cartref gofal, chaiff o ddim tri ymweliad mewn mis.

Dydw i ddim wedi dod i delerau'n gyfan gwbl efo'r ffeithiau yma, ond dwi'n meddwl bod 'na dueddiad i gredu bod y person ei hun wedi mynd unwaith i'w feddwl ddechrau dirywio. Dydy hynny ddim yn wir, ac fe ddylai pobl gael eu haddysgu am hyn. Mae brwydrau dementia yn digwydd y tu ôl i ddrysau caeedig, yn broblem enfawr nad oes neb yn siarad amdani.

*****

'Gest ti sgwrs efo'r weithwraig gymdeithasol?' gofynnais i Heather ar ôl i mi ddod adref; roedd hi wedi dweud y byddai'n ffonio'r diwrnod hwnnw.

'Does 'na ddim lle yn unlle ar hyn o bryd,' atebodd. 'Dim ond y stafell 'na welson ni – mae'n wag eto. Mae hi'n dweud os nad ydan ni'n licio honno, gawn ni gadw Mam adre nes bod 'na le yn codi yn rhywle arall, neu mi gaiff hi fynd i ysbyty i aros am le. Mi ddeudodd hi fod 'na lefydd llawer gwaeth na'r lle welson ni. Mae angen ateb arni erbyn y penwythnos.'

'Mae 'na lefydd gwaeth?'

'Dyna be ddeudodd hi.'

Sgwrsiodd y ddau ohonon ni drwy'r nos, tan oriau mân y bore wedyn, yn pendilio rhwng rhoi Mam mewn ysbyty a'i rhoi hi yn y cartref gofal roedd y ddau ohonon ni wedi ei gasáu. Yn y diwedd, gwnaed y penderfyniad nad oedd o'n syniad da iddi fynd i'r ysbyty, gan nad oedd hi'n sâl – wel, ddim yn gorfforol, beth bynnag.

'Falle cawn ni ei rhoi hi yn y cartref am 'chydig, nes bod 'na le gwell yn codi,' awgrymais o'r diwedd. 'Fedrwn ni wastad ei symud hi.'

Nodiodd Heather, ac aeth y ddau ohonon ni i'r gwely wedi ymlâdd.

Fel yna mae penderfyniadau mawrion yn cael eu gwneud.

Ffoniodd Heather y weithwraig gymdeithasol i rannu'r penderfyniad â hi. Awgrymodd hi ein bod ni'n mynd â Mam i'r cartref y penwythnos wedyn. Unwaith y cytunwyd popeth, roedd hi'n teimlo fel petai dim ffordd yn ôl. Teimlwn fel petawn i wedi cytuno i dorri'r gyfraith, ac na fedrwn i dynnu'n ôl waeth beth roedd fy nghydwybod yn ei ddweud.

Roedd gweddill yr wythnos honno'n un o adegau rhyfeddaf fy mywyd – nid achos bod unrhyw beth od neu anarferol wedi digwydd, ond am 'mod i'n gwybod y byddwn i, erbyn y penwythnos, yn twyllo fy mam i fynd i'r hyn oedd, mewn gwirionedd, yn ysbyty meddwl. Mae'n siŵr na fyddai'n dod allan o'r lle 'na'n fyw. Efallai fod hynny'n swnio'n ddramatig, ond cartrefi gofal i gleifion dementia ydy Bedlam yr unfed ganrif ar hugain. Mae'r cleifion yn cael eu trin gyda mwy o barch bellach, wrth gwrs, ond cartrefi i bobl sydd wedi gwallgofi ydyn nhw yn y bôn.

Roedd Mam yn dal i fwytho Bruno, ac i sgwrsio efo'r ferch fach yn y gwresogydd, ac i wrando ar y band Gwyddelig gyda gwên fach ddiniwed ar ei hwyneb.

★★★★★

Mae'n siŵr mai fy nghydwybod oedd yn gyfrifol, ond ceisiais wneud ei hwythnos olaf efo ni yn un berffaith. Eisteddais efo hi yn yr ystafell fyw, yn sgwrsio am bopeth a dim byd.

Dywedodd wrtha i am ei phlentyndod yn Nulyn, ac am dyfu i fyny efo'i brodyr a'i chwiorydd, Peggy, Ellen, Marie a Richard. Siaradai amdanyn nhw fel petaen nhw'n dal yn fyw, er bod Marie a Peggy wedi marw dros bum mlynedd yn ôl. Siaradodd am gadw'r oed efo 'nhad, a pha mor hapus oedd y ddau wedi bod – ond eto, siaradai amdano fel petai wedi ei weld o ddoe. Wrth iddi siarad, dychmygais y carped yn cael ei rolio'n dynnach ac yn dynnach dan ei thraed. Bellach, roedd mwy o garped yn y rôl nag oedd 'na ar lawr.

Dwi'n meddwl mai ar y dydd Mercher y trodd y sgwrs at y bobl roedd hi'n eu gweld yn y tŷ.

'Sut mae'r ferch fach yn y gwresogydd y dyddiau yma?' gofynnais.

'Iawn, am wn i,' meddai. Byddai llais Mam yn mynd yn dawelach ac yn feddalach wrth siarad am y ferch, fel petai'n trio cofio rhywbeth pell i ffwrdd.

'Ydy hi'n dal yn sownd yna?'

Nodiodd Mam. 'Yn fanna fydd hi rŵan.'

'Pam, Mam?' Roedd y ffantasi fod 'na blentyn yn sownd yn ein gwresogydd yn un od a wyddwn i ddim o ble roedd y syniad wedi dod. Ro'n i eisiau gwybod sut y daeth y ffasiwn beth i feddwl fy mam.

'Does ganddi hi ddim ffordd allan,' atebodd Mam.

'Ydy hi'n hapus yna, Mam?' gofynnais.

Cododd Mam ei hwyneb i edrych arna i. Gwelais dristwch yn ei llygaid.

'Sut gallai hi fod?' atebodd. 'Sut *gallai* hi fod?'

Do'n i ddim am orffen y sgwrs fel yna, felly gofynnais, 'Sut ffeindiodd hi ei ffordd i mewn i'r gwresogydd yn y lle cynta?'

Ysgydwodd Mam ei phen. 'Does ganddi hi ddim syniad. Un diwrnod roedd hi'n hapus yn yr ysgol, a'r peth nesa, roedd hi'n sownd yn fanna.' Edrychodd draw ar y gwresogydd, a thynnu ei bysedd dros y metel cynnes. 'Ers hynny, mae hi'n sownd ac mae hi'n methu dod allan.'

'Sut mae'n teimlo i mewn yn fanna?' gofynnais.

'Tywyll iawn,' meddai Mam. 'Ac mae ganddi hi ofn, druan fach. Ac mae hi'n unig.'

'Mae hi'n dal i ddeud pethau wrthoch chi?'

'Mae'n siarad efo fi o hyd.'

'Be mae hi'n ddeud?'

Mae'n swnio'n od wrth edrych yn ôl, ond doedd Mam a fi heb siarad ar lefel mor bersonol o'r blaen, er bod testun ein sgwrs yn ffantasi llwyr.

'Mae'n deud cyfrinachau am Peggy, a'r lleill,' meddai fel pe bai'n gwneud cyfaddefiad mawr. 'Mae'n deud pob math o bethau. Pethau cyfrinachol.'

'Pa fath o bethau cyfrinachol?' sibrydais.

Ysgydwodd Mam ei phen.

'Fedrwch chi ddim deud wrtha i?' gofynnais.

Ysgydwodd Mam ei phen eto. Roedd hi wastad wedi bod yn un dda am gadw cyfrinachau. Dwi'n cofio iddi ddweud wrtha i pan o'n i'n fach fod cyfrinach yn rhodd werthfawr, a bod yn rhaid ei chadw yn ofalus. Dyna roedd hi'n ei wneud efo cyfrinachau'r ferch fach yn y gwresogydd. Dydy clefyd Alzheimer ddim yn newid moesau rhywun, dim ond y byd o'n cwmpas. Yr un bobl ydan ni, yn ddwfn y tu mewn.

'Dwi'n dallt,' atebais.

Gwenodd Mam.

'Ydy hi'n deud pethau neis weithiau?'

'Weithiau,' nodiodd Mam. 'Ond ddim yn aml.'

'Be ydy'r pethau neis?'

'Mae'n deud dy fod ti'n dda iawn efo fi,' atebodd yn syml.

Roedd y geiriau fel dwrn yn fy wyneb. Teimlais fy hun yn gwrido wrth feddwl am y penwythnos oedd i ddod.

'Mae'n deud dy fod ti'n ffeind efo fi,' gwenodd Mam.

'Mae hynna'n neis,' oedd yr unig ateb y gallwn ei roi.

Penderfynodd Heather a minnau fynd â Mam allan am bryd o fwyd un noson cyn y penwythnos mawr. Ro'n i braidd yn nerfus achos bod mynd â Mam allan wastad yn cynnwys elfen o risg, ond rhesymais y byddai Heather a minnau'n gallu delio â hi rhwng y ddau ohonon ni.

Dewisodd Heather un o ffrogiau tlysaf Mam, a'i helpu hi gyda'i cholur a'i gwallt. Daeth lwmp i'm gwddw wrth edrych arni fel yna; doedd hi ddim wedi edrych mor brydferth ers i Dad farw. Roedd clefyd Alzheimer wedi ei gwneud hi'n ddi-hid am ei hymddangosiad, ac roedd ei gweld hi wedi gwisgo i fyny yn brofiad arbennig i mi.

'Lle 'dan ni'n mynd?' holodd Mam.

'I fwyty neis iawn,' atebodd Heather. ''Dan ni'n mynd i gael swper hyfryd.'

'O, am braf!' meddai Mam. 'Ydy o'n dod?' Pwyntiodd at y ci, oedd yn ein gwylio ni i gyd.

'Na, dydy'r bwyty ddim yn caniatáu cŵn, Mam,' dywedais. 'Ac mae'n rhaid iddo fo aros yn fama a gwarchod y tŷ.'

Roedd hyn yn gwneud synnwyr perffaith i Mam. Nodiodd a dweud, 'Mi ddo i â sbarion yn ôl i ti, Bruno!'

Roedd yr awyrgylch yn ysgafn ac yn hwyliog, a meddyliais pam nad oedden ni wedi gwneud hyn yn amlach.

I ffwrdd â ni yn y car, gyda Bruno'n gwylio o ffenest y llofft.

Roedd y bwrdd wedi ei archebu ar gyfer 8.30, a dim ond saith o'r gloch oedd hi. 'Awn ni am ddiod gyntaf!' cyhoeddais.

Safodd y tri ohonon ni wrth y bar yn un o'r tafarndai lleol. Roedd hi'n dechrau llenwi'n barod, ac roedd 'na griw mawr o ddynion oedd yn edrych fel petaen nhw wedi bod yn yfed drwy'r dydd. Roedden nhw'n canu caneuon rygbi nerth esgyrn eu pennau.

Prynais y diodydd, rhoi un Heather iddi a throi i roi diod Mam iddi hithau. Doedd dim arlliw ohoni. Yna, clywais ei llais yn canu. Safai ynghanol y criw rygbi yn canu hen gân Wyddelig, ac roedd pawb yn gwrando'n astud. Doedd dim smic gan neb. Ar ôl gorffen, cymeradwyodd pawb yn frwd, a chafodd pob un o'r dynion sws gan Mam.

Pan ddaeth hi'n bryd i ni adael, ffarweliodd pawb efo Mam, a rhoi sws arall iddi. Roedd hi'n cael amser penigamp.

Yn y bwyty, cymerodd y gweinydd ein cotiau. Roedd Heather a minnau wedi bwyta yna o'r blaen, ac roedd y gweinydd yn ein hadnabod ni'n ddigon da i chwerthin a thynnu coes. Pan welodd o Mam, dechreuodd ymddwyn yn barchus iawn, ond pan sylweddolodd nad oedd hi yn union fel pobl eraill, newidiodd ei agwedd tuag atom. Efallai 'mod i'n bod yn orsensitif, ond ro'n i'n sicr ei fod o'n teimlo na ddylai Mam fod yna, a theimlwn ei fod o'n ymddwyn yn ansensitif ac yn greulon.

Edrychodd y tri ohonon ni dros y fwydlen wrth gael diod wrth y bar. Swniai'r bwyd yn fendigedig, ac roedd Mam yn ansicr beth i'w gael. Daeth y gweinydd draw i holi oedden ni'n barod i archebu.

'Dim eto,' atebais. 'Rhyw funud neu ddau arall, plis.'

'Wrth gwrs, syr.' Wrth iddo gerdded i ffwrdd, gwelais i o'n edrych dros ei ysgwydd ar Mam. *Os ydy o'n gwneud hynna eto*, meddyliais, *dwi am ddeud rhywbeth wrtho fo*. Yna dwrdiais fy hun, gan feddwl 'mod i'n dychmygu'r cyfan. Ond fe sylwodd Heather hefyd.

Daeth yn ôl ymhen ychydig i gymryd ein harcheb.

Roedd gan Mam gwestiwn iddo. 'Esgusodwch fi. Ydy'r eog yn dod o Sainsbury's?'

Chwarddodd Heather a minnau fel plant ysgol.

Syllodd y gweinydd arni mewn syndod. ''Dan ni ddim yn prynu'n pysgod o'r archfarchnad, madam,' dywedodd, fel petai wedi cael ei dramgwyddo'n fawr. 'Mae'n eog ni wedi cael ei ddal mewn afon yn yr Alban, a'i gludo i lawr yma yr un diwrnod. Mae popeth yn ffres yma.'

'Aaa, wela i,' meddai Mam. 'Wel, mi ga i tsiops 'ta, plis.'

Blinciodd y gweinydd yn sydyn, fel petai ganddo rywbeth yn ei lygad. 'Tsiops. Iawn.'

'Rose ydw i,' meddai Mam.

Gwenodd ar Mam.

Archebodd Heather a minnau ein bwyd, ac i ffwrdd â'r gweinydd. Sgwrsiodd y tri ohonon ni yn y bar wrth i'r staff baratoi ein bwrdd. Gallwn weld y gweinydd yn sibrwd wrth aelodau eraill o'r staff ac yn cilwenu. Ro'n i'n dechrau gwylltio.

Galwodd Mam y gweinydd draw eto.

'Ydy hi'n Ddolig eto?' holodd Mam.

Suddodd Heather ychydig yn is i'r gadair freichiau. Blinciodd y gweinydd yn gyflym eto, cyn edrych arna i.

'Mae Mam â chlefyd Alzheimer,' dywedais, er nad oedd angen i mi ddweud wrtho. 'Mae hi eisiau gwybod ydy hi'n Ddolig eto. Wnei di ddweud wrthi, plis?'

Erbyn hyn, roedd o'n blincio mor sydyn, edrychai fel petai ar fin cael ffit.

'Na, madam,' atebodd o'r diwedd. 'Fydd hi ddim yn Ddolig am naw mis arall.'

'O, wela i,' meddai Mam. 'Diolch yn fawr.'

Wrth iddo gerdded i ffwrdd, meddyliais fod Mam yn berson gymaint gwell na fo. Teimlodd Heather a minnau'n anghysurus drwy weddill y pryd bwyd; roedden ni'n eu clywed nhw'n siarad am Mam, ac yn edrych draw i'n cyfeiriad ni. Ddaeth neb draw i ofyn a oedd popeth yn iawn efo'r bwyd, fel oedd yn arferol yn y bwyty yma.

Dwi wedi pendroni ynglŷn â pham fod clefyd Alzheimer yn gwneud i rai pobl deimlo mor anghysurus. Ar y cyfan, mae'r rhai sydd â'r clefyd yn gwmni da ac yn sbort. Mae'n gyflwr sy'n dangos gwir gymeriad y rhai sy'n dod wyneb yn wyneb â fo. Mae'r bobl dda yn ymateb i ddioddefwyr gyda charedigrwydd a chynhesrwydd; mae'r lleill yn snobyddlyd ac yn ddi-ddweud. Ydyn nhw'n gwybod am y ganran uchel o bobl dros 60 sydd â chlefyd Alzheimer? Dyma fydd ffawd nifer fawr ohonon ni, gan gynnwys y rhai sy'n edrych i lawr ar bobl sydd â dementia.

Ar ôl y cwrs cyntaf, cafodd Mam ddau bwdin: powlen enfawr o roli poli jam a chwstard, a thafell enfawr o *gâteau* a hufen. Wrth i mi dalu, gofynnodd y gweinydd, 'Wnaeth syr fwynhau ei bryd bwyd efo ni heno?'

'Mi wnaeth y tri ohonon ni fwynhau'r pryd,' atebais.

Gwenodd y math o wên mae pobl yn ei rhoi pan dydyn nhw ddim wir eisiau gwenu. Gwên deg.

Wrth godi i adael, gofynnais i Heather, 'Ddylian ni adael tip?'

'Mae dy fam wedi gwneud yn barod,' meddai Heather, gan edrych i lawr ar gadair Mam.

Roedd Mam wedi piso dros y gadair felfaréd. Roedd staen mawr gwlyb yn lledaenu drosti. Dechreuodd Heather a minnau chwerthin, ac erbyn i ni adael y bwyty, roedden ni yn ein dyblau.

'Da iawn, Mam,' dywedais. 'Mi fydd hynna'n dysgu gwers iddyn nhw.'

Gwenodd Mam yn llydan arna i, fel petai wedi gwneud rhywbeth clyfar iawn.

Mae gweddill yr wythnos honno wedi pylu o'm hatgofion. Y peth nesaf ydw i'n ei gofio ydy bore dydd Sul. Daeth Mam i mewn i'w hystafell ar ôl brecwast a 'ngweld i'n pacio cês iddi.

'Be ti'n neud?'

'Pacio'ch pethau chi,' atebais yn onest.

'Pam?'

''Dan ni'n mynd ar ein gwylia,' dywedais yn gelwyddog.

'Bendigedig!' meddai Mam. 'Ydy Wendy'n dod hefyd?'

'Ydy, mae Heather yn dod efo ni. Bydd hi yma mewn dipyn.'

Curodd Mam ei dwylo, a sgipio o gwmpas y llofft fel plentyn bach. Wnes i erioed deimlo mor ddi-werth.

'Fyddwn ni wrth y môr?' gofynnodd, ei llygaid yn llydan.

'Na, dim felly.'

Cerddodd Heather i mewn.

''Dan ni'n mynd ar wyliau efo'n gilydd, Wendy!' meddai Mam.

Edrychodd Heather arna i. 'Ydan, Rose.'

Cariais gês Mam allan at y car, ac eisteddodd Mam yn y sedd gefn. Wrth i ni yrru i ffwrdd, gwyliai Bruno ni drwy ffenest yr ystafell wely.

Ar ôl cyrraedd y cartref, rhoddais help llaw i Mam ddod allan o'r car.

'Am westy crand!' meddai Mam. 'Mae'n rhaid ei fod o'n costio ffortiwn!'

Canodd Heather y gloch fawr wrth y drws. Daeth nyrs ifanc i'n gadael ni i mewn. Clodd y drws y tu ôl i ni.

'Mae'n rhaid mai chi ydy Rose,' meddai Sylvia wrth gerdded i lawr y coridor tuag atom.

'Ia,' atebodd Mam.

Cydiodd Sylvia yn llaw Mam, a'i harwain i ffwrdd oddi wrth Heather a minnau. Aeth Mam efo hi heb gwestiynu dim.

'Dwi am i chi ddweud eich hanes wrtha i, Rose,' meddai Sylvia. 'Wedyn mi wna i ddangos eich llofft i chi.'

Diflannodd Sylvia a Mam drwy ddrws gwyn ar ben arall y coridor.

'Mae 'na bapurau i chi eu llofnodi,' meddai'r nyrs, 'gan mai chi ydy perthynas agosaf Rose.'

Nodiais ac arwyddo'r papurau heb eu darllen.

'Mae stafell eich mam i fyny'r grisiau – stafell rhif chwech,' meddai. 'Gewch chi fynd â'i phethau hi i fyny 'na rŵan.'

Dilynodd Heather y nyrs i fyny'r grisiau cul, ac es i allan i nôl cês Mam o'r car.

Roedd yn rhaid i mi ganu'r gloch eto i gael fy ngadael i mewn. Gwenodd y nyrs wrth agor y drws i mi. 'Mae diogelwch yn bwysig yma,' gwenodd.

'Stafell chwech?' gofynnais.

'I fyny'r grisiau ar y chwith,' atebodd y nyrs, cyn diflannu i swyddfa fach a chau'r drws y tu ôl iddi. Wrth i mi agosáu at y grisiau, ymddangosodd llaw fach a gwasgu fy llaw innau'n dynn. Roedd y ddynes yn hen iawn, a hoel dagrau mawr ar ei hwyneb.

'Plis!' erfyniodd, ei llais yn cracio. '*PLIS!*'

'Dyna chi, Maud.' Ymddangosodd nyrs a thynnu llaw yr hen wraig oddi arna i. 'Gadewch lonydd i'r dyn.'

Arweiniwyd Maud drwy ddrws arall, yn crio wrth iddi fynd. Tynnais gês Mam i fyny'r grisiau, fy nghydwybod yn llosgi. Hen ystafell Charlie oedd ystafell chwech, ond roedd ei lun wedi mynd o'r wal y tu allan, a'i enw hefyd. Doedd dim arwydd iddo fod yma erioed, heblaw am Fred, a grwydrodd heibio wrth i mi fynd i mewn. Roedd y bocs dominos yn dal yn ei law, ac edrychodd i mewn wrth basio. Pan welodd Mam a Heather yn eistedd ar y gwely, ysgydwodd ei ben cyn symud ymlaen.

'Mae hyn yn neis iawn, wir,' meddai Mam gan edrych o'i chwmpas. 'Pa mor hir 'dan ni'n aros?'

''Chydig ddyddiau,' atebais, gan deimlo fel Jiwdas.

Dechreuodd Heather ddadbacio'r cês a gosod dillad Mam yn y cwpwrdd dillad a'r droriau.

'Dwi heb ddod â fy ngwisg nofio,' meddai Mam.

'Mi gawn ni brynu un fory.'

Daeth Sylvia i mewn i'r ystafell.

'Helô Rose,' meddai'n ysgafn. 'Sut ydach chi'n setlo i mewn?'

'Dwi heb ddod â fy ngwisg nofio, ac mi liciwn i fynd i lan y môr,' atebodd Mam.

'O Rose, mae hi'n rhy oer i lan y môr heddiw. Be am i ni weld sut fydd y tywydd fory?'

'Ocê,' meddai Mam yn bwdlyd braidd.

Unwaith i ni ddadbacio pethau Mam i gyd, eisteddodd

Heather a minnau efo hi am ychydig. Doedd gen i ddim syniad pa mor hir y bydden ni'n cael aros, a doedden ni ddim eisiau gadael. Sylvia benderfynodd droson ni.

'Rose, mae Heather a Martin yn dod i lawr y grisiau efo fi rŵan i arwyddo rhyw bapurau. Arhoswch chi yn fan hyn i setlo. Byddan nhw'n dod yn ôl mewn 'chydig.'

Plannais sws ar foch Mam. Doedd ganddi hi ddim syniad mai sws hwyl fawr oedd o, ond ro'n i'n gwybod.

Caeodd Sylvia ddrws Mam y tu ôl i ni, a cherddodd y tri ohonon ni'n araf i lawr y coridor.

'Byddai'n well i chi beidio dod i'w gweld hi am wythnos neu ddwy,' meddai Sylvia. 'Mae'n haws iddi setlo fel'na. Bydd hi'n meddwl eich bod chi'n dod i fynd â hi adre, a bydd hi'n ypsetio bob tro. A dydy hynny ddim yn deg iddi hi, nac ydy?'

Nodiodd Heather a minnau.

'Dewch yn ôl mewn wythnos neu ddwy, ac mi gawn ni sgwrs am sut mae hi'n setlo, iawn?'

Cytunodd Heather a minnau, cyn ysgwyd llaw Sylvia a gadael Mam i fyny'r grisiau yn hen ystafell Charlie, a hithau'n meddwl ei bod hi mewn gwesty ar ei gwyliau, a'i bod hi'n mynd i'r traeth yfory.

Tybed pa mor hir y buodd hi'n eistedd ar ei gwely, yn aros i ni ddod i'w nôl hi?

Capten John

Eisteddodd Heather a minnau mewn tawelwch llethol wrth yrru adref. Roedd fy meddwl ar chwâl: teimlwn 'mod i wedi bradychu a gadael fy mam. Beth fyddai Dad yn ei ddweud wrtha i rŵan?

Ro'n i ar goll yn fy mhen pan dorrodd Heather ar y tawelwch.

'Wnawn ni mo'i gadael hi am bythefnos, waeth be mae Sylvia'n ei ddweud.'

Cytunais ar unwaith.

'Awn ni i'w gweld hi'r penwythnos nesa, ia?'

'Mi fyddai hynny'n gwneud mwy o synnwyr.'

Roedd y tawelwch yn y tŷ yn ofnadwy. Eisteddodd Bruno gan edrych arnon ni. Edrychodd ar Heather, a minnau, ac yna edrychodd o'i gwmpas. Gwyddai'r ddau ohonon ni am bwy roedd o'n chwilio. Mi wnes i ffỳs ohono'r noson honno, a mynd â fo am dro.

Yn hwyrach y noson honno, rhoddais y goleuadau Nadolig ymlaen, er ei bod hi'n ganol mis Mawrth. Ro'n i yn yr arfer o wneud hyn bellach.

Safodd Heather a minnau ym mreichiau ein gilydd, yn syllu ar y goleuadau. O'r diwedd, roedd yn rhaid i mi siarad.

'Dwi'n meddwl ei bod hi'n bryd i ni dynnu'r goeden i lawr.'

Nodiodd Heather. Y noson honno, rhoddwyd y goeden a'r goleuadau, y tinsel a'r peli disglair i gyd mewn bocsys i'w cadw. Edrychai popeth mor foel a digroeso. Dwi'n meddwl mai dyma'r foment y sylweddolais na fedrwn i fyw yn y tŷ yma mwyach.

Roedden ni'n ffarwelio â Bruno hefyd. Dywedodd rhywun unwaith fod pobl yn dod i'ch bywyd am reswm, neu am dymor. Pan mae'r rheswm am eu presenoldeb yn dod i ben, maen nhw'n gadael; neu os ydy tymor eu hymweliad yn darfod, maen nhw'n symud ymlaen, ac mae'n rhaid i chithau wneud yr un fath. Mae rhai pobl yn crwydro i mewn i'n bywydau i'n cefnogi pan fo gwir angen, ac yna'n gadael drachefn. Daw rhai i ddysgu gwers i ni, a phan mae'r wers wedi ei dysgu, maen nhw'n gadael. Tybed ydy'r un peth yn wir am anifeiliaid? Ychydig ddyddiau yn ddiweddarach, gofynnodd perchennog Bruno am ei gael o'n ôl. Roedd hi wedi setlo bellach, ac er mor ddiolchgar oedd hi 'mod i wedi edrych ar ôl ei chi, roedd hi eisiau Bruno'n ôl. Trefnodd y ddau ohonon ni i gyfarfod y diwrnod wedyn mewn man cyfleus, a dychwelodd Bruno at ei berchennog. Bu'r ci yna'n gysur mawr i Mam pan oedd hi angen ffrind; cyrhaeddodd ar yr union adeg roedd ei angen o arni, a phan nad oedd ei angen o mwyach, fe aeth adref. Am wn i, cyrhaeddodd Mam ar yr adeg iawn i Bruno hefyd. Mae'n rhyfedd fel mae pethau'n gweithio o bryd i'w gilydd.

Pasiodd yr amser gyda Heather a fi'n mynd allan bob nos, un ai i'r dafarn neu allan am fwyd. Doedd yr un ohonon ni'n hoff iawn o aros yn y tŷ bellach; teimlai'n wag, yn unig ac yn oer, ac roedd hi wedi bod yn amser hir ers i ni gael y cyfle i wneud unrhyw beth, dim ond y ddau ohonon ni.

Tua diwedd yr wythnos, dechreuodd Heather drefnu llond cês o bethau i fynd draw at Mam ar y penwythnos.

'Siampŵ a *conditioner*,' darllenodd Heather o'r rhestr yn ei llaw.

'Ia,' atebais, gan daflu'r siampŵ a'r *conditioner* i'r cês ar y gwely.

'Tywel mawr, un canolig ac un wlanen.'

'Ia.'

'Cardigan oren, cardigan las ac un sgert frown.'

'Ia.'

Gweithiodd y ddau ohonon ni ein ffordd drwy restr hirfaith. Roedd Heather wedi gallu gwneud rhestr lawer mwy cynhwysfawr ac ymarferol nag y byddwn i wedi gallu ei gwneud o anghenion Mam. Roedd popeth ar y rhestr wedi ei bacio, a chaeais y cês.

'Gobeithio'i bod hi wedi bod yn iawn yr wythnos yma,' dywedais. 'Ar ei phen ei hun.'

'Dwi'n gobeithio hefyd. Be wnawn ni os dydy hi ddim yn iawn?'

'Dwi 'di bod yn meddwl am hynny. Be os ydy hi'n anhapus? Fedrwn ni ddim jest dod â hi adre, mi fyddwn ni'n ôl i'r dechrau wedyn.'

'Wel, mi fyddai'n rhaid i ni ddod o hyd i gartref arall iddi'n reit sydyn.'

'Doedd 'na unlle arall.'

Fore Sul, aethon ni i'r cartref gyda'r cês yng nghist y car. Pan ganais y gloch, doedd gen i ddim syniad beth i'w ddisgwyl.

Brysiodd Sylvia i'r coridor i'n croesawu ni. 'Mae'ch mam yn setlo'n dda iawn,' meddai'n siriol. 'Mae ganddi hi ffrind newydd.'

Dwi'n meddwl bod Heather a minnau wedi roi ochenaid fawr o ryddhad wrth glywed hynny. I fyny'r grisiau â ni i ystafell chwech, lle roedd llun Polaroid o Mam y tu allan i'r drws. Roedd yr ystafell yn wag. Edrychai'r dillad i gyd fel petaen nhw heb eu cyffwrdd. Beth oedd hi wedi bod yn ei wisgo drwy'r wythnos? Roedd arogl pi-pi'n drwm yn yr ystafell, ac roedd dilledyn isaf budr iawn yn socian mewn bag plastig yn y bin bach dan y ffenest. Roedd Mam wedi gorfod gwisgo dillad isaf plastig ers tro byd bellach.

'Mi wna i ddod o hyd i Mam, a chael gwared ar y rhain,' dywedais wrth Heather, gan godi'r bag plastig.

Aeth y ddau ohonon ni i chwilio am Mam.

Daethom o hyd iddi yn crwydro i lawr un o goridorau'r cartref, law yn llaw â hen ŵr. Roedd ganddo fop o wallt gwyn a wyneb brown, crychiog.

'Helô Richard,' meddai Mam, gan wenu'n llydan ar y ddau ohonon ni. 'A helô Wendy. Ro'n i'n meddwl tybed pryd oeddech chi am ddod i 'ngweld i. Dyma Terry.'

Ysgydwodd Heather a minnau law Terry yn ein tro. Roedd o'n gwisgo ei siwmper tu chwith allan, ac roedd y label dan ei ên, gyda'r enw JOHN wedi ei sgwennu arno mewn inc du. Edrychais i lawr. Roedd careiau ei sgidiau wedi eu clymu o dan yr esgid.

'Mae 'na storm ar ei ffordd,' meddai Terry, neu John. 'Mae'n mynd i fod yn wyntog.'

Nodiodd Heather a minnau. Roedd hi'n ddiwrnod braf o wanwyn.

'Sut ydach chi wedi bod, Mam?' gofynnais. 'Ydach chi'n setlo'n iawn?'

Gwenodd Mam arna i'n llydan, ac yna ar Heather. Yna trodd at Terry gydag edmygedd, cyn edrych yn ôl arna i.

'Mae gen i rywbeth i'w ddeud wrthoch chi,' meddai. 'Dwi'n mynd i gael babi.'

Dan unrhyw amgylchiadau arferol, byddai datganiad fel yna

gan ddynes 80 oed yn achosi mymryn o banig. Ond ro'n i wedi bod yn edrych ar ôl Mam ers tro, ac yn ei hadnabod hi.

'Iesu Grist,' dywedais, wrth i Heather chwerthin. ''Dach chi 'mond yma ers wythnos.'

'Mae Terry a finna wedi penderfynu ei galw hi'n Peggy os ydy hi'n ferch, ac yn Martin os ydy o'n fachgen. 'Dan ni'n hapus iawn, dydan, Terry?'

'Rhaid i ni baratoi am y tywydd mawr,' atebodd Terry.

Nodiodd pawb, fel petai pawb yn deall am beth roedd o'n sôn. Yn sydyn, gollyngodd Terry law Mam a phwyso yn erbyn y wal. Brysiais ato, gan feddwl ei fod o'n mynd i syrthio, a daeth nyrs draw yn syth.

'Dewch rŵan, Capten John,' meddai. 'Gadewch i Rose gael 'chydig o amser efo'i theulu. Gewch chi'i gweld hi wedyn.'

Dechreuodd arwain Terry i ffwrdd. Wrth iddyn nhw gerdded, gwyrodd Terry i un ochr eto.

'Y môr yn arw heddiw, Capten,' meddai'r nyrs.

'Storm ar ei ffordd,' meddai Terry, a chrwydrodd y ddau i ffwrdd.

Daeth nyrs arall aton ni i esbonio.

'Peidiwch â chymryd sylw o Capten John,' meddai. 'Mae o wedi bod yma ers talwm.'

'Dim Terry ydy o?' Edrychais ar Mam wrth ofyn.

'Na, John,' atebodd y nyrs. 'Roedd o yn y llynges am flynyddoedd. 'Dan ni'n ei alw fo'n Capten John. Mae o'n meddwl ei fod o'n byw ar long.'

Gwyliodd pawb wrth i Capten John a'r nyrs ddiflannu, ac yntau'n symud fel petai tonnau mawrion yn rholio dan y llawr.

Gwenodd y nyrs arna i. 'Mae'r môr yn arw heddiw,' meddai, a symud i ffwrdd.

'Tydy o'n hyfryd!' meddai Mam gydag ochenaid ramantus wedi iddyn nhw ddiflannu rownd y gornel.

'John ydy o, nid Terry,' meddai Heather.

'Wn i, Wendy,' atebodd Mam. 'Dwi'n cymysgu weithiau.'

'Wel, dwi'n falch eich bod chi wedi gwneud ffrind newydd,' dywedais.

Gwenodd Mam arna i. 'Mae Terry'n dod ag anrhegion hyfryd i fi, Richard.'

'Da iawn fo,' atebais, a cerddodd y tri ohonon ni i ystafell Mam.

Rhaid oedd dadbacio'r cês. Aeth y dillad i'r cypyrddau, ac o edrych drwy'r rhestr o'r dillad oedd ganddi yno eisoes, roedd hi'n amlwg bod sawl peth ar goll. Roedd sgertiau a blowsys oedd yn perthyn i Mam ar goll, ac ambell ddilledyn yno nad oedd yn perthyn iddi.

'Mae'n anodd iawn cofio be sy'n perthyn i bwy,' esboniodd nyrs ar ôl i mi holi.

'Mi wnaethon ni sgwennu ei henw ar bob dilledyn cyn iddi ddod, fel gwnaethoch chi ofyn,' dywedodd Heather. 'Ond mae 'na bethau sy'n dal ar goll.'

'Ond mae'r cleifion i mewn ac allan o stafelloedd ei gilydd, ac weithiau maen nhw'n mynd â dillad efo nhw,' meddai'r nyrs. 'Maen nhw'n anghofio dod â nhw'n ôl. Falle bod 'na rai o'r dillad yn y golch, cofiwch.'

'Gawn ni weld lle 'dach chi'n golchi dillad?'

'O… mae'r golchdy ar gau heddiw,' meddai'r nyrs yn gyflym – yn rhy gyflym.

Daeth hi'n amlwg yn ddiweddarach pam nad oedd posib i ni weld y golchdy.

'Ydach chi'n cael digon i'w fwyta, Mam?' gofynnais.

'Ew ydw, hen ddigon,' atebodd Mam. 'Ydy'r band am ddod i 'ngweld i?'

Edrychodd Heather a minnau ar ein gilydd. 'Wel... maen nhw wedi mynd adre,' atebais.

Nodiodd Mam. 'Mae hi wedi dod yma efo fi.'

'Pwy?' holodd Heather.

Nodiodd Mam ei phen i gyfeiriad y gwresogydd yn yr ystafell wely.

'Ydy'r ferch fach yn dal yn sownd yn fanna?' gofynnais.

Nodiodd Mam.

Cerddodd Capten John i mewn. 'Dwi 'di dod ag anrheg i ti, Rose,' meddai.

Rhoddodd focs hir, plastig i Mam, y math y byddai rhywun yn cadw hen gasetiau ynddo. Doedd dim caead ar y bocs, ac roedd rhwyg i fyny un ochr iddo. Edrychai fel petai rhywun wedi sefyll arno.

Llenwodd llygaid Mam â dagrau. 'O, Terry,' meddai, gan gusanu ei foch. 'Mae o'n hyfryd. Diolch o galon.'

Tynnodd Mam ei bysedd ar hyd y bocs blêr.

Trodd Capten John ata i. 'Mae'r gwynt yn gryf,' meddai.

Nodiais a gwenu.

'Mae Terry'n dod ag anrhegion hyfryd i fi, dydy?' meddai Mam.

'Mae o'n hyfryd,' cytunodd Heather.

'Dwi am i chi drefnu fod 'na offeiriad yn dod yma i fi a Terry gael priodi,' meddai Mam. ''Dan ni'n mynd i gael babi.'

'Mi wna i holi pan dwi adre,' atebais.

Ffarweliodd Heather a minnau â Mam a Capten John a'r staff i gyd, a gadael y cartref.

*****

Mae 'na deimlad o anobaith ynghlwm â dementia sydd, yn fy marn i, yn waeth na chanser.

Aethom i weld Mam bob penwythnos dros y deunaw mis nesaf, gan ddod â phethau iddi bob tro, dillad a siocledi. Ar un ymweliad, roedd ei chwpwrdd dillad yn gwbl wag.

'Lle mae'ch dillad chi?' gofynnais.

'Gofyn i Peggy,' atebodd Mam.

Edrychodd y nyrs ar y llawr pan aethom i ofyn iddi hi. 'Mae'n siŵr eu bod nhw yn y golchdy,' meddai.

'Gawn ni fynd i'r golchdy?' gofynnodd Heather.

'Mae o ar gau,' daeth yr ateb.

'Ond mae o wastad ar gau pan 'dan ni yma,' meddai Heather yn rhwystredig. 'Gawn ni siarad efo Sylvia?'

'Dydy hi ddim yn gweithio heddiw.'

'Iawn,' dywedais, a gadawodd y nyrs.

'Dwi'n mynd i sortio hyn,' meddai Heather. 'Arhosa di yma efo Mam.'

Aeth i chwilio am atebion.

Eisteddodd Mam a minnau ar y gwely mewn tawelwch llethol. Pan mae pob sgwrs yn llawn ffantasi a ffuglen, mae'n anodd iawn dod o hyd i'r gwir, ac mae'n anodd dod o hyd i bethau i'w dweud weithiau.

'Sut mae'r ferch fach yn y gwresogydd y dyddiau yma?' gofynnais. Fedrwn i ddim meddwl am unrhyw beth arall i'w ddweud.

Ysgydwodd Mam ei phen. 'Iawn, am wn i.' Syllodd ar y gwresogydd yn ei hystafell.

'Mae hi'n dal yna, 'ta?'

'Wnân nhw ddim ei gadael hi allan rŵan,' atebodd Mam yn dawel. 'Maen nhw wedi anghofio amdani.'

Rhoddais fy mraich o gwmpas Mam.

'Dwi isio i ti sgwennu llythyr i mi,' cyhoeddodd Mam.

'Iawn. Am be?'

'Dwi isio i ti gwyno wrth y cwmni trenau. Mae'n rhaid i rywun wneud rhywbeth ar ôl be wnaethon nhw.'

'Be ddigwyddodd?'

'Mi dorrodd y trên i lawr, ac ro'n i'n gorfod cerdded yr holl ffordd yn ôl i Gaerloyw. A finna yn fy nillad isa. Dydy hi ddim yn iawn trin hen bobl fel'na.'

'Be oeddech chi'n ei wneud yng Nghaerloyw?' holais. Mae'n anodd iawn peidio cyd-fynd â'r ffantasi.

'Ro'n i wedi bod ym mhriodas Princess Di, wrth gwrs,' atebodd Mam. 'Terry oedd wedi cael gwahoddiad, am ei fod o'n ddyn pwysig, ac mi gawson ni fynd efo fo.'

'O, wrth gwrs,' cytunais.

Mae clefyd Alzheimer fel crefydd: does dim rhesymeg iddo, dim ond ffydd. Byddai'n gwbl ddibwynt i mi fod wedi dweud bod priodas Diana wedi digwydd flynyddoedd maith yn ôl, yn Llundain, nid Caerloyw, ac na fyddai Capten John wedi cael gwahoddiad, ac y byddai'r cwmni trenau yn annhebygol iawn o orfodi criw o hen bobl i gerdded adref yn eu dillad isaf.

Roedd sgwrs sydyn gyda'r nyrsys yn ddigon i mi allu deall o ble y daeth y syniad yma i ben Mam. Roedd sawl un o'r cleifion wedi gwylio rhaglen ddogfen am y briodas frenhinol y bore hwnnw. Ar ôl hynny, roedden nhw wedi gwylio pennod o *Tomos y Tanc*. Ym meddwl Mam, roedd straeon y ddwy raglen wedi cyfuno ac wedi neidio i'r byd go iawn. Does gen i ddim syniad hyd heddiw pam roedd hi'n meddwl eu bod nhw i gyd yn eu dillad isaf.

Rhoddodd bapur a phensil i mi, ac arhosodd wrth i mi sgwennu'r llythyr. Ar ôl i mi orffen, gwnaeth i mi ei ddarllen o'n ôl iddi. Ymddangosai'n ddigon hapus efo fo.

Annwyl Syr/Madam,

Ysgrifennaf ar ran fy mam, a sawl un arall sy'n preswylio yng nghartref _____, a gafodd eu cam-drin yn ofnadwy gan eich cwmni a chael eu gadael mewn perygl pan benderfynoch chi eu tynnu nhw oddi ar drên yng Nghaerloyw, a hwythau'n gwisgo dim ond eu dillad isaf. Bu'n rhaid iddynt gerdded yn ôl i Coventry, sy'n bellter o oddeutu hanner can milltir, rhai ohonynt yn droednoeth ac ambell un heb nicyrs neu heb ddannedd.

Edrychaf ymlaen at gael ateb ac iawndal.

Yn gywir,

Martin Slevin

Roedd Mam yn arbennig o hoff o'r rhan olaf am iawndal.

'Mae hwnna'n goblyn o lythyr da,' meddai. 'Mae o'n siŵr o ddysgu gwers iddyn nhw.'

Daeth Heather yn ôl i mewn i'r ystafell.

'Mae'r golchdy yna'n ofnadwy,' meddai. 'Dim rhyfedd nad oedden nhw am i ni ei weld o.' Eisteddodd ar erchwyn y gwely gyda ni. 'Mae 'na foi ifanc yna ar ei ben ei hun, a does ganddo fo prin ddim Saesneg, a dim clyw yn y byd be mae o'n neud. Mae o'n berwi bob dim! Y lliwiau i mewn efo'r dillad gwynion, yr holl wlân a sidan a chotwm, pob un dim. Mae holl siwmperi gwlân dy fam wedi mynd i hanner eu maint, a does ganddi hi ddim gobaith o'u gwisgo nhw eto. Mae'r dillad i gyd wedi eu sbwylio'n llwyr. Rhaid i ni weld y rheolwraig... Lle mae Sylvia?'

Doedd Sylvia ddim yn gweithio, ond roedd Heather yn benderfynol o wneud rhywbeth am y dillad oedd wedi cael eu dinistrio. Ar ôl cyrraedd adref, gwnaeth restr o bob un dilledyn.

Y diwrnod wedyn, anfonais focs o siocledi at Mam yn y post, a rhoi llythyr i mewn gyda nhw.

Annwyl Rose,

Roedd hi'n ddrwg iawn gen i glywed am eich anffawd gyda Tomos yng Nghaerloyw. Roedd yr holl ddigwyddiad yn anffodus iawn, a fydd o ddim yn digwydd eto.

Derbyniwch y siocledi hyn i'w rhannu gyda'ch ffrindiau, fel arwydd o ymddiheuriad.

Yn gywir,

Y Rheolwr Tew

17

Cwyn Swyddogol

Yn ôl â ni i'r cartref y diwrnod wedyn, a'r rhestr o ddillad Mam efo ni. Bu Heather a minnau'n chwilio am ei dillad yn ei hystafell hi, yn ystafelloedd pobl eraill ac yn y golchdy, cyn edrych eto ar y rhestr. Dim ond am dri mis roedd Mam wedi bod yma, ac yn yr amser hwnnw, roedd gwerth o leiaf £1,300 o'i dillad wedi eu difrodi, neu wedi diflannu'n gyfan gwbl.

Penderfynais sgwennu llythyr – un difrifol y tro yma.

Annwyl Sylvia,

Roedd hi'n syndod mawr i mi ganfod fod canran helaeth o ddillad fy mam wedi diflannu, neu wedi cael eu dinistrio yn eich golchdy. Rwyf yn deall bod yr unig aelod o staff yno dan oed, heb lawer o Saesneg, ac yn deall dim oll am sut i olchi dillad.

Amgaeaf restr o'r dillad, ac edrychaf ymlaen at gael ymateb gennych.

DILLAD SYDD AR GOLL
22 nicer (£88), 1 bag llaw brown (£25), pethau ymolchi (£25), 5 bra (£75), 1 goban wen (£10), 1 goban flodeuog (£10), 1 trowsus llwyd (£20), 1 trowsus llwyd tywyll (£20), 3 phâr o sanau (£6.99), 2 wlanen (£5), 3 thywel mawr (£36), 1 flows felen (£15), 1 flows biws (£24.99), 1 sgert Berkatex (£37.99), 2 dywel llaw (£14), 1 pâr o byjamas (£10), 1 sgert werdd (£37.99), 1 flows lliw hufen (£10),

1 sgert frown (£20), 1 sgert ddu (£10), 1 gardigan binc (£25), 1 siwmper lelog (£20), 1 pâr o fwtsias (£55.99), 1 goban las (£10), 3 coban wen (£30), 1 crys T gwyn (£10), 3 phâr o sanau glas, piws a gwyn (£5.99), 1 flows binc (£15), 1 trowsus du (£20), 1 flows goch (£24.99).

DILLAD A DDINISTRIWYD YN Y GOLCH
13 sgert (£390), 1 flows biws (£28.99), 1 siwmper binc (£20), 1 flows werdd (£20), 1 siwmper las (£25), 1 siwmper las tywyll (£25), 1 gardigan werdd (£24.99), 1 flows felen (£15), 1 top pyjamas (£10), 1 pâr o siorts sidan (£5), 1 top piws (£5), 1 siwmper wlanog binc (£15).

Nodaf hefyd eich bod wedi anfon bil i mi am £1,500 am gostau fy mam. Yn amlwg, ni fydd y bil yma'n cael ei dalu nes y caiff y mater uchod ei setlo.

Yn gywir,
Martin Slevin

Chefais i ddim ateb gan Sylvia. Ond fe ges i fil arall am £1,500 am gostau Mam.

Mae pwyllgor wedi ei sefydlu yma yn y Deyrnas Unedig i gadw llygad ar gartrefi gofal, ac i ddelio gyda chwynion fel fy rhai i. Ysgrifennais at y pwyllgor, gan amgáu fy llythyr gwreiddiol at Sylvia. Ymhen hir a hwyr, cefais ateb ganddynt.

Annwyl Mr Slevin,
Diolch am eich llythyr. Ar ôl archwiliad manwl o gartref gofal _____, pan ofynnwyd i Mrs Sylvia _____ ymchwilio i'ch cwynion, fe wnaeth hi ein sicrhau ni fod pob aelod o staff sydd ganddi wedi cael hyfforddiant llawn, a bod pob gofal wedi ei gymryd i edrych ar ôl dillad eich mam. Fodd bynnag, mae'n rhaid

i chi ddeall bod damweiniau'n digwydd weithiau, ac os mai dyna sydd wedi digwydd yn yr achos yma, rydym yn ymddiheuro. Mae Mrs Sylvia _____ yn ein sicrhau bod aelod o'r staff wedi chwilio'n ddyfal am ddillad eich mam, a bod y rhan fwyaf ohonynt wedi cael eu canfod yn ystafell wely Mrs Slevin.

Hyderwn mai dyma fydd diwedd y mater hwn, ac y bydd perthynas dda yn datblygu rhyngoch chi a'r cartref y gwnaethoch ei ddewis ar gyfer eich mam.

Yn gywir,

Fedrwn i ddim credu bod y corff proffesiynol yma, oedd i fod i gynnal safon cartrefi nyrsio, wedi penderfynu peidio ag ymweld â'r cartref gofal ar ôl derbyn fy nghwyn. Yn lle hynny, Sylvia oedd wedi ymchwilio, ac, wrth gwrs, ddaeth hi o hyd i ddim o'i le.

Cysylltais â'r weithwraig gymdeithasol a gwneud cwyn swyddogol, ond doedd gen i fawr o obaith y byddai dim byd yn newid.

Yr wythnos wedyn, aeth Heather a minnau i weld Mam yn y cartref, a phacio'i chês gyda'r ychydig bethau oedd ganddi ar ôl cyn mynd â hi o'r lle. Dechreuodd un o'r nyrsys grio wrth i ni adael.

'Mae'n wir ddrwg gen i am hyn,' sibrydodd wrth i ni gerdded i lawr y coridor, 'ond fedrwn ni ddim gwneud dim byd. Petaen ni'n dweud unrhyw beth, mi fasan ni'n colli'n swyddi.'

Nodiais. Ro'n i'n deall ei bod hi mewn sefyllfa anodd – roedd nifer o'r nyrsys yn glên iawn – ond os nad oes neb yn codi llais mewn achosion fel hyn, does neb yn siarad dros y trueiniaid sy'n methu gwarchod eu hunain. Dydy'r rhai sy'n rhedeg y cartrefi ofnadwy yma byth yn gorfod wynebu'r peth.

Cododd Capten John ei law ar Mam wrth i ni gerdded tuag

at y drws. Ro'n i'n teimlo'n euog am ei chymryd hi oddi wrth ei ffrind newydd, ond doedd gen i fawr o ddewis.

'Lle 'dan ni'n mynd?' gofynnodd wrth i ni gerdded yn ôl at y car.

''Dan ni'n mynd i westy arall, Mam,' atebais yn gelwyddog.

'Ew! 'Dach chi'ch dau yn fy sbwylio i,' meddai Mam. 'Ches i 'rioed wyliau mor hir o'r blaen.'

Anfonais ateb at y pwyllgor, ond doedd gen i ddim gobaith y byddai'n cael unrhyw effaith o gwbl.

Annwyl _____,

Cyfaddefaf fy mod wedi cael syndod mawr o dderbyn eich llythyr, dyddiedig Gorffennaf 19.

Rydych yn dweud bod Mrs Sylvia _____ wedi ymchwilio i'm cwyn ar eich rhan. Rydych felly wedi caniatáu i aelod o'r staff gynnal yr ymchwiliad ei hun. Beth ydy pwrpas cael comisiwn annibynnol fel eich un chi os mai dyma'r arferiad?

Roedd eich ateb yn llawn gwrth-ddweud, celwyddau a datganiadau camarweiniol, ac nid wyf yn hapus nac yn fodlon gyda'r ffordd yr ydych wedi mynd ati i ymdrin â'r gŵyn.

I godi un pwynt yn unig o blith nifer:

'Mae Mrs Sylvia _____ yn ein sicrhau bod aelod o'r staff wedi chwilio'n ddyfal am ddillad eich mam, a bod y rhan fwyaf ohonynt wedi cael eu canfod yn ystafell wely Mrs Slevin.'

Mae hyn yn gelwydd noeth, ac fe welwch o'r rhestr atodedig fod 80% o'r dillad oedd gan fy mam pan gyrhaeddodd y cartref wedi eu colli neu eu dinistrio yn ystod ei harhosiad byr yno. Yn wir, roedd cyflwr dillad fy mam yn ddigon gwael i beri i'r staff ymddiheuro a chrio wrth drafod y mater, gan gynnwys y dydd pan aethom â hi o'r cartref.

Yr ydym wedi gorfod prynu rhai dillad newydd iddi eisoes. Cost y dillad yw £1,319.91, sydd ddim yn cynnwys y pentwr o ddillad a adawyd yn y cartref, gan eu bod yn llawn rhwygiadau neu wedi eu difrodi yn y golch.

Dan yr amgylchiadau, ni fyddaf yn talu'r bil am £1,500 y bu gan y cartref yr hyfdra i'w anfon i mi droeon.

Yn gywir,
Martin Slevin

Yn y car ar y ffordd adref, roedd Mam yn gwenu, a minnau'n meddwl beth yn y byd roeddwn i am ei wneud nesaf. Fel roedd hi'n digwydd, ffoniodd y weithwraig gymdeithasol o fewn ychydig oriau.

'Mae gen i le iddi mewn cartref newydd,' meddai. 'Charnwood House. Mae o'n llawer gwell lle. Fedrwch chi biciad draw i'w weld o, 'dach chi'n meddwl?'

Atebais fod hynny'n syniad da.

Efallai 'mod i'n ddrwgdybus, ond teimlwn fod y lle newydd yma wedi ymddangos yn sydyn iawn unwaith i mi ddechrau codi twrw am bethau yn yr hen gartref gofal. Pan holais am le i Mam yn y dechrau, y cyngor oedd fod yn rhaid i mi gymryd yr hyn oedd ar gael. Po fwyaf o gysylltiad a gawn i efo'r gwasanaethau cymdeithasol, mwyaf ro'n i'n meddwl nad oedd dim yn symud ymlaen tra oeddwn i'n rhesymol ac yn dawel. Os byddwch chi byth mewn sefyllfa i ddelio â nhw, byddwch yn barod i godi llais.

18

Yr Ail Gartref

IFFWRDD â ni yn syth i Charnwood House. Wrth i ni yrru i mewn i'r maes parcio, sylwais ar yr ardd daclus a'r blodau tlws. Roedd yr adeilad yn un cadarn, unllawr, heb y peryg o risiau serth, cul.

'Mae o'n edrych yn neis,' meddai Heather.

Canais y gloch i'r dderbynfa. Daeth llais ar yr intercom o fewn eiliadau.

'Fedra i'ch helpu chi?'

''Dan ni 'di dod i gael sbec ar y lle,' dywedais, a chliciodd y clo i'n gadael i mewn.

I mewn â ni i'r cyntedd, a chael ein croesawu gan ddynes ganol oed gyda gwên garedig.

'Croeso i Charnwood House,' meddai, gan ysgwyd llaw â ni. 'Gadewch i mi ddangos y lle i chi.'

Aeth â ni drwy ddrysau, oedd â chod digidol yn lle goriadau, i ystafell fawr gyda chadeiriau, oedd yn daclus ac yn arogli'n hyfryd ac yn lân. Roedd ambell glaf yn eistedd yma ac acw, y rhan fwyaf yn cysgu'n drwm. Chwaraeai cerddoriaeth dawel, heddychlon yn y cefndir.

'Dyma lle 'dan ni'n cael ein sesiynau canu, a'n gemau bingo,' meddai. 'Fel y gwelwch, mae o'n lle braf, digon o le a digon o olau... Mae 'na awyrgylch heddychlon, 'dach chi ddim yn meddwl?'

Roedd hi yn llygad ei lle: roedd o'n gwbl wahanol i'r cartref arall. Roedd popeth yn dywyll a digalon yn fanno, a phopeth yn olau a siriol yma. Roedd fanno'n hen dŷ gyda chorneli a choridorau cul, ac roedd fan hyn yn fyngalo mawr agored. Lle i garcharu cleifion dementia oedd y lle arall, a lle iddyn nhw gael byw yn braf oedd fan hyn. Gwyddai Heather a minnau'n syth ein bod ni wedi gwneud y peth iawn. Byddai Mam wrth ei bodd yma.

'Mae 'na stafell fyw arall, a 'dan ni'n defnyddio fanno fel stafell fwyta hefyd,' meddai'r ddynes wrth i ni grwydro i lawr y coridor llydan. 'Mae 'na ddwy stafell sbâr yma. Dewch i chi gael cip arnyn nhw.'

Roedd yr ystafelloedd gwely, fel gweddill y lle, yn daclus ac yn siriol ac yn gysurus. Roedden nhw'n edrych yn debycach i gaban ar long foethus nag i ystafelloedd mewn cartrefi gofal. Byddai Capten John wedi bod wrth ei fodd yma. Ymlaen â ni, a phasio salon trin gwallt.

'Mae 'na ddynes trin gwallt yn dod i mewn bob dydd Mercher,' meddai'r ddynes. 'Felly bydd eich mam yn gallu cael gwneud ei gwallt. Mae 'na giropodydd a deintydd yn dod unwaith bob mis.'

Sut yn y byd oedd dau gartref gofal yn gallu bod mor wahanol?

'Be 'dach chi'n feddwl?' holodd y ddynes. 'Fyddai eich mam yn hapus yma?'

'Byddai,' atebodd Heather.

'Dim amheuaeth,' ychwanegais innau.

*****

Aeth Mam i'w chartref newydd y diwrnod canlynol.

'Am westy posh!' meddai, gan edrych o'i chwmpas. 'Sut yn y byd 'dan ni'n gallu fforddio aros mewn lle fel hyn?'

'Peidiwch â phoeni am hynny,' atebais.

'Dwi am ofyn iddyn nhw ga i frecwast yn fy ngwely bore fory,' sibrydodd Mam wrth iddi weld ei hystafell wely am y tro cyntaf. Roedd ganddi olygfa hyfryd dros wely blodau a gardd rosod. 'Wyt ti'n *siŵr* bod gynnon ni ddigon o bres i aros yma? Mae'n rhaid ei fod o'n costio ffortiwn.'

'Dyma'ch cartref chi rŵan, Mam,' dywedodd Heather. 'Mae o'n well na'r lle arall 'na, dydy?'

Nodiodd Mam. 'Do'n i ddim yn licio fanno.'

Edrychodd Heather a minnau ar ein gilydd.

'Gobeithio'i bod hi'n neis.' Pwyntiodd Mam at y gwely sengl arall yn ei hystafell.

'Fydd 'na neb arall yn cysgu'n fanna. Dwi wedi holi'n barod. Dim ond chi fydd yma, Mam.'

'Gobeithio na fydd hi'n chwyrnu,' meddai Mam. 'Mi fydd rhaid i mi ddeud wrthi.'

'Fydd 'na neb yn y gwely 'na. Dim ond chi sy yn y stafell yma.'

'Os ydy hi'n siarad yn ei chwsg, mi ro i bwniad iddi,' dywedodd Mam.

O'i diwrnod cyntaf yn Charnwood House hyd y diwrnod olaf un, parhaodd Mam i feddwl ei bod hi mewn gwesty crand. Credai mai staff y gwesty oedd y nyrsys, ac arferai ddweud wrth yr 'ymwelwyr' eraill 'mod i wedi ennill y loteri ac yn ei chadw hi mewn crandrwydd. Wnes i ddim ei chywiro hi.

Rhoddais i a Heather yr hyn oedd yn weddill o ddillad Mam yn y cwpwrdd dillad, a dechrau ei helpu i setlo. Daeth cnoc ar y drws.

'Mi hoffwn i fynd i gyflwyno'ch mam i'r cleifion eraill,' meddai nyrs ifanc. 'Iddi gael gwneud ffrindiau newydd.'

Gwenodd Heather a minnau, a chydiodd Mam yn llaw'r nyrs fel plentyn, ac i ffwrdd â'r ddwy gyda'i gilydd.

'Bydd gwybod bod Mam yn cael gofal yn fama yn bwysau oddi ar fy meddwl i,' dywedais wrth Heather.

'Dylian ni ddod â ffotograffau o adre, ambell ornament, y math yna o beth,' meddai Heather. 'Bydd y stafell yma wir yn teimlo fel ei stafell hi wedyn.'

'A 'dan ni angen dillad newydd iddi hefyd.'

Nodiodd Heather. 'Gwell i ni fynd i siopa.'

Roedden ni wedi gwario ffortiwn yn prynu pethau newydd i Mam ar ôl i gymaint fynd ar goll neu gael ei ddinistrio yn yr hen gartref. Aethom â'r dillad i gyd adref er mwyn cael nodi ei henw ar y labeli, a gadael llonydd i Mam am wythnos iddi gael setlo. Y penwythnos wedyn, yn ôl â ni i'r cartref.

'Dwi am i ti sgwennu llythyr,' meddai Mam yn syth wedi i ni gyrraedd.

Dyma ni eto, meddyliais.

'Bob bore maen nhw'n dod i mewn i'n deffro ni i gael brecwast. Dwi wastad yn codi'n syth, ond mae honna'n gorweddian yn ei gwely bob dydd.' Pwyntiodd at y gwely sbâr yn ei hystafell.

'O,' atebais.

'Wel,' meddai Mam, 'am ei bod hi'n gorweddian, maen nhw'n dod i mewn ac yn ei llusgo hi allan gerfydd ei thraed!' Gwnaeth Heather a minnau ein gorau i beidio chwerthin. 'Dydyn nhw ddim i fod i lusgo hen bobl allan o'r gwely fel'na, nac ydyn?!'

Cytunodd Heather a minnau'n frwd efo hynny.

Aeth Mam at ei bwrdd bach i nôl papur a phensil. Bu'n

rhaid i mi sgwennu llythyr arall, a gwyliodd Mam dros fy ysgwydd.

'Be ydy enw'r ddynes?' gofynnais.

'Dwn i'm,' atebodd Mam. 'Dydy hi byth yn siarad efo fi.'

Annwyl Syr/Madam,

Rwy'n ysgrifennu am y ffordd mae'r ddynes sy'n rhannu ystafell â Mrs Slevin yn cael ei llusgo o'i gwely gerfydd ei thraed bob bore. Yn amlwg, mae hyn yn groes i reolau iechyd a diogelwch, gan y byddai'r ddynes yn gallu taro ei phen ar lawr. Mae hyn yn achosi pryder i Mrs Slevin, a gofynnwn yn gwrtais i chi ddeffro'r ddynes mewn ffordd wahanol o hyn ymlaen.

Yn gywir,
Martin Slevin

'Dyna ti lythyr da,' meddai Mam. 'Mae'n rhaid i ni sefyll i fyny dros ein ffrindiau, yn does?'

'Sut ydach chi'n setlo?' gofynnodd Heather.

'Mae'r bwyd yn hyfryd,' atebodd Mam yn frwd. 'Ond dyna mae rhywun yn ei ddisgwyl gan westy crand, ynte?'

'Dwi'n falch eich bod chi'n hapus yma,' meddwn.

'Pam na fyddwn i'n hapus?' holodd Mam. 'Mae'r staff yn ffeind o hyd, chwarae teg.'

''Dan ni wedi dod â chacennau hufen i chi,' meddai Heather. Roedden ni wedi stopio mewn becws ar y ffordd yna i brynu ffefrynnau Mam.

'Mae 'na bum cacen – un yr un i Martin a fi, ac mi gewch chi rannu'r gweddill efo'ch ffrindiau newydd,' dywedodd Heather.

'O! Hyfryd, Wendy,' meddai Mam. 'Gawn ni nhw rŵan.'

Agorodd y bocs a llowcio cacen mewn dwy gegaid. Ar ôl i mi

ddechrau sychu'r hufen oddi ar ei cheg, dechreuodd ar gacen arall.

'Mi wnaeth Frank ofyn i mi'i briodi fo, a dwi wedi derbyn,' meddai Mam fel petai'n trafod y tywydd. 'Yn fy oed i, mae'n rhaid i mi feddwl am fy nyfodol, does?'

'Wel, oes, am wn i,' atebodd Heather.

'Pwy ydy Frank?' gofynnais.

'Fy nyweddi i, siŵr!' Edrychodd Mam arna i'n dwp, a dewisodd glamp o gacen gwstard o'r bocs.

''Dach chi wedi cyfarfod Frank yn fama, 'ta?' holodd Heather.

Nodiodd Mam yn frwd. Roedd ei cheg yn llawn pestri a chwstard oer. 'Mae o'n beilot efo'r llu awyr,' meddai'n falch. ''Dan ni'n mynd i fyw wrth y maes awyr pan 'dan ni'n briod.'

'Dyna neis, Mam.'

'Dwi am i ti drefnu i offeiriad ddod yma i'n priodi ni,' meddai Mam. 'Pryd fydd o'n gallu dod?'

'Gad hynny efo fi, Mam,' ochneidiais. 'Mi sortia i bopeth fory.'

'Cyn gynted â phosib, Martin. Dwi ddim isio edrych yn rhy feichiog pan dwi'n priodi.' Dechreuodd Mam ar ei phedwaredd gacen.

'Ond dim ond newydd gwrdd â'r Frank 'ma ydach chi, Mam,' dywedais, gan ddifaru'n syth i mi ddweud rhywbeth call mewn sgwrs oedd ddim hanner call.

'Twt lol!' wfftiodd Mam. ''Dan ni wedi nabod ein gilydd ers 'rysgol. 'Dan ni wedi dyweddïo ers blynyddoedd! Na, mae'n hen bryd i ni wneud y peth iawn a gwneud hyn yn swyddogol. Ti'n gweld,' ymestynnodd Mam am y gacen olaf o'r bocs, 'mae pobl yn dechrau siarad.'

Cafodd Mam weld ei dillad newydd wrth i ni eu rhoi nhw yn ei chwpwrdd dillad.

'Maen nhw'n hyfryd!' meddai. 'I be 'dach chi'n gwario'ch pres arna i?'

'Mae'n rhaid i chi gael dillad i'w gwisgo, Mam,' atebais.

'Wel, rhyngoch chi a fi,' meddai'n dawel, 'dwi wedi sylwi bod 'na rai o'r bobl sydd yma yn gwisgo braidd yn flêr. Does 'na neb yn gwisgo i fyny y dyddiau yma, hyd yn oed mewn gwesty posh fel hwn. Does 'na ddim safonau!'

Nodiais. Roedd hyn yn rhywbeth roedd Heather a minnau wedi sylwi arno ers i ni ddechrau ymweld â chartrefi gofal. Byddai'r rhan fwyaf o'r cleifion wedi eu gwisgo'n flêr iawn. Mae'n siŵr bod 'na wirionedd yn yr hyn ddywedodd y nyrs yn y cartref arall – bod y cleifion i mewn ac allan o ystafelloedd ei gilydd, yn cymryd dillad a byth yn dod â nhw'n ôl, nes bod eu teuluoedd yn meddwl nad oedd llawer o bwynt cael dillad smart iddyn nhw. Beth oedd pwynt gwario pan oedd y rhan fwyaf o gleifion yn hollol ddifater am y ffordd roedden nhw'n edrych?

'Wel, 'dach chi'n edrych yn hyfryd, Rose,' meddai Heather yn ofalus.

'Diolch, Wendy,' meddai Mam. 'Mae'n bwysig i mi edrych yn smart, achos mae gan Richard swydd mor bwysig.'

'Pa swydd sgin i?' gofynnais.

'Wst ti, hyfforddi'r anifeiliaid, a'r cwffio teirw, a hynna i gyd,' atebodd Mam.

'Cwffio teirw?' holodd Heather.

'Ydy, mae o'n cwffio teirw i Gyngor Dinas Coventry. Mae'n swydd ofnadwy o bwysig. Mae pawb yn gwybod hynny, dydy, Richard?'

Nodiais.

'Mae'n rhaid i rywun reoli'r holl wartheg gwyllt 'ma,' meddai Mam. 'Neu mi fyddan nhw dros y lle, yn rhedeg o gwmpas a...'

'Gwartheg gwyllt?' mentrais.

'Yn union!' cytunodd Mam.

'Ydach chi wedi gwneud mwy o ffrindiau?' holodd Heather. 'Heblaw am Frank?'

Mae rhywun yn mynd i'r arfer o newid trywydd y sgwrs wrth sgwrsio efo cleifion dementia.

'O do!' meddai Mam. 'Mae pawb mor gyfeillgar yma. Heblaw am Mrs Betingalw, hen ast ydy hi. A'r jadan arall 'na sy'n dod i mewn ac yn dwyn fy fferins. Dwi'n eu cuddio nhw i gyd rŵan.'

'Mae hynny'n syniad da,' atebais.

'Pa ffrindiau sydd ganddoch chi, 'ta?' gofynnodd Heather.

'O, llwythi ohonyn nhw! Mrs Tew, mae hi'n neis. Mae'n dweud pethau am y gwesteion eraill. Wsti be ddeudodd hi'r diwrnod o'r blaen?'

'Na...' Fedrwn i ddim dychmygu.

'Mi ddeudodd hi fod *honna*,' a nodiodd ei phen i gyfeiriad y drws, 'wedi lladd ei gŵyr i gael y pres yswiriant. Am beth ofnadwy i'w wneud! Mi ddylia fo fod yn erbyn y gyfraith.'

'Mae o yn erbyn y gyfraith, Mam,' dywedais.

'Wel, mi laddodd hi'r tri,' sibrydodd Mam. Pwysodd yn agos ata i. 'Ond mae hi'n hen hogan iawn, hefyd.'

19

Y Gath Siaradus

Roedd Heather wedi bod yn ceisio gwerthu ei thŷ wrth iddi fyw yn nhŷ Mam efo fi. Doedd 'run ohonon ni am fyw yn y tŷ yna mwyach, felly aethom ati i edrych am dŷ ein hunain – dechrau newydd i ni'n dau.

Bu'r ddau ohonon ni'n chwilio'n ddyfal, ac ym mis Chwefror y flwyddyn wedyn, daethom o hyd i dŷ yn Nuneaton, tref fach ychydig i'r gogledd o Coventry. Gwerthwyd tŷ Heather, symudodd y ddau ohonon ni i'r tŷ newydd, gwerthwyd tŷ Mam a dechreuodd cyfnod newydd ym mywydau Heather a minnau.

Roedd gan gyn-ŵr Heather ddwy gath, Smokey a Sandy, ac roedd y cathod wedi cael eu gadael efo Heather pan wahanodd y ddau. Ychwanegodd Heather ambell gath arall i'r criw – Sprite a Tabitha – pan oedd ei merched wedi gadael cartref. Yn olaf, roedd Rebecca, fy merch i, wedi bod yn berchen ar Barney, oedd wedi aros efo fi pan wahanodd Wendy a minnau. Roedd pum cath efo Heather a minnau pan symudon ni i Nuneaton.

Roedd Sandy yn gath goch ddigon gwantan; Heather a'i theulu oedd wedi gwneud yn siŵr ei fod o'n bwyta ac yn magu pwysau pan oedd o'n gath fach, a siarad efo fo wrth wneud. O ganlyniad i hynny, roedd Sandy wedi arfer gymaint efo clywed lleisiau fel y byddai'n ateb. Un prynhawn, ro'n i yng ngardd ein tŷ newydd yn palu tyllau er mwyn plannu planhigion i Heather. Roedd hi'n ddiwedd diwrnod ysgol, a rhes o blant bach yn cerdded heibio ar eu ffordd adref. Wrth i Heather a minnau sgwrsio, roedd Sandy yn ymuno â'r sgwrs fel y byddai bob tro, a sylweddolais yn sydyn fod criw o ferched bach, tua chwe blwydd oed, wedi stopio i syllu. Penderfynais gael ychydig o hwyl efo nhw, a siaradais, nid efo Heather ond efo Sandy.

'Be sgin ti i'w ddweud 'ta, Sandy?' holais.

'Miaw, miaw miaaaaw.'

'Wir? Be ddigwyddodd wedyn?'

'Miaaaaw.'

Clywais y plant yn sibrwd yn llawn cyffro y tu ôl i mi. Roedd hyn yn hwyl.

'Na! Wir? A… wnaethoch chi ddatrys y broblem?'

'Miaw, miaw miaw miaaaaw,' atebodd Sandy.

'Bobol annwyl. Wel, gobeithio'u bod nhw'n ddiolchgar,' nodiais ar y gath.

Ac ymlaen â ni, y gath a minnau, yn smalio cael sgwrs. O fewn dim, roedd torf o blant bach yn gwylio'n llawn cyffro nes i'w rhieni ddod i fynd â nhw adref.

Wnes i ddim meddwl dim mwy am y peth tan y dydd Llun canlynol pan ddaeth cnoc ar y drws. Safai dynes ifanc yno, law yn llaw ag un o'r merched bach o'r grŵp oedd wedi bod yn gwrando ar Sandy a minnau.

'Mae'n ddrwg iawn gen i darfu arnoch chi,' meddai'r ddynes. 'Ond y cyfan dwi wedi ei glywed drwy'r penwythnos ydy *Pryd ga i weld y gath sy'n siarad?* Mi wn i fod hyn yn bowld, ond ro'n i'n meddwl 'mod i ddim gwaeth â chnocio'r drws. Gobeithio fod dim ots ganddoch chi.'

'Iawn,' dywedais, a'u gwahodd nhw i'r tŷ. Safodd y ddwy yn y gegin, a rhoddais Sandy ar gadair.

'Sandy,' meddwn. 'Mae'r ferch yma wedi dod i dy weld di. Tydy hynny'n beth braf!'

'Miaw miaw miaw!'

Ebychodd y ferch fach.

'Mae Sandy'n dweud diolch yn fawr... Dydy o ddim yn cael llawer o ymwelwyr.'

'Miaw miaw miaw.'

'Mae o'n dweud dy fod ti'n ferch fach hyfryd, ac mae o'n gobeithio dy fod ti wastad yn gwrando ar dy fam.'

Chwarddodd y fam ifanc, a swynwyd y ferch fach. Parablodd Sandy nes iddo ddiflasu gyda'r gêm a rhedeg i ffwrdd, ond erbyn hynny roedd y ferch wedi ei darbwyllo'n llwyr bod ein cath ni'n gallu siarad. Medrwn ddychmygu'r sgwrs ar iard yr ysgol y diwrnod wedyn.

Feddyliais i ddim am y peth tan ryw wythnos yn ddiweddarach, pan o'n i'n ymweld â Mam. Roedden ni wedi bod yn siarad am y ferch fach yn y gwresogydd, ac unwaith eto, ro'n i wedi bod yn siarad amdani fel petawn i'n coelio yn ei bodolaeth.

'Mae hi'n dweud bod neb yn coelio'i straeon hi dim mwy,' meddai Mam wrth syllu ar y gwresogydd.

'O?' holais. 'Pam ei bod hi'n meddwl hynny?'

A dyna pryd y sylweddolais i 'mod i'n chwarae'r un gêm efo Mam ag roeddwn i wedi'i wneud efo'r ferch fach a'r gath. Roedd y ferch yn rhy ifanc i sylweddoli mai tric oedd y cyfan, ac roedd clefyd Alzheimer Mam yn cymylu ei gallu hithau i weld y triciau roedd ei meddwl ei hun yn eu chwarae arni.

Beth oedd y peth iawn i'w wneud? Smalio 'mod i'n coelio'r ffantasi er mwyn cael bywyd tawel? Neu ddweud y gwir o hyd, hyd yn oed os oedd hynny'n dychryn ac yn tristáu'r claf?

Mae pawb sy'n wynebu baich gofalu am berson arall yn gorfod wynebu hyn yn hwyr neu'n hwyrach. Yr ymateb cyntaf yn aml yw cywiro'r person ynghylch y ffantasi yn ei ben; ond yna, mae'n hawdd ailfeddwl pan fo hyn yn achosi tensiwn yn y berthynas.

Mae clywed rhywun rydyn ni'n ei garu yn dechrau siarad lol llwyr yn brifo. Rydyn ni am ei gael o'n ôl fel yr oedd o, ac mae'r ffuglen ym meddyliau'r person hwnnw yn ein hatgoffa na fydd hyn yn digwydd byth. Mae clefyd Alzheimer yn ymosod ar ein hatgofion ninnau hefyd, a'n cariad ni.

Yn fuan ar ôl i Mam symud i mewn i'w hail gartref, cwestiynais fodolaeth y ferch fach yn y gwresogydd. Dwi ddim yn siŵr pam y gwnes hynny. Wnes i ddim meddwl am y peth cyn gwneud, a doedd gen i ddim cynllun.

'Dwi'm yn gwybod pam eich bod chi'n mynd 'mlaen a 'mlaen am y ferch fach yn y gwresogydd,' dywedais. 'Does 'na ddim ffasiwn berson.'

Roedd o'n beth cas i'w ddweud, ac yn ffordd gas o'i ddweud o.

Daeth golwg o boen a phryder a sioc i wyneb Mam yn syth. Gwrthododd siarad eto, a thyfodd y gwacter rhyngon ni fel petawn i wedi tanio bom. Gwnes fy ngorau i fendio pethau yn syth bìn, ond yn lle tynnu fy ngeiriau'n ôl, trio cyfiawnhau fy hun oeddwn i. Fedrwn i ddim bod wedi gwneud joban waeth petawn i'n trio.

'Mae'n rhaid eich bod chi'n sylweddoli fod 'na ddim lle yn fanna i ferch fach?' gofynnais, gan bwyntio at y gwresogydd main ar y wal.

Trodd Mam ei phen, gan syllu drwy'r ffenest.

'Meddyliwch am y peth am funud, Mam.'

Pan ydych chi mewn twll enfawr, y peth doeth i'w wneud

ydy stopio palu'n ddyfnach. Trodd Mam ei phen ymhellach, a chroesodd ei breichiau. Edrychai fel merch fach yn gwrthod bwyta'i swper. Ro'n i'n gwybod erbyn hyn nad oedd pwynt siarad efo hi. Newidiais drywydd y sgwrs.

"Dach chi isio siocled?' gofynnais, gan gynnig bocs iddi. Roedd Mam wedi bod wrth ei bodd efo siocled a fferins erioed, ac roedd hynny wedi parhau'n rhan o'i chymeriad drwy gydol ei salwch. Ysgydwodd ei phen yn dawel. Doedd gen i ddim gobaith cael sgwrs allan ohoni.

'Gwell i mi fynd, 'ta,' dywedais.

Pwysais draw a phlannu sws ar ei boch. 'Wela i chi tro nesa.'

Wnes i ddim byd tebyg ar ôl hynny. Mae pawb yn twyllo'u hunain rywfaint beth bynnag; dim ond bod y rhai sydd â chlefyd Alzheimer yn gwneud yn fwy na'r gweddill. Doedd tynnu ei sylw at y ffaith fod ei byd yn un ffug ddim yn helpu, dim ond yn creu gagendor rhwng Mam a fi. Mi wnes i sawl camgymeriad wrth ymdrin â salwch Mam, ond does dim un ateb sy'n siwtio pawb.

*****

Ro'n i'n ymweld â Mam bob wythnos; ar y penwythnosau fel arfer, ond os oedd gen i amser, byddwn yn galw draw yn ystod yr wythnos hefyd. Penderfynais y byddwn yn mynd i'w gweld hi'n eithaf buan er mwyn ceisio gwneud iawn am y sgwrs am y ferch fach yn y gwresogydd. Ro'n i wedi bod yn meddwl am y peth o hyd, ac wedi penderfynu mai cam gwag oedd ddadlau efo'i realiti hi. Doedd o'n helpu dim.

Es i'w gweld ar y dydd Mercher canlynol, gan benderfynu ymddwyn fel pe na bai'r ymweliad diwethaf wedi digwydd o gwbl. Ro'n i'n gobeithio y byddai hi wedi anghofio am y peth yn llwyr.

'Haia Mam!' dywedais. 'Sut ydach chi?'

'O, Richard!' gwenodd Mam yn llydan. 'Dwi mor falch o dy weld ti!'

Roedd popeth yn iawn.

Roedd yn chwithig am ychydig, achos fedrwn i fyth fod yn siŵr faint roedd hi'n ei gofio am fy ymweliad blaenorol. Os oedd hi'n cofio, fe wnaeth hi berfformiad go lew o guddio'r gwir.

Bob hyn a hyn, byddai Mam yn cymryd cip ar y gwresogydd yng nghornel yr ystafell. Teimlais fod rhaid imi ddweud rhywbeth, ond roedd rhaid imi fod yn ofalus.

'Ydach chi wedi bod yn siarad efo'r ferch fach yn y gwresogydd eto?' gofynnais.

Nodiodd Mam yn frwd. 'Mae hi'n siarad efo fi o hyd.'

'Sut mae hi heddiw?' holais.

'Dydy hi ddim mor ddigalon heddiw.'

Roedd ei hwyneb yn hapus, a gwên hamddenol yn chwarae ar ei gwefusau. Edrychai fel dynes wahanol i'r un yr oeddwn i wedi ei gadael ar y penwythnos.

'Am be 'dach chi'n siarad drwy'r dydd?' gofynnais.

'Bob math o bethau,' atebodd Mam. ''Dan ni'n parablu o hyd. Mae hi'n dallt gymaint o bethau, wyddost ti. Dydy oedolion ddim yn dallt mor glyfar ydy plant. Dydyn nhw'n colli dim!'

'Ydy hi'n deud pethau sy'n eich ypsetio chi weithiau?'

'Byth!' Roedd Mam yn gwbl bendant am hyn. 'Dwi'n gwybod ei bod hi'n deud y gwir bob amser, felly dydyn nhw ddim yn f'ypsetio i hyd yn oed pan dwi ddim yn eu licio nhw.'

'Be mae' hi'n ei ddeud 'dach chi ddim yn licio'i glywed, Mam?'

Ystyriodd Mam am ychydig.

'Mae'n sibrwd pethau wrtha i weithiau, pan mae'n dywyll, yn hwyr y nos ac ar ôl i bawb arall adael.'

'Be mae hi'n ddeud?'

'Mae'n deud bod pawb ar y tu allan yn meddwl ein bod ni'n wallgof yn fama, ond dydan ni ddim. Wel, dwi ddim, beth bynnag.'

'Wrth gwrs nad ydach chi'n wallgof, a dydy pobl ar y tu allan ddim yn meddwl hynny chwaith,' meddwn.

'Ond pam fyddai hi'n deud ffasiwn beth?' gofynnodd Mam. 'Os nad ydy o'n wir?'

'Falle mai tynnu'ch coes chi mae hi.'

'Ia. Dyna ydy o, mae'n rhaid,' nodiodd Mam. Tawelodd, ei meddwl ar ei ffrind bach.

Daeth cnoc ysgafn, a rhoddodd nyrs ifanc ei phen drwy'r drws. 'Rose, maen nhw'n gweini swper rŵan,' meddai. 'Ydach chi am ddod i fwyta efo'r lleill, neu ydach chi isio bwyta yn eich stafell?'

'Mi ddo i at y lleill,' atebodd Mam.

Caeodd y nyrs y drws yn ysgafn y tu ôl iddi.

'Mae'n rhaid i mi fynd i fwyta rŵan,' meddai Mam. 'Ddoi di i gael bwyd efo ni?'

'Na, mae'n well i mi fynd.'

'Tyrd i gyfarfod fy ffrindiau i,' meddai Mam.

Gadawodd y ddau ohonon ni'r ystafell fraich ym mraich, a cherdded tuag at yr ystafell fawr lle roedd swper yn cael ei weini.

20

Giang Mam

WRTH I MAM ymgartrefu yn nheulu mawr Charnwood House, daeth yn rhan o giang o gleifion, gydag aelodau yn mynd a dod o hyd. Roedd 'na gnewyllyn selog o ryw chwe aelod oedd yn eistedd efo Mam drwy'r amser, a dechreuodd Heather a minnau gyfeirio atyn nhw fel 'Giang Mam'.

Am fod symptomau clefyd Alzheimer yn gwahaniaethu o berson i berson, roedd gan bob aelod o'r giang eu harferion bach od eu hunain. Weithiau, byddai'r giang yn derbyn y pethau od yma am eu ffrindiau; weithiau, bydden nhw'n achosi tensiwn.

Dwi'n cofio un tro pan es i a Heather i ymweld â Mam, roedd y giang i gyd yn y lolfa gyda'i gilydd.

'Ffyc off, eich dau!' bloeddiodd un o'r hen wragedd arnon ni wrth i ni gerdded i mewn.

Rholiodd y gweddill eu llygaid.

'Dyma Richard a Wendy,' meddai Mam. 'Fy mrawd, a gwraig fy mab.'

'Helô Dic!' gwaeddodd un o'r lleill, dynes hynafol oedd yn eistedd yn fusgrell yn ei chadair. 'Sut mae dy ddic, Dic?' Dechreuodd chwerthin dros y lle.

Rholiodd y lleill eu llygaid eto.

'Peidiwch â thalu sylw iddi hi,' meddai Mam. 'Mae'n goman.'

Cododd un o ffrindiau Mam o'i chadair, a symudodd yn simsan o ddodrefnyn i ddodrefnyn tuag aton ni.

'Peidiwch â gadael i'r hen jolpan yna'ch ypsetio chi,' sibrydodd. 'Dydy hi'm hanner call.'

'Mae'n iawn,' meddai Heather.

'Hynny ydy, ma' hi wedi ei cholli hi,' meddai'r ddynes, wrth ddefnyddio'i bys i wneud cylchoedd mawr wrth ochr ei phen, gan wneud yr arwydd plentynnaidd am 'nyts'. 'Dydy hi ddim yn iawn yn ei phen.'

'Dwi'n dallt,' dywedais.

'Dydy hi ddim yn gwybod be ma' hi'n ddeud hanner yr amser,' ychwanegodd y ddynes.

'Ia, 'dan ni'n dallt.'

'Gwallgo bost,' dywedodd y ddynes.

'Ista i lawr, Joyce,' meddai Mam, gan gydio yn llawes y ddynes. 'Dydyn nhw ddim isio clywed hynna i gyd.'

'Deud o'n i fod hi ddim yn gall,' meddai Joyce.

'Ffyc off ac ista i lawr!' meddai'r ddynes oedd wedi'n cyfarch ni i ddechrau.

Rholiodd Joyce ei llygaid, ac aeth yn ôl i eistedd.

Roedd gan un o'r giang gasgliad o deganau weindio ar y bwrdd, ac roedd hi'n weindio pob un yn ei dro ac yn gollwng gafael. Gwibiodd hwyaden fach goch dros y bwrdd. 'Wiiiii!' meddai'r ddynes. 'Sbïwch ar hwnna!' a chwarddodd mor uchel nes i rai o'r lleill chwerthin hefyd.

Yna weindiodd y ddynes gi bach, a'i ollwng ar y bwrdd.

'Wiiiii!' dywedodd eto, cyn chwerthin ar y tegan.

'Ffyc off efo'r blydi teganau 'na!' meddai'r ddynes gyntaf eto.

Cododd Joyce unwaith eto, a dod draw aton ni. 'Peidiwch â phoeni am honna efo'r teganau, dydy hi'm yna i gyd.'

'O, Joyce!' bloeddiodd rhywun. 'Stedda i lawr!'

'Dwi'n cael sgwrs efo Dic!' gwaeddodd Joyce. 'Dwi'n deud rhywbeth pwysig iawn wrtho fo!'

'Sut beth ydy dic Dic?' crawciodd y ddynes hynafol eto, a chwarddodd pawb.

'Ffyc off efo dy ffycin dic Dic!' gwaeddodd y gyntaf.

Roedd dynes arall o gwmpas y bwrdd, a doedd hi heb wneud dim ond chwibanu ers i ni gyrraedd. Chwibanodd yr un pedwar nodyn drosodd a throsodd heb stopio i gael ei gwynt ati. Deuthum i wybod wedyn nad oedd hon prin yn dweud gair, hyd yn oed pan oedd rhywun yn gofyn cwestiwn iddi. Roedd hi wedi bod yn y cartref nyrsio yn chwibanu'r un pedwar nodyn drosodd a throsodd ers pedair blynedd a hanner.

Mae'n rhaid bod y staff yn angylaidd o amyneddgar.

'Ffyc off efo'r chwibanu 'na!' meddai'r ddynes gyntaf, a rholiodd pawb eu llygaid eto.

'Hidiwch befo am y chwibanu,' meddai Joyce. 'Dydy hi ddim yn iawn yn ei phen.'

'Dwi'n dallt,' meddai Heather.

'Ddim yn gall,' dywedodd Joyce.

'Be am fynd i'ch stafell chi, Mam?' cynigiais, gan wybod na fyddai'n bosib cael sgwrs gall efo hi tra oedd hi ynghanol ei giang.

Cododd Mam, a chodi ei llaw ar ei ffrindiau cyn cerdded i gyfeiriad ei llofft efo ni.

'Ia, ffyc off!' meddai'r ddynes gyntaf.

Edrychais yn ôl, a sibrydodd Joyce *Ddim yn gall* wrtha i.

'Peidiwch â chymryd sylw ohonyn nhw,' meddai Mam wedi i ni gyrraedd tawelwch y coridor.

'Mae'n ocê, Mam.'

'Mae Joyce wedi deud wrtha i fod 'na rai ohonyn nhw'n colli arni,' sibrydodd Mam. 'Ond peidiwch â deud wrth neb.'

'Wnawn ni ddim,' cytunodd Heather.

'Un dda ydy Joyce,' meddai Mam. 'Ma' hi'n dallt be sy'n mynd ymlaen.'

Wrth i ni gerdded at ystafell Mam, ymddangosodd dyn bach o unlle yn gwisgo trowsus llac, fest cortyn a bandana coch ar ei ben. Daliodd law Mam heb ddweud gair, a ddywedodd y ddau ddim gair wrth ei gilydd, dim ond parhau i gydgerdded fel petai hyn yn gwbl normal.

I mewn â Mam a'r dyn i'w hystafell hi. Arhosodd Mam wrth y drws wrth i'r dyn gerdded at y gwely ac edrych oddi tano.

'Mae o wedi mynd,' cyhoeddodd y dyn, gan godi'n araf.

Nodiodd Mam, ac aeth i eistedd ar y gwely.

'Be oedd hynna i gyd?' holais. 'A pwy ydy hwn?'

Eisteddodd y dyn ar y gwely yn ymyl Mam.

'Dwi isio i ti sgwennu llythyr,' meddai Mam, gan anwybyddu fy nghwestiwn.

Nodiodd Mam a'r dyn bach yn frwd.

'Mae 'na bapur a phensil yn y drôr yn fan'cw,' meddai Mam.

Gwyddwn na fyddwn i'n clywed ei diwedd hi nes i mi ufuddhau, felly es i nôl y papur a'r pensil.

'Mae 'na rywun yn cuddio dan fy ngwely i,' dechreuodd Mam. 'Ac yn dwyn y siocled.'

Nodiodd y dyn yn y bandana.

'Sut 'dach chi'n gwybod hyn?' gofynnais.

'Dwi'n clywed y papurau siocled yn y nos,' sibrydodd Mam. 'Ac mae'n rhaid i mi dynnu 'mlancedi yn uchel a smalio 'mod i'n cysgu.'

Ochneidiais.

Annwyl Syr,

Ysgrifennaf i gwyno am y dyn sy'n cuddio dan wely Mrs Slevin yn y nos, ac sy'n dod allan pan mae'n cysgu i ddwyn ei siocledi. Mae hyn yn gwbl annerbyniol, ac yn achosi poendod meddwl mawr i Mrs Slevin, sy'n trysori ei siocledi yn fwy nag unrhyw beth arall.

Rydw i'n meddwl y byddai'n syniad da i chi hysbysu'r Heddlu Fferins am y mater yma, er mwyn eu galluogi nhw i ddal y dihiryn cyn gynted â phosib.

Yn gywir,

Martin Slevin

Nodiodd Mam a'r dyn bach wrth i mi ddarllen y llythyr yn uchel. Sychodd y dyn ddeigryn o'i lygad.

'Gwych,' meddai. Dyna'r gair cyntaf iddo fo ei ddweud wrthon ni.

'Paid ti ag ypsetio rŵan, Frank,' meddai Mam. 'Mae Richard wedi sgwennu'r llythyr rŵan, a bydd popeth yn cael ei sortio, gei di weld.'

'Dyma Frank?' holodd Heather gyda gwên.

Nodiodd Mam, a gwenodd Frank.

'Peilot ydy Frank,' meddai Mam. ''Dan ni'n mynd i briodi.'

Agorodd y drws a daeth Joyce i mewn. Daeth ata i a sibrwd, 'Paid â chymryd sylw o'r lleill 'na, Richard, dydyn nhw ddim llawn llathen.'

'Dydyn nhw ddim yn gall?' holais.

'Ti wedi sylwi hefyd!' meddai Joyce. 'Dydyn nhw ddim hanner call.'

'Dewch, Freda,' meddai nyrs oedd wedi dilyn yr hen wraig i mewn i'r ystafell. 'Gadewch i Rose gael llonydd i siarad efo'i hymwelwyr.'

Gadawodd Joyce, neu Freda, yr ystafell.

'A chithau, Cecil,' galwodd y nyrs. Cododd y peilot yn rhyfeddol o gyflym a gwibiodd allan o'r ystafell.

'Sori am hynna,' meddai'r nyrs. 'Mi gewch chi 'chydig o lonydd rŵan, gobeithio.'

Caeodd y drws y tu ôl iddi.

''Dan ni wedi dod â siocledi i chi,' dywedodd Heather, gan roi'r bocs i Mam.

'Lwyddoch chi i'w cael nhw'n ôl?' gofynnodd hithau.

Mae'n rhaid bod golwg ddryslyd arnon ni.

'Oddi wrtho *fo*!' meddai Mam, gan bwyntio at y gwagle dan ei gwely.

'Ym... Na, maen nhw'n rhai newydd,' dywedais.

Nodiodd Mam. 'Mi wna i guddio nhw ar ôl i chi fynd.'

'Ydy popeth arall yn iawn?' gofynnais. 'Heblaw am y dyn dan y gwely.'

'Mae pobl yn ofnadwy o glên yma,' meddai Mam. 'Dwi yn gwerthfawrogi.'

Agorodd y drws eto a daeth y ddynes chwibanu i mewn, a safodd yna'n chwibanu. (Dwi'n ei galw hi'n ddynes chwibanu am nad oes gen i syniad hyd heddiw beth oedd ei henw.)

'Helô,' meddwn.

Safodd y ddynes yn y drws. Edrychodd arnon ni, a pharhau i chwibanu'r un pedwar nodyn.

Ymddangosodd llawes las un o'r nyrsys yn y drws i dynnu'n ysgafn ar gardigan y ddynes. Diflannodd y ddynes, gan barhau i chwibanu.

'Mae hi'n neis iawn,' meddai Mam ar ôl i'r ddynes fynd. 'Roedd hi'n arfer bod yn gantores broffesiynol.'

Wnes i byth ganfod a oedd hyn yn wir ai peidio, a doedd fawr o ots gen i beth bynnag.

'Mae'r gerddi'n hyfryd yma,' meddai Heather wrth syllu drwy'r ffenest.

'Dwi'n mynd allan yn aml,' atebodd Mam. 'Mae'r garddwr yn fy ffansïo i.'

Gwridodd ryw ychydig wrth ddweud.

'Ydy o wir?' holodd Heather.

'Ond mae o'n barchus iawn,' ychwanegodd Mam. 'Mae o wastad yn dweud, *Bore da, Mrs Slevin, sut ydach chi heddiw?* a *'Dach chi'n edrych yn neis iawn heddiw, Mrs Slevin,* a phethau fel'na.'

'Falle bod gan Frank gystadleuaeth 'ta, Mam,' mentrais.

'Wel, oes wir!' atebodd hithau, a chwarddodd y tri ohonon ni.

'Dwi'n licio bandana Frank,' dywedais. 'Ffasiynol iawn.'

Pwysodd Mam ymlaen, yn amlwg ar fin dweud cyfrinach bwysig iawn wrtha i.

'Mae o newydd gael ei ymennydd wedi ei dynnu allan a'i llnau,' meddai. 'Mae o'n gorfod gwisgo'r sgarff 'na nes i'r graith bylu.'

'Wela i,' sibrydais. 'Pam ei fod o angen cael llnau ei ymennydd?'

Cododd Mam ei hysgwyddau. 'Roedd o'n fudr, am wn i.'

Dyna resymeg amlwg, syml, amherffaith clefyd Alzheimer.

Agorodd y drws eto, ond y tro hwn, dynes smart ganol oed mewn siwt dywyll a sbectol a ddaeth i mewn i'r ystafell.

'Helô,' meddai'n siriol, gan ysgwyd fy llaw. 'Mrs Porter ydw i, y rheolwraig. Mae'n ddrwg iawn gen i nad ydyn ni wedi cwrdd cyn rŵan. Ro'n i i ffwrdd... Creisis teuluol.'

Nodiodd Heather a minnau, yn deall yn iawn.

''Dan ni wrth ein boddau efo Rose yma yn Charnwood House, yn tydan ni?' Edrychodd Mrs Porter ar Mam, a gwenodd hithau'n llydan fel petai'n cael clod gan brifathrawes yn yr ysgol. 'Mae 'na bapurau dwi am i chi eu harwyddo, Mr Slevin. Fedrwch chi alw heibio fy swyddfa i cyn i chi fynd?'

'Wrth gwrs.'

Pan aeth y rheolwraig, dangosodd Heather a minnau rai o'r ornaments roedden ni wedi dod efo ni. Roedd lluniau o'i hŵyr a'i hwyres hefyd, ac ambell beth bach oedd â gwerth sentimental i Mam yn y gorffennol. Wnaeth hi ddim adnabod yr un ohonyn nhw. Credai fod yr ornaments i gyd yn newydd.

Wedi i ni ffarwelio â Mam, galwais i a Heather yn swyddfa Mrs Porter.

'Dim ond i chi gael gwybod fod 'na ddim pres yng nghyfrif eich mam,' meddai hi. 'Ac mae'r ddynes trin gwallt yn dod yma ddydd Mercher. Mae Rose yn licio cael gwneud ei gwallt, dydy?'

'Ydy,' atebais, gan roi £50 i'r rheolwraig. 'Bydd hwnna'n ei chadw hi i fynd am sbel.'

Rhoddodd Mrs Porter dderbynneb i mi.

'Mae Mam yn llawer hapusach yma nag oedd hi yn y cartref arall,' ychwanegais. ''Dan ni mor falch ei bod hi wedi cael dod yma.'

'Lle oedd hi o'r blaen?' gofynnodd Mrs Porter.

Dywedais enw'r lle, a gweld wyneb y rheolwraig yn crychu.

'Yn broffesiynol, fedra i ddim gwneud sylw,' dywedodd. 'Ond mi alla i'ch sicrhau chi ein bod ni...' Chwiliodd am y gair cywir. 'Mae 'na safonau yma. 'Dan ni'n falch o'n safonau.'

'Mae'n biti nad ydy pob cartref gofal ddim yr un fath,' meddwn.

'Wel, maen nhw i gyd i fod i gyrraedd safon arbennig. Ond dydy o ddim yn digwydd, yn y byd go iawn.'

Roedd pawb yn yr ystafell yn cytuno ynglŷn â hynny.

Ysgydwais ei llaw eto cyn gadael. Teimlwn ei bod hi'r math o berson y byddai rhywun yn ymddiried ynddo efo'i gynilion i gyd – neu, yn bwysicach byth, efo lles ei fam.

Y diwrnod wedyn, es i'r swyddfa bost yn ystod fy awr ginio.

Annwyl Mrs Slevin,

Cawsom syndod a siom o ddarllen bod eich siocledi wedi bod yn cael eu dwyn gan rywun sydd wedi bod yn cuddio dan eich gwely yn y nos. Rydym yn gwneud popeth o fewn ein gallu i ddod â'r drwgweithredwyr o flaen eu gwell; yn y cyfamser, a fyddech cystal â derbyn y bocs siocledi yma fel arwydd o ymddiheuriad, a chofiwch ni at Frank.

Y Prif Arolygydd Nitram Nivels
Heddlu Fferins Coventry

21

Datgelu Cyfrinach

WRTH I'R DYDDIAU droi'n wythnosau ac i'r wythnosau droi'n fisoedd a Mam yn dal yn Charnwood House, dechreuodd anghofio popeth arall: roedd hi'n meddwl mai'r unig fywyd fu ganddi erioed oedd yr un yn y cartref gofal.

Doedd y blynyddoedd maith a gafodd cyn cyrraedd Charnwood House yn golygu dim iddi. Yr holl ddigwyddiadau, yr holl bobl, yr holl lefydd ac achlysuron – diflannodd pob un yn ei dro, gan adael dim ond Charnwood House a'r bywyd oedd ganddi yno. Datblygodd Mam ofn o'r byd y tu allan, a byddai unrhyw awgrym o drip yn achosi pryder a phanig iddi.

Roedd carped ei hatgofion, a defnyddio cymhariaeth y meddyg, bron â bod wedi ei rolio'n gyfan gwbl, a dim ond fersiwn od o'i phlentyndod oedd ar ôl. Roedd fel petai wedi ei geni yn Charnwood House, wedi mynd i'r ysgol yno, wedi priodi 'nhad a 'ngeni i yno, wedi treulio'i bywyd a'i gyrfa yno, ac roedd hi am aros yno bellach yn ei henaint.

Ni soniwyd am y band Gwyddelig eto, nac am Bruno annwyl; roedd ein Nadolig hyfryd wedi diflannu'n llwyr, ac roedd fy hanesion i fel hogyn bach wedi pylu i niwloedd clefyd Alzheimer. Doedd hyd yn oed Dad, a dreuliodd chwe deg mlynedd hapus yn ei chwmni, yn ddim byd ond siâp amhendant yn ei meddwl – doedd hi'n cofio dim amdano.

Ond ynghanol hyn i gyd, ynghanol yr holl golled ofnadwy, arhosodd y ferch fach yn y gwresogydd ym meddwl a realiti Mam.

Siaradai gyda'r ferch fach bob dydd, a byddai'n gwneud hynny pan o'n i a Heather yn ymweld â hi yn Charnwood House. Byddwn yn ei gwylio'n edrych ar bob gwresogydd yn yr adeilad ac yn gwenu neu'n ysgwyd ei phen; bellach, roedd y ferch yn byw ym mhob un gwresogydd, nid dim ond yr un yn ei hystafell wely. Symudai gwefusau Mam yn araf a thawel wrth iddi siarad gyda'r ferch, fel petai'r ddwy wastad yn rhannu cyfrinachau. Mae'n deg dweud mai'r ferch fach yn y gwresogydd oedd ffrind gorau Mam, yr unig un oedd yno o hyd ynghanol ansicrwydd anwadal ei meddwl.

Un dydd ar ddiwedd haf 2006, roedd Heather wedi gofyn i mi alw yn Charnwood House ar fy ffordd adref o'r gwaith i fynd â phethau ymolchi, siocledi a dillad i Mam.

'Cofia fi ati,' meddai wrth i mi adael yn y bore.

Cyrhaeddais Charnwood tua phump o'r gloch y noson honno, fel roedd y preswylwyr i gyd yn cael swper. Do'n i ddim yn licio tarfu ar bryd bwyd Mam, felly penderfynais fynd yn syth i'w hystafell i gadw'i phethau ymolchi iddi. Wrth i mi gerdded i lawr y coridor o'r brif fynedfa, roedd y ddynes chwibanu yn cerdded i'r cyfeiriad arall. Sylwais i ddim i ddechrau fod unrhyw beth yn wahanol, ond yna fe ddaeth i'm meddwl – roedd y coridor yn gwbl dawel. Doedd y ddynes chwibanu ddim yn chwibanu, ac roedd hi'n cerdded yn berffaith normal i lawr y coridor.

'Helô,' meddai wrth fy mhasio i. Edrychai fel pe gallasai fod yn ymwelydd. Stopiais yn y fan a'r lle a throi i edrych arni. Cerddodd i lawr y coridor ac i mewn i'r ystafell lle roedd Mam yn cael bwyd. Sylwodd nyrs ar fy wyneb, ac esboniodd, 'Mi stopiodd hi chwibanu ddoe. Dydy hi heb wneud ers hynny o gwbl.'

Wnaeth y ddynes chwibanu fyth chwibanu eto, cyn belled ag y gwn i: am ryw reswm, fe stopiodd yn llwyr. Un dydd, efallai, fe fyddwn yn deall mecanwaith dementia, a chlefyd Alzheimer yn arbennig; ond tan hynny, bydd dirgelwch arbennig a chymhleth ynghlwm â'r cyflwr yma.

Pan es i ystafell Mam, cefais sioc i weld fod pob un o'i hornaments bach wedi ei ddifrodi mewn rhyw ffordd. Roedd y ffigurau bychain yr oedd hi'n eu trysori pan oeddwn i'n blentyn a'u pennau wedi eu chwalu. Roedd y bowlen flodeuog mewn dau ddarn, ac roedd y fframiau oedd yn cynnwys lluniau fy mhlant wedi eu plygu. Edrychai'r ystafell fel petai wedi ei rheibio gan hwligan, ond, wrth gwrs, doedd hynny ddim yn wir.

'Peggy wnaeth,' meddai Mam wedi i mi holi. 'Tydy hi'n hen ast am wneud hynna?'

Ro'n i eisiau rhoi'r pethau yn y bin, ond roedd Mam yn gwrthod gadael i mi.

'Mae'n iawn,' meddai Mam. 'Bydd Frank yn trwsio popeth.'

'Pam fyddai Anti Peggy'n gwneud hyn?' holais.

Cododd Mam ei hysgwyddau. 'Duw a ŵyr. Efallai ei bod hi'n eiddigeddus o Frank a fi.'

'Dwi wedi rhoi mwy o ddillad yn y cwpwrdd,' dywedais. 'A sebon a siampŵ yn eich stafell molchi. Ac mae 'na siocledi i chi yn y drôr.'

Safodd Mam a cherdded at y drôr i nôl y siocledi.

'Mi gawn ni fferins cyn iddo *fo* gael gafael arnyn nhw,' cyhoeddodd Mam, gan edrych ar y gwagle dan y gwely.

'Ydy o'n dal yna?'

'Mae o'n mynd a dod. Maen nhw'n methu ei ddal o.'

Yn digwydd bod, roedd gen i diwb bach o lud yn y car ar ôl i mi fod yn trwsio rhywbeth yr wythnos gynt.

'Mi fedra i drwsio'ch ornaments chi,' dywedais. 'Arhoswch chi yma i fwyta'r siocled, Mam. Mi fydda i'n ôl mewn munud.'

Dim ond dau funud gymerodd hi i mi fynd i'r car ac yn ôl. Pan ddychwelais i ystafell Mam, gallwn glywed lleisiau'n sibrwd. Roedd y drws yn gilagored, ac wrth i mi sbecian drwy'r crac, gwelwn Mam yn penlinio o flaen y gwresogydd. Roedd hi'n cynnig siocled i'r gwresogydd. Deallais yn syth beth roedd hi'n ei wneud: roedd Mam yn rhannu siocled gyda'r ferch fach.

Camais i mewn i'r ystafell mor ysgafn â phosib, a sefyll y tu ôl iddi'n dawel. Doedd ganddi ddim syniad 'mod i yna. Byddai Mam yn tynnu siocled o'r bocs, yn ymestyn ei llaw i'w gynnig i'r ferch, a byddai ei braich fel petai'n rhewi. Ar ôl ychydig eiliadau o hyn, byddai Mam yn sibrwd rhywbeth i'r gwresogydd, ac yn rhoi'r siocled yn ei cheg ei hun. Yna, ymestynnai am siocled arall, a byddai'r holl broses yn dechrau eto.

Yn y diwedd, roedd yn rhaid i mi ddweud rhywbeth. 'Ydy hi'n dal yna, Mam?'

'Yna fydd hi am byth,' atebodd Mam dros ei hysgwydd. 'Fydd hi byth yn cael dod allan.'

'Pam?' gofynnais, gan benlinio yn ei hymyl. Ro'n innau â meddwl mawr o'r ferch fach yn y gwresogydd.

'Mae'n dywyll iawn yna,' sibrydodd Mam, 'ac mae hi'n methu dod o hyd i'r ffordd allan. Mae hi'n methu gweld y drws, y beth fach.'

'Ydy hi'n anhapus iawn?' gofynnais. Tybed oedd modd helpu'r ferch fach yn y gwresogydd i ddianc, gan obeithio y byddai hynny'n helpu cyflwr Mam? Roedd o'n swnio'n wallgof, ond roedd hi'n credu'n gyfan gwbl yn y ferch, a phetai rhywbeth da yn digwydd iddi hi, efallai y byddai gobaith i Mam hefyd. Mae pethau od yn gallu digwydd i gleifion Alzheimer.

'Dydy hi ddim yn anhapus iawn,' meddai Mam. 'Dim ond ei bod hi ar goll, ac yn drysu. Mae ganddi ofn yna weithiau.'

'Ai dyna pam 'dach chi'n siarad efo hi?' gofynnais.

'Dwi ddim am iddi fod yn y tywyllwch ar ei phen ei hun,' atebodd Mam. 'Mae hi mor fach.'

''Dach chi'n ffrind da iddi.'

Gwenodd Mam. 'Mae hi angen ffrind.'

'Ydach chi'n meddwl y daw hi allan?'

Gwenodd Mam arna i'n drist. 'Dwi ddim yn gweld sut bydd hi'n gallu.'

Roedd hi wastad wedi bod yn amharod iawn i siarad am ei pherthynas efo'r ferch fach yn y gwresogydd, ac roedd wedi cymryd bron i dair blynedd iddi siarad fel hyn am y peth. Ond roedd hi'n fwy parod i sgwrsio heno, a phenderfynais holi gymaint ag y medrwn i.

'Sut un ydy hi, y ferch fach yma?'

Ystyriodd Mam am ychydig.

'Mae'n ferch fach neis,' meddai yn feddal, feddal, y geiriau bron â mynd ar goll ar ei gwefusau.

'Ydach chi'n gwybod o le mae hi'n dod?'

Bu saib mor hir wedyn nes i mi feddwl fod Mam heb glywed y cwestiwn. Ro'n i ar fin gofyn eto pan atebodd, 'Mae'n dod o Ddulyn, ond fydd hi byth yn mynd adre rŵan.'

'Falle y gallwn ni ei helpu hi i ddengyd?' awgrymais.

'Byddai hi wrth ei bodd, ond mae hi mor dywyll yna a fydd hi byth yn ffeindio'i ffordd adre eto.'

'Ydy hi wedi deud hynna wrthych chi?' gofynnais.

Nodiodd Mam. 'Mae hi'n dweud popeth wrtha i.'

'Be mae hi'n ddeud?'

Ro'n i'n trio gwneud yn siŵr bod y sgwrs yn parhau, drwy gadw sylw Mam ar y ferch yn y gwresogydd er mwyn i ni ddatrys y dirgelwch yma unwaith ac am byth.

'Mae'n dweud llawer o bethau,' atebodd Mam. 'Yn dweud dy fod ti'n ffeind, ac mor dda wyt ti wedi bod efo fi. Mae'n dweud cyfrinachau am Peggy, ac am Mam. Mae'n gwybod popeth amdana i, a dwi'n gwybod popeth amdani hi.'

''Dach chi'n agos iawn, chi a'r ferch fach,' dywedais.

''Dan ni'r un fath,' atebodd Mam yn syml.

Teimlais lwmp yn tyfu yn fy llwnc wrth i mi ddechrau sylweddoli o'r diwedd.

'Be 'di enw'r ferch fach, Mam?' gofynnais, ond ro'n i'n gwybod eisoes beth fyddai'r ateb.

'Rose,' atebodd Mam gan ochneidio.

Penliniodd y ddau ohonon ni ar lawr ei hystafell, a darn olaf y jig-so wedi disgyn i'w le.

'Rose ydy ei henw hi?' gofynnais, a nodiodd Mam, gan edrych ar y llawr.

'Chi ydy hi, ynte?' sibrydais, a llenwodd fy llygaid â dagrau. 'Chi ydy'r hogan fach yn y gwresogydd.'

'Mae'n sownd yn y tywyllwch,' meddai Mam.

Roedd fy nghalon ar fin torri.

'Mae hi'n methu dianc,' meddai Mam. 'Mae'n sownd yn y tywyllwch.'

Rhoddais fy mraich o'i chwmpas a gorffwysodd Mam ei phen ar fy ysgwydd. Arhosodd Mam a minnau yno am amser hir heb ddweud gair. Ro'n i'n deall o'r diwedd. Dyma pam fod y ffantasi yma wedi parhau pan oedd popeth arall wedi pylu, a pham fod y disgrifiad o ferch fach ar goll mewn lle tywyll, unig, yn drosiad perffaith o sut roedd Alzheimer yn teimlo i Mam. Roedd dod i ddeall mai Mam oedd y ferch fach yn y gwresogydd yn esbonio mwy i mi am y cyflwr nag a wnaeth unrhyw feddyg erioed.

I'r byd y tu allan, mae'n teimlo fel petai ffantasïau'r cleifion yn dod o unlle, ond nid dyna'r gwir. Mae'r ffantasïau yma â'u gwreiddiau yn rhywle, yn y gorffennol neu mewn rhyw stori. Y gwir o bersbectif gwahanol ydyn nhw.

Wylodd Mam a minnau gyda'n gilydd am amser hir. Yna aeth Mam i'w gwely, a dychwelais innau adref at Heather.

Newidiodd rhywbeth rhwng Mam a minnau'r diwrnod hwnnw.

Dwn i ddim yn iawn beth oedd o. Roedd fel petai pwysau'r gyfrinach am bwy oedd y ferch fach yn y gwresogydd wedi eu codi oddi ar ysgwyddau Mam. Ro'n innau'n ddigon ffodus i fod wedi cael rhannu ei chyfrinach. Roedd hi wedi ymddiried ynof fi.

Ond teimlwn yn euog. Sut na wnes i ddeall cyn hyn? Roedd hi'n amlwg mai Mam oedd y ferch fach, ar goll ac yn ofnus. Roedd y ffantasi yn gwneud synnwyr perffaith, ond roedd pawb arall wedi bod yn rhy dwp i'w deall.

O'r diwedd, roedd Mam a minnau'n deall ein gilydd mewn ffordd na wnaethon ni erioed o'r blaen. Rhoddodd hynny obaith i mi, gobaith y byddai'n bosib gwella ychydig ar salwch Mam. Roedd hi'n siŵr o fod yn beth da ei bod hi wedi rhannu ei chyfrinach.

Yn rhyfedd iawn, dim ond wythnosau'n ddiweddarach y daeth y bom i'n byd, pan gefais alwad ffôn yn y gwaith un pnawn o Charnwood House.

22

Y Strôc

DYWEDODD Y NYRS dros y ffôn fod Mam wedi cael 'pwl bach od', ac wedi cael ei chymryd mewn ambiwlans i'r ysbyty yn Walsgrave.

Gadewais y gwaith a gyrru yno yn syth, gan drio dychmygu beth yn union oedd 'pwl bach od'. Oedd Mam wedi cal mymryn o bendro, efallai, neu oedd hi ar fin marw? Cyrhaeddais y dderbynfa a'm gwynt yn fy nwrn.

'Mrs Rose Slevin. Mi ddaeth hi mewn ambiwlans pnawn 'ma,' dywedais wrth y ferch wrth y dderbynfa. 'Dwi'n fab iddi.'

'Arhoswch funud,' meddai, heb edrych arna i.

Dechreuodd ciw ffurfio y tu ôl i mi. Edrychai'r rhan fwyaf o'r bobl fel petaen nhw ar goll.

'Ward 52, ail lawr. Lifts ar y dde,' meddai'r ferch, yn dal i beidio ag edrych arna i.

Roedd yr hen Ysbyty Walsgrave yn lle cyfarwydd, ond roedd yr un newydd yma, a adeiladwyd ar yr un safle, yn oeraidd ac yn anghroesawus. Rhifau oedd ar y wardiau bellach, nid enwau.

Ar ôl cael fy ngwasgu mewn lifft fach efo gormod o bobl, cyrhaeddais lawr 2, a brysiais at y dderbynfa yn Ward 52.

'Dwi'n edrych am Mrs Slevin,' dywedais. 'Mi ddaeth hi i mewn heddiw. Fi ydy ei mab hi.'

'Gadewch i mi chwilio,' meddai'r nyrs, gan edrych ar ei chyfrifiadur. 'Dyma ni. O ia, y strôc. Ystafell 17. Drwy'r drysau mawr, ac i'r chwith.'

Strôc.

Dyna'r tro cyntaf i unrhyw un ddweud y gair yna wrtha i. Felly dyna oedd ystyr 'pwl bach od'.

Yn ystafell 17, roedd Mam yn eistedd i fyny ar wely cul. Edrychai'n wyllt ac yn ofnus iawn. Y munud y gwelodd hi fi, dechreuodd barablu, ond doedd hi'n gwneud dim ond synau. Edrychai o ochr i ochr ac o'm cwmpas i gyd, ei llygaid yn llamu o le i le. Doedd ochr chwith ei cheg ddim yn symud o gwbl.

'Iesu Grist,' dywedais. 'Sut ydach chi, Mam?'

Rhoddais gusan iddi. Roedd hi'n dal i wneud synau o banig a phoendod, fel petai'n trio dweud rhywbeth wrtha i. Sefais wrth y gwely, heb syniad yn y byd beth i'w ddweud na'i wneud.

Agorodd y drws a daeth nyrs i mewn. 'Helô. 'Dach chi'n perthyn?'

'Dwi'n fab iddi.'

'Dwi'n mynd i gymryd ei phwysedd gwaed hi rŵan. Bydd y meddyg yma cyn bo hir.'

'Ydy hi wedi cael strôc?' gofynnais, er 'mod i'n gwybod yr ateb.

'Mi fydd y meddyg yn esbonio popeth,' meddai.

Anwybyddodd y nyrs holl synau pryderus Mam wrth iddi gymryd ei phwysedd gwaed. 'Mae hynny'n iawn,' meddai wrth rwygo'r Velcro oddi ar ei braich, a gadael.

Ffoniais Heather i ddweud wrthi beth oedd yn digwydd.

'Ti am i mi ddod draw?' gofynnodd hithau.

'Does dim pwynt,' atebais. 'Mi wna i adael i ti wybod os oes rhywbeth yn newid.'

Daeth y meddyg i mewn fel roeddwn i'n gorffen yr alwad.

'Helô,' meddai. ''Dach chi'n deulu?'

Edrychai fel merch bymtheg oed – oedd heb fod i'w gwely ers wythnos. Sgubodd ei gwallt yn ôl o'i hwyneb wrth ysgwyd fy llaw.

'Dwi'n fab iddi.'

'Gwych.'

Beth oedd yn wych am hynny, tybed?

'Dwi angen gofyn ambell gwestiwn i chi.'

'Iawn.'

Gofynnodd y cwestiynau y byddai'n eu gofyn i Mam pe bai hi'n gallu siarad: enw llawn, dyddiad geni, cyfeiriad, alergeddau, hanes o strôc yn y teulu, meddyginiaethau. Atebais gystal ag y gallwn i.

'Ydy Mam wedi cael strôc?' gofynnais.

'O, ydy'n sicr,' atebodd y meddyg.

'Be mae hynny'n feddwl?'

'Strôc ydy'r hyn sy'n digwydd pan dydy'r cyflenwad gwaed i'r ymennydd ddim yn gweithio'n iawn,' atebodd. 'Mae'n gallu digwydd am nifer o resymau, ond mae o'n eitha cyffredin ymhlith yr henoed.'

'Fydd hi fel hyn yn barhaol?' gofynnais.

'Mae'n amhosib dweud. Mae pob claf yn ymateb yn wahanol – rhai yn gwella'n gyfan gwbl ac yn sydyn, a rhai ddim yn gwella o gwbl, neu'n cymryd amser hir.'

Edrychais ar Mam, oedd yn dal i barablu.

'Mae ganddi hi glefyd Alzheimer hefyd,' meddwn.

'Ro'n i'n amau,' atebodd y meddyg. 'Dydy ei nodiadau hi heb gyrraedd eto, ond ro'n i wedi meddwl bod dementia arni.'

'Be sy'n digwydd nesa?'

'Mae'n rhy fuan i ddweud. Mae'r 48 awr gyntaf yn allweddol. Os oes 'na wella i fod, bydd 'na arwyddion yn y deuddydd cyntaf. Bydd hi'n cael y gofal gorau yma. Mi gadwn ni lygad barcud arni.'

'Wela i.'

Syllodd y meddyg ar Mam. 'Mae hi'n anhapus iawn ar hyn o bryd, yn dydy? Mi fedrwn ni roi rhywbeth iddi ar gyfer hynna.'

Yna gwenodd, ysgydwodd fy llaw, a gadael. Ro'n i'n gobeithio mai mynd adref i'r gwely roedd hi, ond ro'n i'n amau hynny rywsut.

Ymhen dim, daeth y nyrs yn ôl. 'Dwi am roi rhywbeth iddi i dawelu ei meddwl,' meddai, a rhoddodd bigiad i Mam. Roedd hi fel petai Mam wedi cael ei saethu. Erbyn i'r nodwydd adael ei chorff, roedd hi'n cysgu.

'Dyna welliant,' meddai'r nyrs cyn gadael.

Syllais ar Mam. Ychydig ddyddiau'n ôl, ro'n i wedi bod yn llawn gobaith y byddai'n gwella ar ôl dweud y gwir am y ferch fach yn y gwresogydd. Bellach, roedd y gobeithion yna wedi cael eu golchi i ffwrdd fel castell tywod mewn storm.

Arhosais efo Mam am amser hir, ond ddaeth neb i mewn. O'r diwedd, es i'r dderbynfa a holi nyrs.

'Fedrwch chi ddweud wrtha i be sy'n digwydd efo Mrs Slevin, plis?'

'Un funud,' atebodd hithau, gan deipio enw Mam i mewn i'r cyfrifiadur. Ond doedd gwybodaeth Mam ddim ar y system eto.

'Ti'n gwybod be sy'n digwydd efo Mrs Stevens?' gofynnodd i gyd-weithwraig gerllaw.

'Slevin, nid Stevens,' cywirais hi.

Nodiodd y nyrs arall. 'Mae hi'n disgwyl am wely ar y ward. Bydd yr arbenigwr yma i'w gweld hi bore fory. Ffoniwch ni am ddeg.'

Doedd dim manylion am Mam ar y cyfrifiadur, felly y cyfan oedd hi oedd nain fregus yn anymwybodol mewn gwely, yn aros i rywun fwydo'i rhifau i gyfrifiadur. Efallai mai dim ond rhifau mewn system fawr ydyn ni oll yn y diwedd.

Es adref at Heather.

★★★★★

Es i ddim i'r gwaith y bore wedyn. Arhosodd Heather a minnau tan ddeg cyn ffonio'r ysbyty.

Doedd dim ateb.

'Mi wna i baned,' meddai Heather wrth i'r ffôn ganu a chanu.

Roedd y ffôn yn dal i ganu pan ddaeth yn ôl gyda'r coffi ddeng munud yn ddiweddarach.

Peth cas ydy gwrando ar ffôn yn canu a chanu. Mae hi wastad yn demtasiwn rhoi'r ffôn i lawr a deialu eto, ond mae hynny yn anfon rhywun yn syth yn ôl i gefn y ciw.

'Mi wna i dost,' meddai Heather, a phan ddaeth hi'n ôl gyda phlatiaid o dost a menyn, roeddwn i'n dal i aros. Ro'n i wedi bod ar y ffôn ers 22 munud.

'Rho'r ffôn i lawr,' meddai Heather. 'Mi yrrwn ni draw i'r sbyty.'

Ro'n i ar fin gwneud pan ddaeth llais cras ar y lein.

'Ysbyty Walsgrave.'

'Dwi wedi bod yn aros i rywun ateb ers hanner awr,' dywedais. 'Ro'n i'n meddwl eich bod chi i gyd wedi marw!'

'Does dim angen bod fel'na. 'Dan ni'n brysur iawn – ysbyty ydan ni, wedi'r cyfan.'

'Mi wn i hynny, ond mae'ch system ffôn chi'n aneffeithiol iawn.'

Daeth sŵn clic, ac yna tawelwch.

'Maen nhw wedi rhoi'r ffôn i lawr arna i!' dywedais, gan syllu ar y darn o blastig yn fy llaw.'

'I be oedd isio i ti gwyno?!' gofynnodd Heather, gan roi ei chôt amdani. 'Tyrd wir. Mi awn ni i'r sbyty.'

Roedd y maes parcio'n brysur, er mai dim ond un ar ddeg oedd hi. Y tu allan i'r brif fynedfa, roedd criw o bobl yn smocio. Safai un dyn yno yn ei byjamas gyda drip yn ei ymyl a smôc yn ei law. Roedd arwydd uwchben: 'Mae Ysbyty Walsgrave yn ysbyty di-fwg. Mae hyn yn cynnwys y gerddi a'r meysydd parcio. Diolch am eich cydweithrediad.'

Yn y dderbynfa roedd ffôn yn canu, a neb yn ei ateb. Ro'n i ar fin mynd i ddweud wrth aelod o'r staff pa mor bwysig oedd hi fod ffonau'n cael eu hateb, ond dywedodd Heather, 'Gad o, Martin. Dydy o ddim yn bwysig.'

'Mae o *yn* bwysig,' meddwn, ond roedd Heather eisoes wedi ymuno â'r ciw i'r lifft. Roedd 'na gleifion mewn cadeiriau olwyn, ac ymwelwyr efo blodau. Yn y lifft, roedd aroglau lilis yn gryf.

'Llawr cyntaf,' meddai'r llais mecanyddol. 'Lifft yn mynd i fyny.'

'I fyny?' meddai un dyn, gan bwyso botymau'n wyllt. 'Ond i lawr dwi isio mynd.'

'Ail lawr,' meddai'r llais mecanyddol, a dihangodd Heather a minnau drwy'r drysau, ac i lawr y coridor tuag at Ward 52.

''Dan ni wedi dod i weld Mrs Slevin,' dywedais wrth y nyrs yn y dderbynfa.

'Mae'n ddrwg gen i, ond dydy hi ddim yn amser ymweld,' gwenodd hithau.

'Mi wnes i drio ffonio,' atebais. 'Ond doedd 'na ddim ateb, felly dyma ni.'

Wnes i ddim sôn fod y ddynes wedi rhoi'r ffôn i lawr arna i.

'Mae'n ddrwg gen i,' meddai'r nyrs, a chwarae teg, doedd dim bai arni hi.

'Felly sut mae Mam?' holais.

''Dach chi wedi colli'r arbenigwr,' meddai'r nyrs. 'Roedd o yma am ddeg.'

'Dwi'n gwybod. Mi ddwedodd y nyrs wrtha i neithiwr am ffonio ar ôl hynny i weld be ddeudodd o.'

'Wela i,' meddai hi, gan edrych o'i chwmpas am rywun fyddai'n gallu'n helpu ni.

Daeth dyn mewn côt wen i siarad efo ni.

'Ga i'ch helpu chi?' gofynnodd. Roedd yntau'n gwenu'n llydan hefyd.

'Dwi jest isio gwybod sut mae Mam. Rose Slevin. Mae hi wedi cael strôc.'

'A, ia,' atebodd. 'Mae hi'n gyffyrddus.'

'Ond dwi angen siarad efo rhywun am be ddigwyddodd iddi,' dywedais. 'Ydych chi'n feddyg?'

'Ydw.' Roedd o'n dal i wenu.

'Felly... Be ddigwyddodd?'

'Dwi ddim yn siŵr,' meddai. 'Dydy hi ddim yn un o 'nghleifion i. Gadewch i mi ddarllen ei nodiadau hi.'

'Pwy ydy ei meddyg hi?' holodd Heather.

'Mae hi dan Mr... Mmmm... Dwi ddim yn sicr.' Simsanodd ei wên. 'Mi edrycha i.'

Edrychodd y meddyg drwy nodiadau Mam. 'Dydy hi ddim wedi cael strôc,' meddai.

'Na'di?' Edrychodd Heather a minnau ar ein gilydd.

'Mae hi wedi bod am sgan, a doedd dim arwydd o strôc o gwbl.'

Edrychai'r meddyg yn fwy siriol nag erioed.

'Felly be sy'n bod arni?'

'Os ffoniwch chi'r rhif yma, mi gewch chi siarad efo ysgrifenyddes y meddyg sy'n edrych ar ei hôl hi.'

Sgwennodd rif ffôn ar ddarn bach o bapur.

'Mi fedrwch chi wneud apwyntiad i weld y meddyg, sy'n deall popeth am ei chyflwr,' meddai. Edrychai mor falch ohono'i hun.

'Fedrwch chi ddim dweud wrtha i?'

'Nid fi ydy ei meddyg hi,' dywedodd eto.

'Lle mae hi rŵan?' gofynnodd Heather.

'Yn ystafell 4, rownd y gornel,' atebodd y meddyg.

Ar ôl siarad efo sawl nyrs a meddyg, roedden ni'n gwybod llai am gyflwr Mam nag oedden ni o'r blaen.

I ffwrdd â ni i chwilio am ystafell 4.

23

Dim Bwyd

Safodd y ddau ohonon ni mewn tawelwch llethol yn ystafell 4.

Roedd Mam yn eistedd i fyny, ond yn cysgu'n drwm. Gwisgai un o'r cobanau ysbyty yna sy'n clymu yn y cefn, oedd â'r geiriau *Walsgrave Hospital – Do Not Remove* drosti, fel petai rhywun eisiau dwyn y ffasiwn beth.

Edrychai Mam ddegawd yn hŷn nag a wnâi pan adewais y noson gynt. Roedd ochr chwith ei cheg yn edrych yn drwm, a gwyddwn ei bod hi'n sâl iawn. Sut wyddwn i hynny? Roedd ei gwallt yn flêr. Mewn hanner can mlynedd, welais i 'rioed mohoni gydag un blewyn o'i le. Hyd yn oed pan aeth hi'n fwy dryslyd yn Charnwood House, byddai'n dal i wneud ei gwallt, a hithau'n credu bod dyn dan ei gwely a'i bod hi'n feichiog a 'mod i'n frawd iddi oedd yn cwffio teirw i'r cyngor. Roedd hi wedi cael gwneud ei gwallt bob dydd Mercher yn ddi-ffael.

Rhedai tiwb plastig o'i llaw i fyny at ddrip. Dros ei gwely, roedd arwydd gwyn plaen yn dweud: NIL BY MOUTH.

Roedd y flanced oedd wedi cael ei gosod dros ei chanol yn dangos ei choesau dan ei phengliniau, a llyncais wrth weld mor denau a bregus oedden nhw. Doedd hi heb fod yn ddynes fawr erioed, ond doedd hi ddim wedi edrych mor fach a thenau â hyn chwaith.

Agorodd Mam ei llygaid, a syllodd arna i gyda gwên.

'Haia Mam,' dywedais, gan blannu sws ar ei thalcen. 'Sut ydach chi?'

Cwestiwn gwirion.

Gwenodd Mam, a nodiodd.

Daeth meddyg arall i'r ystafell.

'Dwi am wneud ambell brawf,' esboniodd.

Daliodd yn llaw dde Mam, a gofyn iddi wasgu ei law. Gwelwn ei bysedd yn cau ar ei fysedd yntau.

'Da iawn, Mrs Slevin,' meddai. 'A'r llaw arall.'

Ond doedd dim symudiad yn llaw Mam wrth iddi drio gwasgu bysedd y meddyg.

'Mor galed â phosib, Mrs Slevin,' meddai.

Ond doedd dim symudiad o gwbl.

Rhoddodd ei llaw yn ôl ar y flanced, a symudodd at ei thraed. Rhoddodd gledr ei law yn erbyn gwadn ei throed dde.

'Gwthiwch mor galed â phosib, Mrs Slevin,' dywedodd. Gallwn weld coes Mam yn sythu a'i bodiau'n cyrlio.

'Da iawn,' meddai. 'A'r droed arall.'

Doedd prin unrhyw symudiad yn y droed chwith o gwbl.

Aeth i nôl fflachlamp fach o'i boced, a chraffodd i lygaid Mam.

'Mmm,' meddai.

Mae'n rhyfedd fel mae 'Mmm' yn gallu cyfleu pryder mawr. Dydy o ddim yn golygu dim byd, ond pan glywais y sŵn, suddodd fy nghalon.

'Dwi am i chi roi gwên fawr i mi, Mrs Slevin,' dywedodd. 'Yr un fwya posib.'

Gwenodd Mam ar ochr dde ei hwyneb. Doedd dim symudiad yn yr ochr chwith.

'Mmm,' meddai'r meddyg eto, gan wneud nodiadau.

'Be sy'n digwydd?' gofynnais.

Heb ateb, cerddodd allan o'r ward, a dilynodd Heather a minnau. Caeodd y drws fel bod Mam yn methu clywed.

'Pwy ydach chi?' gofynnodd.

'Ei mab hi.'

'Wel, mae'ch mam wedi dioddef strôc fawr,' meddai. 'Mae hi'n methu llyncu, ac mae ochr chwith ei chorff wedi rhewi'n llwyr. Mae arna i ofn fod pethau'n edrych yn ddu.'

'Mi ddwedodd y meddyg arall nad oedd hi wedi cael strôc,' dywedais, yn cydio'n dynn mewn unrhyw obaith.

'Doedd y sgan ddim yn dangos unrhyw beth,' ychwanegodd Heather.

'Mae hynny'n digwydd weithiau,' esboniodd y meddyg. 'Weithiau, dydy'r difrod ddim i'w weld yn syth. Mae'n cymryd amser i'r clais ymddangos ar yr ymennydd. Dwi'n hyderus y byddai'r strôc i'w gweld yn glir petaen ni'n gwneud sgan arall o fewn ychydig ddyddiau.'

'Wela i,' nodiais.

'Ymosodiad ar yr ymennydd ydy strôc,' meddai. 'Achos mai'r ymennydd sy'n rheoli pob un dim 'dan ni'n ei wneud, mae'n effeithio ar ein corff i gyd.'

Nodiais.

'Yn achos eich mam, mae'r strôc wedi digwydd yn y rhan sy'n rheoli ochr chwith y corff, a'r gallu i lyncu. Dydy'r pethau yna, felly, ddim yn bosib iddi ar hyn o bryd.'

'Fydd hi'n gwella?' gofynnodd Heather.

'Mae'n rhy gynnar i ddweud,' atebodd y meddyg. 'Mae rhai pobl yn gwella'n gyfan gwbl, mae rhai yn cymryd amser, ac mae 'na rai sydd ddim yn gwella o gwbl. Mae'r dyddiau cynta'n hollbwysig. Os oes 'na wella i fod, bydd 'na arwyddion ohono o fewn diwrnod neu ddau.'

'Heddiw, felly,' dywedais.

'Rhaid i ni beidio anobeithio,' meddai'r meddyg, a theimlais yn anobeithiol.

'Mi wna i eich gadael chi rŵan,' meddai, a diflannodd yn dawel i lawr y coridor.

Aeth Heather a minnau yn ôl i'r ystafell. Roedd Mam yn cysgu eto.

Daeth nyrs i mewn i'r ystafell.

'Dwi angen cymryd pwysedd gwaed Rose,' meddai.

'Mae'r meddyg yn dweud bod Mam yn methu llyncu,' dywedais. 'Sut fydd hi'n gallu bwyta?'

'Bydd hi'n cael ei bwydo drwy diwb,' meddai'r nyrs. 'Mae'n mynd i fyny ei thrwyn ac i lawr yn syth i'w stumog. Os ydy'r sefyllfa'n un tymor hir, 'dan ni'n ffitio peg.'

'Be 'di peg?' holodd Heather.

'Mae o'n ffordd o gysylltu'r tiwb yn syth i'r stumog. Mae'n fwy cyfforddus na chael tiwb i fyny'ch trwyn.'

'Ga i rif ffôn y ward?' gofynnais, gan feddwl nad oeddwn i am orfod ffonio rhif yr ysbyty eto.

'Wrth gwrs,' atebodd y nyrs, gan sgwennu'r rhif ar ddarn o bapur i mi.

Arhosodd Heather a minnau am awr arall, ond wnaeth Mam ddim deffro. Aethon ni'n dau adref.

Y bore wedyn, ffoniais y ward.

Canodd a chanodd y ffôn. Ar ôl ugain munud, atebodd rhywun.

'Ysbyty Walsgrave.'

Ro'n i'n benderfynol o beidio gwylltio.

'Dwi'n ffonio i weld sut noson gafodd Mrs Slevin,' dywedais.

'Ar ba ward mae hi?'

'Eich ward chi, Ward 52.'

'Rhif ffôn yr ysbyty ydy hwn.'

Gwnes fy ngorau glas i beidio sgrechian.

'Dwi wedi bod yn ffonio rhif y ward,' dywedais yn araf.

'Os dydyn nhw ddim yn ateb o fewn hyn a hyn, mae'r alwad yn dod drwy'r llinell yma.'

'Fedrwch chi fy rhoi i drwodd i Ward 52?' gofynnais yn dawel iawn.

'Un funud, os gwelwch yn dda.'

Canodd a chanodd a chanodd y ffôn.

'IESU GRIST!' gwaeddais mewn rhwystredigaeth.

Ddeng munud yn ddiweddarach, atebwyd y ffôn. 'Ward 10.'

'Be? Ward 52 dwi isio!'

'Mi ro i chi drwodd.'

Canodd a chanodd a chanodd y ffôn. Adeiladodd y rhwystredigaeth y tu mewn i mi fel ton fawr. Erbyn hyn, roeddwn i wedi bod yn trio cael gafael ar ward Mam ers 43 munud.

'Ysbyty Walsgrave.'

'O, FFYC OFF!' bloeddiais.

Daeth y clic i orffen yr alwad yn syth.

'Mi a' i i nôl fy nghôt,' meddai Heather.

Ffoniais fy ngwaith i ddweud na fyddwn i mewn am ychydig ddyddiau o leiaf. Yna, i ffwrdd â ni i'r ysbyty eto. Ro'n i mor rhwystredig ar ôl fy mhrofiad ar y ffôn nes 'mod i'n teimlo'n barod i ladd rhywun erbyn i mi gyrraedd Ward 52.

''Dan ni wedi dod i weld sut mae Mrs Slevin heddiw,' dywedais yn araf.

'Un funud,' meddai'r nyrs yn y dderbynfa. 'Dim ond newydd ddechrau'r shifft ydw i.'

Edrychodd ar sgrin y cyfrifiadur, ond doedd dim golwg o enw Mam.

'Lle mae Mrs Slevin?' gofynnodd i gyd-weithwraig iddi.

Cododd honno ei hysgwyddau.

Cerddodd Heather i ystafell 4, a dychwelyd yn syth. 'Mae'r stafell yn wag.'

'Lle mae Mrs Slevin?' gofynnodd y nyrs i feddyg oedd yn digwydd mynd heibio.

'Mae hi wedi cael ei symud i Ward 38,' atebodd yntau heb stopio.

Yn ôl â ni at y lifft.

Roedd Mam yn cysgu'n drwm yn Ward 38. Roedd yr arwydd NIL BY MOUTH yn dal uwch ei phen, ac roedd ganddi bibell fach yn ei thrwyn, a mwgwd dros ei cheg a'i thrwyn. Roedd hi'n amlwg yn cael ocsigen.

'Mae lefelau'r ocsigen yn ei gwaed hi braidd yn isel,' esboniodd un o'r nyrsys. 'Mae'r mwgwd yn ei helpu hi i anadlu.'

Sylwais fod coes chwith Mam wedi ei phlygu yn erbyn yr un dde, a deffrodd Mam wrth i mi geisio'i sythu. Roedd yn amlwg yn achosi poen iddi.

'Mae'r goes chwith wedi cyffio ar ôl y strôc,' meddai'r nyrs. 'Mae'r ffisiotherapydd yn mynd i ddod i'w gweld hi.'

Roedd tridiau wedi mynd heibio ers y strôc, ac ro'n i am wybod a oedd unrhyw arwydd o wellhad.

Daliais ei llaw chwith.

'Gwasgwch fy llaw, Mam.'

Dim byd.

'Dewch 'laen, 'dach chi ddim yn trio.'

Roedd y mymryn lleiaf o symudiad, ond roedd o mor ysgafn â chyffyrddiad aden pilipala.

Rhoddais ei llaw yn ôl o dan y flanced.

'Mae'r arbenigwr eisiau gair efo chi, Mr Slevin,' dywedodd y nyrs. 'Bydd o yma mewn munud.'

Edrychodd Heather a minnau ar ein gilydd, ddim yn siŵr a oedd hyn yn arwydd drwg neu'n arwydd da. Dwi'n meddwl ein bod ni'n dau'n ofni'r gwaethaf.

Daeth yr arbenigwr. Roedd o'n ddyn tal gyda gwallt llwyd a siwt dywyll, ac roedd o'n cario llyfr bach. Pan ymddangosodd, gwnaeth y nyrsys yn siŵr eu bod nhw i gyd yn edrych yn brysur. Yn amlwg, roedd hwn yn ddyn pwysig.

'Helô,' meddai, a chyflwynodd ei hun. ''Dan ni'n mynd i osod peg yn stumog eich mam er mwyn gallu ei bwydo hi'n fwy hwylus. Ma'r bibell yn y trwyn yn gallu bod yn drafferthus, ac yn gallu achosi problemau.'

Nodiodd Heather a minnau.

'Ond am ei bod hi'n llawdriniaeth, yn un fach iawn, mae'n rhaid i chi, fel ei theulu agosaf, roi caniatâd.'

Nodiais eto.

'Unrhyw gwestiynau?'

Ro'n i eisiau holi pam nad oedd neb yn ateb y ffôn, ond ro'n i'n gwybod nad dyna'r math o gwestiwn roedd o'n ei ddisgwyl.

'Does 'na ddim llawer o newid yn Rose ers y strôc,' mentrodd Heather.

Ysgydwodd ei ben. 'Nac oes.'

'Be ydy'r prognosis tymor hir?' gofynnais.

Cymerodd anadl ddofn. 'Mae'n anodd dweud. Y cyfan fedrwn ni ei wneud am rŵan ydy gwneud yn siŵr bod eich mam yn gysurus.'

'Dydy pethau ddim yn edrych yn dda, nac ydyn?' gofynnais. Yswn i gael ateb gonest gan rywun.

Ysgydwodd ei ben eto. 'Nac ydyn.'

Ysgydwais ei law, a gadawodd y dyn.

Cafodd Mam y peg yn ei bol yr wythnos wedyn, a chafodd ei bwydo drwy bibell am weddill ei bywyd.

Yn ystod y cyfnod yma, cafwyd achosion o MRSA yn yr ysbyty. I drio rheoli hyn, bu'r ysbyty yn llym gyda'i oriau ymweld – dim ond awr bob nos, rhwng saith ac wyth. Roedd y meysydd parcio'n llawn, a phawb yn flin ac yn rhwystredig.

Dwi'n cofio un tro i mi gyrraedd am saith, a gorfod aros am le parcio am hydoedd. Roedd hi'n 7.30 erbyn i mi gyrraedd y ward. O fewn pum munud, cyrhaeddodd dwy nyrs a dweud eu bod nhw am roi bath i Mam efo sbwng, ac y byddai'n rhaid i mi adael yr ystafell. Erbyn iddyn nhw orffen, dim ond pum munud fyddai gen i ar ôl.

'Arhoswch funud,' dywedais. 'Dim ond awr y dydd dwi'n ei gael yma. Pam fod rhaid iddi gael ei golchi yn fy awr i? Fedrwch chi roi bath iddi ar ôl oriau ymweld?'

Roedd hynny'n swnio'n rhesymol i mi.

'Mae gynnon ni amserlen,' atebodd un.

'Ond mae 'na 23 awr arall yn y dydd.'

'Mi wna i siarad efo'r bòs,' atebodd hithau.

'Gewch chi siarad efo pwy liciwch chi. Dwi'n aros efo hi tan wyth.'

I ffwrdd â'r ddwy. Mae'n rhaid 'mod i wedi cael yr enw o fod yn un anodd fy nhrin, achos chefais i mo 'mhoeni yn ystod yr oriau ymweld wedyn. Cyn i Mam fynd yn sâl, byddwn yn osgoi unrhyw ddadlau, ond bellach ro'n i'n fodlon cwyno am unrhyw beth.

Arhosodd Mam yn Ysbyty Walsgrave am ddeg wythnos, a wnaeth hi ddim gwella o gwbl yno. Chafodd hi byth mo'r symudiad yn ôl yn ei hochr chwith, na'i gallu i lyncu. Roedd hi bron yn amhosib ei deall hi'n siarad.

Tua diwedd 2007, daeth aelod o'r staff o Charnwood House i asesu ei chyflwr. Roedd Mam yn rhy anghenus i fynd yn ôl yno. Gydag ymddiheuriad, dywedodd y rheolwraig wrtha i nad oedd ganddyn nhw'r gallu i ymdrin ag anghenion Mam mwyach.

Gofynnwyd i ni gasglu ei phethau. Roedd hi'n bryd i Mam ddod o hyd i le newydd i fyw.

24

Y Trydydd Cartref

CYSYLLTODD Y WEITHWRAIG gymdeithasol. Gofynnais i Mam gael ei rhoi mewn lle oedd yn agosach at ein cartref newydd ni. Cytunodd hithau, ac o fewn dyddiau, daeth yn ôl gydag enw lle i ni.

'Mae pob man arall yn llawn,' meddai. Roedd hyn yn dechrau swnio'n gyfarwydd iawn bellach.

Aeth Heather a minnau i weld y cartref. Ro'n i'n hoff o'i olwg, o'r gerddi tlws a thaclus.

'Neis,' meddai Heather wrth i ni gerdded tuag at y drws ffrynt.

Agorwyd y drws gan un o'r rheolwyr. Doedd hi ddim yn edrych yn falch o'n gweld ni. 'Dim ond rŵan dwi'n cael gwybod eich bod chi'n dod,' dywedodd. 'Dwi'n licio cael mwy o rybudd na hyn.'

'Sori am hynna,' meddwn, er nad fi wnaeth yr apwyntiad, felly doedd gen i ddim byd i ymddiheuro yn ei gylch.

'Dim eich bai chi,' meddai, ei llais yn feddalach rŵan. 'Gwasanaethau cymdeithasol.' Pwyntiodd at y coridor. 'Dewch i mewn.'

Roedd y coridor yn dywyll, gyda charped coch oedd wedi gweld dyddiau gwell a phaent lliw hufen ar y waliau. Roedd ambell bot blodau yma ac acw, gyda blodau plastig llychlyd ynddyn nhw.

'Mae 'na ddwy stafell ar gael,' meddai. 'Dilynwch fi.'

Martsiodd i lawr y coridor, gan chwifio'i breichiau wrth fynd. Tybed oedd hi wedi bod yn y fyddin erioed?

'Hon,' meddai, gan wthio'r drws.

Roedd yr ystafell fel cell. Un bwrdd, un gadair ac un gwely, a dim byd arall. Roedd wedi ei phaentio yn lliw gwyrdd tywyll y 60au, ac roedd arogl disinffectant ym mhob man. Yr unig olygfa drwy'r ffenest oedd wal frics goch. Suddodd fy nghalon.

'Dilynwch fi,' meddai'r rheolwraig, ac i ffwrdd â ni cyn i ni allu dweud dim.

'A hon,' meddai, gan wthio drws arall.

Roedd hon fymryn yn well. O leiaf roedd yr olygfa drwy'r ffenest yn dangos ychydig o wyrddni, a phwll pysgod bach. Roedd un gwahaniaeth mawr yn yr ystafell, sef y dyn bach a orweddai yn y gwely.

'Peidiwch â phoeni,' meddai'r rheolwraig. 'Mi fydd o wedi mynd fory.'

Credais am un eiliad ofnadwy ei bod hi'n golygu y byddai'r dyn yn marw cyn y bore.

Gwenodd y dyn arnom yn llydan. Doedd dim dannedd ganddo.

''Dach chi'n mynd fory, dydach, Ted?' bloeddiodd y rheolwraig.

Cododd Ted ei law yn wan.

Syllodd Heather a minnau ar ein gilydd mewn braw.

'Pa un sy'n well ganddoch chi?' holodd y rheolwraig. 'Mae 'na well golygfa o'r un yma.'

'Lle mae Ted yn mynd?' Roedd yn rhaid i mi ofyn.

'Birmingham, i gael bod yn agosach at ei deulu. Pa stafell?'

'Hon,' meddai Heather a minnau gyda'n gilydd.

'Iawn. Mae 'na waith papur i chi yn y swyddfa,' ac i ffwrdd â hi, gyda Heather a minnau'n trio dal i fyny efo hi.

Ar ôl llenwi'r gwaith papur, dyna'r penderfyniad wedi ei wneud. Roedd gan Mam gartref newydd.

Siaradodd Heather a minnau yn y car wedyn.

'Dydy o'n ddim byd tebyg i Charnwood, na'di?' dywedais.

Ysgydwodd Heather ei phen. 'Ro'n i wastad wedi meddwl fod y llefydd yma i gyd yr un fath. Ond mae 'na rai yn neis, a rhai yn uffernol. Doedd gen i ddim syniad fod pethau fel hyn.'

'Na finna,' cyfaddefais.

'Wneith hi ddim cymryd unrhyw lol, beth bynnag,' meddai Heather. 'Mae'n siŵr bod y staff yn gorfod bihafio.'

'Mae'n siŵr.'

Sut fedren ni fod wedi gwneud y ffasiwn gamgymeriad?

Y diwrnod wedyn, dywedais wrth y weithwraig gymdeithasol ein bod ni wedi cytuno i symud Mam yno. Do'n i ddim yn siŵr am y lle ond doedd unlle arall, ac am fod angen nyrsio ar Mam, doedd dim posib gofalu amdani adref.

'Mi wna i'r trefniadau i gyd,' meddai'r weithwraig gymdeithasol.

Aed â Mam mewn ambiwlans o Ysbyty Walsgrave i'w chartref newydd ar y dydd Mercher, ac aeth Heather a minnau i'w gweld hi ddydd Sul. Roedden ni wedi bod yn siopa am bethau ymolchi a chobanau newydd iddi. Ro'n i wedi ymlâdd – yr holl flynyddoedd o ofalu am Mam, a rŵan hyn. Penderfynodd Heather a minnau fynd i ffwrdd am ychydig ddyddiau. Bydden ni'n yn gyrru i'r arfordir ac yn ymweld â'i rhieni. Roedd angen gwyliau bach arnon ni'n dau. Ar ôl pacio'n bagiau, i ffwrdd â ni am y dwyrain y bore wedyn.

Roedd dianc oddi wrth Mam yn teimlo fel chwa o awyr

iach. Mi wn i mor hunanol ac oeraidd mae hynny'n swnio, ond weithiau mae'n rhaid dianc oddi wrth eich cyfrifoldebau am ychydig er eich lles eich hun. Ar ôl cael gwyliau, rydych chi'n gryfach ac yn fwy abl i ddychwelyd a chario 'mlaen; os nad oes gennych amser i chi'ch hun, bydd eich iechyd chithau hefyd yn dechrau dioddef.

I ffwrdd â ni tua'r arfordir felly, gan fwynhau'r golygfeydd ac edrych ymlaen at stopio am ginio. Ond am Mam roedd y sgwrs dros y pryd bwyd, ac am y rhan fwyaf o'r siwrnai. Roedd clefyd Alzheimer wedi bod yn fy meddwl bob un munud o bob dydd am y pum mlynedd diwethaf, ac ym meddwl Heather hefyd ers dwy flynedd. Roedd hi'n anodd iawn anghofio'r peth, a chael bywyd y tu hwnt i'r cyflwr. Mae Alzheimer yn dal gafael ar bawb sy'n agos ato.

Dyma gyrraedd Skegness fin nos, a setlo yng nghartref rhieni Heather. Doedden ni heb eu gweld nhw ers rhyw chwe mis, felly bu pawb yn sgwrsio am Mam am rai oriau. Hyd yn oed ar ôl symud i'r dafarn, Mam oedd testun y sgwrs.

Y diwrnod wedyn, cerddodd Heather a minnau ar y traeth fel petaen ni'n blant bach. Aethom i eistedd mewn bar am weddill y dydd, gan yfed a chwerthin a thrafod yr holl bethau oedd wedi digwydd efo Mam. Buon ni'n trafod Bruno, a ffrindiau Mam yn Charnwood House, a cheisiodd y ddau ohonon ni gofio'r pedwar nodyn roedd y ddynes chwibanu yn arfer eu hailadrodd. Wrth i ni yfed mwy, aethom yn fwy digalon. Roedd bywyd yn gallu bod mor greulon. Fe wnaethon ni gytuno yn ein medd-dod, pe byddai un ohonon ni'n cael clefyd Alzheimer, y byddai'r llall yn gorfod ei saethu. Baglodd y ddau ohonon ni i mewn i dŷ rhieni Heather am dri o'r gloch y bore.

Roedd cael cwpl o ddyddiau o wyliau yr union beth oedd ei

angen ar Heather a minnau. Bu gormod o yfed, dim digon o gysgu a llawer o chwerthin.

Fore dydd Sadwrn yn y farchnad, prynais ambell beth bach i Mam. Cardigan binc, a ffrâm luniau i roi llun fy mhlant ynddi. Gyrrodd y ddau ohonon ni yn ôl i ganolbarth Lloegr, ac wrth i ni nesáu at adref, diflannodd yr hwyl.

Roedden ni adref am bump. Am saith, canodd y ffôn.

'Mae Mrs Slevin wedi cael strôc arall. Mae hi yn Ysbyty George Eliot yn Nuneaton. Byddai'n well i chi frysio yno'n syth.'

Do'n ni heb ddadbacio ein bagiau eto. Neidiodd y ddau ohonon ni i'r car.

25

Ail Strôc

Y GEORGE ELIOT ydy prif ysbyty Nuneaton, a chafodd ei enwi ar ôl y nofelydd enwog a aned yn y dref. Ro'n i'n hoff o'r lle am fod gan y wardiau enwau go iawn, nid rhifau. Mae gwell gobaith i ysbyty weld eu cleifion fel enwau, nid rhifau, os ydy'r wardiau'n cael eu henwi.

Parciais y car yn y maes parcio, cyn brysio i mewn gyda Heather.

'Fedra i'ch helpu chi?' gofynnodd y ferch wrth y dderbynfa gyda gwên.

''Dan ni wedi dod i weld Mrs Slevin, ddaeth yma heddiw,' atebodd Heather.

Nodiodd y ddynes. 'Bydd y meddyg efo chi mewn munud. Ewch i aros amdano yn y stafell berthnasau – fydd o ddim yn hir.'

Aeth Heather a minnau, ac aros.

'Fedr hyn ddim bod yn newydd da,' dywedais.

'Aros nes i ni glywed be sy gan y meddyg i'w ddweud,' meddai Heather.

Daeth y meddyg i mewn. Roedd o'n ifanc ac yn hyderus, a gwenodd yn llydan ar y ddau ohonon ni. Ysgydwais ei law, ac eisteddodd gyda ni.

'Dydy nodiadau Mrs Slevin o Ysbyty Walsgrave heb gyrraedd

eto, felly dwi'n gwybod dim o'i hanes hi,' meddai. 'Ro'n i isio siarad efo chi yn gyntaf. Be fedrwch chi ei ddweud wrtha i amdani?'

Adroddodd Heather a minnau'r hanes gystal ag y gallen ni, o'i strôc yn Charnwood House tan ychydig ddyddiau ynghynt.

'Wela i,' atebodd y meddyg. 'Mae Mrs Slevin wedi cael ail strôc. Mae hynny'n digwydd yn aml pan fo'r strôc gyntaf wedi bod yn un ddrwg. Mae hi ar Ward Alexandra, ac mi gewch chi ddod i'w gweld hi ac aros efo hi pryd bynnag 'dach chi isio. Peidiwch â theimlo bod rhaid i chi lynu at yr oriau ymweld.'

'Dydy pethau ddim yn edrych yn dda, 'ta?' gofynnais.

'Mae'ch mam yn ddifrifol wael,' atebodd.

Nodiais.

'Be fedrwch chi ei ddweud wrtha i am y cartref nyrsio roedd hi ynddo cyn dod yma?' holodd y meddyg.

'Dim llawer,' atebais. 'Dim ond ers 'chydig ddyddiau mae hi yna. Roedd hi yn Walsgrave am ryw ddeg wythnos cyn hynny. Pam?'

Roedd gen i deimlad fod 'na rywbeth nad oedd y meddyg yn ei ddweud.

'Doedd hi ddim mewn cyflwr da yn dod yma,' meddai. 'Fe wnaeth y nyrs gyntaf i'w gweld hi sylw ar ei chyflwr hi.'

'Be 'dach chi'n feddwl?' holodd Heather.

'Mi sgwennodd y nyrs ambell sylw yn ei nodiadau, sy'n anarferol iawn.'

'Dwi'n dal ddim yn dallt,' dywedais. 'Pa fath o gyflwr?'

'Welais i mohoni fy hun,' meddai'r meddyg. 'Ond roedd y nyrs wedi sgwennu fod 'na wastraff dynol drosti. Roedd 'na 'chydig wedi sychu ar ei choesau, fel petai o wedi bod yno ers tro. Roedd 'na wastraff wedi sychu dan ei hewinedd hefyd, fel petai hi heb gael ei golchi ers amser hir. Roedd y peg bwydo ar ei stumog yn waed sych i gyd.'

Ro'n i'n meddwl 'mod i'n mynd i chwydu.

'Mae'n ddrwg gen i orfod dweud hyn i gyd,' ymddiheurodd y meddyg. 'Ewch i'w gweld hi rŵan.'

Cododd y meddyg, a'n gadael ni'n dau. Eisteddodd Heather a minnau mewn tawelwch llethol. Tra oedden ni'n dau wedi bod yn cael amser bendigedig ar lan y môr, roedd Mam wedi cael ei cham-drin yn y cartref roedden ni wedi ei ddewis iddi. Cododd cynddaredd ynof fi sy'n dal yno hyd heddiw.

Aeth y ddau ohonon ni at Mam.

Roedd hi'n gorwedd yn ei gwely. Edrychai ei chroen yn welw, a'i gwallt yn flêr. Hyd yn oed i rywun oedd yn deall dim am bethau meddygol, doedd hyn ddim yn edrych yn dda.

Roedd Mam ynghlwm wrth sawl peiriant a drip, ac roedd mwgwd ar ei hwyneb i'w helpu hi i anadlu.

Roedd gen i gymaint o bechod drosti.

Wrth i ni sefyll wrth ei gwely, agorodd ei llygaid yn araf. Edrychodd arna i, ond doedd dim arwydd ei bod hi'n gwybod pwy oeddwn i. Cefais y teimlad fod Mam yn gwybod bod 'na rywun efo hi, ond na wyddai hi pwy.

'Helô Mam,' sibrydais, a rhoi cusan ar ei phen. 'Sut 'dach chi'n teimlo?'

Trodd i edrych arna i eto, cyn troi'n ôl at y nenfwd.

Sgubais ei gwallt o'i hwyneb. Teimlai ei thalcen yn oer.

'Helô Rose,' meddai Heather. ''Dach chi yn y sbyty yn Nuneaton.'

Trodd Mam i edrych ar Heather, ond roedd hi'n amlwg o'i llygaid nad oedd hi'n ei hadnabod o gwbl. Agorodd ei cheg i siarad, a daeth sŵn od, tyn ohoni. Tawelodd Mam, er i'w gwefusau barhau i symud am ychydig.

Dyna oedd ymgais olaf fy mam i siarad.

Roedd hi wastad wedi mwynhau sgwrsio a chwerthin a rhannu jôc. Hyd yn oed yn Charnwood House, pan doedd hi ddim yn gwneud llawer o synnwyr, roedd hi wedi parhau i sgwrsio. Roedd hi wedi dal i drio cyfathrebu.

Dyma ddechrau'r cyfnod rydw i rŵan yn meddwl amdano fel Yr Aros.

*****

Aeth Heather a minnau i ymweld â Mam bob nos, bron, am y tri mis nesaf, ac aros. Mae'n anodd dweud am beth roedden ni'n aros yn union. Am wellhad, efallai, er ein bod ni'n dau yn gwybod bod hynny'n annhebygol. Efallai mai aros iddi farw roedden ni.

Cymerais amser o'r gwaith yn yr wythnos gyntaf, a chysgu wrth wely Mam. Gorweddai Mam yno fel cerflun, yn brwydro am bob anadl drwy'r mwgwd ocsigen. Erbyn diwedd yr wythnos, doeddwn i prin wedi cysgu o gwbl, felly dechreuais ddychwelyd adref i gysgu.

Doedd dim byd yn newid.

Yn raddol, dros y mis nesaf, roedd llai o angen y mwgwd ocsigen yn ôl y nyrsys, felly cafwyd gwared arno. Roedd marc coch ar drwyn Mam lle roedd o wedi bod.

Dros yr ail fis, enillodd Mam ychydig o bwysau, a doedd hi ddim mor welw ag y bu. Edrychai bum mlynedd yn iau, ac yn llawer iachach.

Dros y trydydd mis, dechreuodd Mam ffocysu ar y byd eto. Byddai'n agor ei llygaid ac yn edrych o gwmpas yr ystafell. Gwyliai'r ymwelwyr a'r staff. Byddai'n edrych arna i, ond doedd dim arwydd ei bod yn f'adnabod i. Ond weithiau, byddai'n gwenu ar y gwresogydd. Dim ond Heather a fi oedd yn gwybod pam, ac roedd cyfrinach y ferch yn saff yn ein dwylo ni.

Tua diwedd y tri mis, daeth meddyg i siarad efo ni.

'Does dim llawer mwy y gallwn ni ei wneud i'ch mam,' meddai. 'Ac mae'n ddrwg gen i orfod dweud hyn mewn ffordd mor ddiflewyn-ar-dafod, ond 'dan ni angen y gwely. Byddai eich mam yn well mewn cartref gofal.'

Roedd hi'n amser i Mam symud ymlaen eto. Roedd hi fel sipsi.

Cysylltodd y weithwraig gymdeithasol eto, a dweud y byddai angen dod o hyd i rywle newydd ar ei chyfer.

'Dydy hi ddim yn mynd yn ôl i'r uffern 'na lle oedd hi ddwytha,' dywedais. 'Doedden nhw'n dallt dim am sut i ofalu am rywun.'

'Wrth gwrs. Mi ddo i o hyd i rywle arall.'

'Na, mi ddo i o hyd i rywle,' atebais. 'Ar ôl y tro dwytha, dwi ddim ar frys i anfon Mam i unlle nes ein bod ni'n siŵr.'

'Wel, mae amser yn brin, Mr Slevin,' meddai, a doedd hi ddim yn swnio mor hyderus bellach.

'Nac ydy,' dywedais. 'A wna i ddim derbyn unrhyw bwysau i frysio. Dwi am gysylltu efo'r holl gartrefi nyrsio yn yr ardal ac ymweld â nhw i gyd, ac ar ôl i mi benderfynu, wel, wedyn mi gaiff Mam symud. Ac os nad ydy'r ysbyty'n hapus, does dim ots gen i. Fe gân nhw aros.'

'Wrth gwrs, wrth gwrs,' meddai hi, a dyna ddiwedd y sgwrs.

Waeth pwy ro'n i'n ei ypsetio, fyddwn i ddim yn anfon Mam i gartref arall nes 'mod i'n gwbl hapus. Roedd rhaid i mi fod yn siŵr, waeth faint roedd arnyn nhw angen ei gwely hi.

26

Y Pedwerydd Cartref

DEFNYDDIAIS Y WE i ddod o hyd i bob cartref gofal o fewn deng milltir i'n cartref ni.

Roedd 'na 72. Roedd gan lawer ohonyn nhw wefannau, a gallais ffurfio rhestr fer o'r rhai oedd â gwlâu ar gael, a'r rhai oedd yn gallu derbyn cleifion gydag anghenion dwys fel oedd gan Mam. Roedd un cartref yn sefyll allan, felly trefnais i ymweld â'r lle.

I ffwrdd â Heather a fi'r bore Sadwrn canlynol, a chroesawyd ni gyda gwên gynnes a phaned o de.

'Mae'r tegell newydd ferwi,' meddai Steve, y prif nyrs.

Dwi wastad wedi credu bod ein teimlad cyntaf wrth gwrdd â rhywun yn bwysig. Ro'n i'n hoff o Steve yn syth. Roedd o'n gwenu mewn ffordd gwbl naturiol, a gwyddwn rywsut ei fod o'n dda iawn yn ei swydd. Ac roedd o'n gwneud coblyn o baned dda.

Cymerodd ei amser i ddangos y cartref i ni; doedd dim brys, dim rhuthro o ystafell i ystafell, a wnaeth o ddim trio cuddio'r ffaith fod angen côt o baent ar yr adeilad.

'Roedd gan y lle 'ma enw drwg ers talwm,' meddai. 'Roedd gan y bobl oedd yn arfer rhedeg y lle fwy o ddiddordeb mewn gwneud pres na gofalu am bobl. Ond maen nhw wedi mynd rŵan, a dwi am newid y lle 'ma.'

Gallwn ddweud ei fod o'n golygu pob gair.

Pasiodd hen gwpl ni yn y coridor, dyn yn ei wythdegau a dynes ychydig yn hŷn, y ddau yn defnyddio fframiau i gerdded. Roedden nhw'n rasio'i gilydd, yn chwerthin a thynnu coes.

'Mi fydd y blydi rhaglen wedi gorffen erbyn i ni gyrraedd!' meddai'r hen ddyn, a chwarddodd y ddynes lond ei bol.

'Mae angen ei addurno ar bob man,' meddai Steve. 'Dwi 'di gwneud cais am bres i'w wneud o. Ond dwi'n addo y bydd eich mam yn cael y gofal gorau yma.'

Edrychodd i fyw fy llygad wrth siarad, ac ro'n i'n ei gredu o. Nid paent sy'n gwneud cartref gofal da, ond proffesiynoldeb a gofal y staff. Dydy lle crand yn golygu dim os nad oes ots gan y gofalwyr. Roedd y lle yma braidd yn hen ffasiwn, ond roedd 'na bobl fel Steve yma, a dyna oedd yn cyfri.

'Pa fath o fiwsig ma' hi'n licio?' gofynnodd. Roedd o'n gwestiwn nad oedd neb wedi ei ofyn i mi yn y cartrefi o'r blaen.

Gwenais wrth i mi feddwl am y band Gwyddelig. 'Ma' hi'n licio bandiau Gwyddelig.'

'Mae gen i *hi-fi* bach yn y cwpwrdd,' meddai. 'Dwi'n siŵr y medrwn ni ddod o hyd i gasét iddi.'

Dyna'r math o agwedd ystyriol oedd yn gwneud y lle yma'n gartref.

Pan adawodd Heather a minnau, teimlai'r ddau ohonon ni'n sicr mai dyma oedd y lle iawn i Mam. Cafodd ei symud o'r ysbyty i'r cartref ar y dydd Mercher. Ffoniodd Steve ar y nos Fercher.

'Mae hi'n setlo'n iawn,' meddai. 'Dwi wedi rhoi'r gerddoriaeth Wyddelig ymlaen iddi. Mae hi'n gwenu.'

Teimlais lwmp yn fy llwnc.

'Diolch, Steve,' dywedais yn dawel.

Bedwar diwrnod yn ddiweddarach, ffoniodd eto.

'Mae'n ddrwg iawn gen i, Martin, ond mae eich mam wedi cael strôc arall,' meddai. 'Mae hi'n ôl yn y George Eliot. Mae'n wir ddrwg gen i – mae hi yn yr uned gofal dwys.'

27

Trydedd Strôc

R OEDD Y NEWYDD yma'n sioc. O'r holl driciau creulon roedd ffawd wedi'u chwarae gyda hi, dyma oedd y gwaethaf. A hithau newydd ddod o hyd i le clyd, saff a chyfeillgar, dim ond pedwar diwrnod a gafodd hi cyn iddi orfod dychwelyd i'r ysbyty.

Aethom yn ôl i'r ysbyty'r noson honno a'n calonnau'n drwm.

Gorweddai Mam yn ei gwely yn yr uned gofal dwys, yr arwydd NIL BY MOUTH uwch ei phen, y mwgwd ocsigen ar ei hwyneb, y pibellau o'i chwmpas i gyd. Roedd yn brwydro am bob anadl, ac roedd y lliw llwyd, afiach wedi dychwelyd i'w hwyneb.

Eisteddom wrth ei gwely'r noson honno yn meddwl sut yn y byd roedd ganddi'r egni i barhau i frwydro.

'Mae ei henaid hi'n gry,' meddai Heather.

Y tro hwn, doedd hi'n nabod dim byd o'r hyn oedd o'i chwmpas. Pan fyddai'n agor ei llygaid, dim ond syllu ar y nenfwd y byddai'n ei wneud, byth yn ymateb i lais, byth yn edrych o'i chwmpas. Doedd ganddi ddim egni ar ôl i wneud dim ond goroesi.

Gwyddai Heather a minnau fod y diwedd ar droed. Roedd pawb yn gwybod.

Cymerais fwy o amser o'r gwaith, ac arhosodd Heather a minnau am sawl noson wrth ei gwely. Doedd dim newid. Roedd hi wedi cymryd tri mis i Mam ddod ati ei hun ar ôl yr ail strôc, a doedd ganddi mo'r egni i wneud hynny eto.

Ro'n i'n eistedd gyda hi ychydig ddyddiau'n ddiweddarach pan ddaeth y meddyg i siarad â fi.

"Dan ni angen cyfarwyddiadau gennych chi, fel ei pherthynas agosaf,' meddai. 'Efallai y daw amser pan fydd eich mam yn stopio anadlu, neu'n mynd yn anymwybodol, neu bydd ei chalon yn stopio curo. 'Dan ni angen gwybod beth i'w wneud os bydd hynny'n digwydd.'

'Be 'dach chi'n feddwl?' gofynnais.

Mae'n rhaid 'mod i wedi swnio mor dwp. Bellach, mae'n amlwg beth roedd o'n ei ddweud, ond wyddwn i ddim ar y pryd.

Yna, deallais.

"Does gan eich mam ddim safon byw mwyach,' meddai. 'Fydd 'na ddim gwella arni. Felly os oes un o'r pethau yna'n codi, be 'dach chi am i ni ei wneud?'

Gwyddwn beth roeddwn i eisiau ei ddweud, ond byddai dweud y gair yn golygu cyfaddef fod y gobaith wedi mynd i gyd. Bu tawelwch hir. Arhosodd am ateb, ac yn y diwedd, ynganais y gair a fyddai'n pennu ffawd Mam, ac yn ei rhyddhau hi o hyn i gyd.

'Dim.'

Nodiodd y meddyg, cyn gadael.

Ychydig ddyddiau'n ddiweddarach, roedden ni'n eistedd mewn bwyty yn cael pryd tawel. Roedd digwyddiadau'r wythnos ddiwethaf wedi effeithio arnon ni'n dau, ac roedden ni wedi penderfynu mynd allan i drio ymlacio.

Dim ond newydd gyrraedd oedd y stêc pan ganodd ffôn

Heather. Atebodd, a gwrando, a dywedodd, 'Ia, iawn', cyn gorffen yr alwad.

'Y sbyty,' meddai. 'Mae cyflwr dy fam wedi gwaethygu. Rhaid i ni fod yna 'mhen ugain munud.'

Neidiodd y ddau ohonon ni ar ein traed yn syth.

Erbyn i ni gyrraedd y ward, roedd bron ugain munud wedi mynd heibio.

Roedd y llenni wedi eu cau o gwmpas gwely Mam, a gallwn ei chlywed hi'n brwydro am ei hanadl o'r coridor. Bob tro roedd hi'n anadlu, codai ei brest a gwyrai ei phen yn ôl, fel petai'n ymdrech fawr. Fel yma roedd hi am bum awr a hanner nes iddi flino'n llwyr a syrthio i drwmgwsg. Roedd ei hanadl fymryn yn rhwyddach wedyn.

Daeth y meddyg i'w gweld hi yn y bore, ac ysgydwodd ei ben yn anghrediniol.

'Mae ganddi hi gryfder anhygoel,' meddai.

'Oes, erioed,' atebais.

Arhosais gyda Mam tan y noson ganlynol. Roedd hi wedi byw ddiwrnod a hanner yn hwy na'r ugain munud roedd yr ysbyty wedi'i ragweld. Edrychai'n gymharol normal eto, ac roedd ei hanadl yn sefydlog.

Es i adref i gael cwsg.

Roedd Heather a minnau'n cael swper hwyr, yn sgwrsio am filiau, a'r pethau diflas eraill sy'n llenwi bywydau, pan ganodd y ffôn. Atebodd Heather yr alwad. Gwyddwn yn syth beth oedd wedi digwydd pan glywais ei llais yn cracio cyn iddi roi'r ffôn i lawr.

Rhoddodd ei breichiau amdana i, a dweud bod Mam wedi marw'n dawel yn ei chwsg bum munud ynghynt. Doedd dim ots am y biliau mwyach. Mae marwolaeth yn fwy na phopeth.

28

Ffarwél Tawel

AETH Y SIWRNAI olaf i'r ysbyty heibio mewn tawelwch llethol. Doedd dim panig ein bod ni'n rhy hwyr: roedden ni'n gwybod yn barod fod hynny'n wir. Parciais y car fel arfer, a cherdded i lawr y coridorau cyfarwydd at yr uned gofal dwys. Gwenodd y nyrsys arnon ni'n drist.

'Mae'n ddrwg iawn gennym ni,' meddai un.

'Diolch,' atebais. 'A diolch am bob dim 'dach chi wedi ei wneud dros Mam dros y misoedd dwytha 'ma.'

'Roedd o'n bleser,' meddai'r nyrs. 'Doedd hi'n ddim trafferth o gwbl. Roedd hi'n hyfryd.'

Rhoddodd Heather ei braich drwy f'un i, ac fe bwyson ni'n ysgafn yn erbyn ein gilydd.

'Mae 'na waith papur dwi angen ei wneud efo chi,' meddai'r nyrs. 'Ond mi geith o aros, os nad ydych chi'n barod.'

'Na, mae'n iawn,' dywedais. 'Be ydy o?'

Dechreuodd y nyrs esbonio, ond do'n i ddim yn gwrando. Arwyddais y cwbl heb ddarllen gair.

Paid byth ag arwyddo dim byd heb ei ddarllen o gynta – dyna fyddai Dad yn ei ddweud o hyd.

'Gawn ni fynd i'w gweld hi?'

'Wrth gwrs,' atebodd y nyrs.

Roedd y llenni ar gau o gwmpas gwely Mam, a'r tawelwch yn drwm. Roedd hi wedi bod yn brwydro'n swnllyd am bob anadl; bellach, doedd dim anadl, dim sŵn. Gorweddai ar ei chefn gyda'i cheg ar agor, yn yr un safle ag y buodd hi pan oedd hi wedi bod yn brwydro mor galed i aros yn fyw. Plannais un sws olaf ar ei thalcen.

'Nos dawch, Mam,' sibrydais.

Wrth ymyl ei gwely roedd ei phethau bach i gyd – ei brwsh dannedd, siampŵ, potel o hylif croen. Roedd rhywun wedi brysio i glirio ei phethau, ac wedi symud fas o flodau o'r cwpwrdd bach a'i gosod ar y gwresogydd. Blodau i'r ferch yn y gwresogydd, meddyliais. Roedd o'n berffaith.

Gadawon ni'r poteli heb eu hagor i'r cleifion, a ffarwelio â'r ysbyty am y tro olaf.

Ar ôl mynd adref, ffoniais Anti Ellen yn Iwerddon. Wylodd hithau, a dweud mai dyma oedd orau mewn gwirionedd, a gofynnodd i mi adael iddi wybod pryd fyddai'r angladd er mwyn iddi ddod draw.

Y diwrnod wedyn, dechreuais edrych drwy bapurau preifat Mam. Teimlwn 'mod i'n busnesu; ei phethau hi oedd y rhain. Ond roedd yn rhaid i rywun wneud hyn. Cefais gopi o'i hewyllys, oedd yn gadael ei thlysau i gyd i Rebecca, ac ychydig o arian i Daniel. Gadawodd y tŷ i mi.

Sefais yno yn edrych o'm cwmpas. Mae rhywun yn hel gymaint o stwff yn ystod ei fywyd. Roedd rhywbeth i fy atgoffa o Mam ym mhob cornel o'r tŷ; ornament neu lun neu lyfr. Rydyn ni'n gadael ffasiwn hoel pan 'dan ni'n mynd.

O fewn wythnos, roedd pawb roedd angen iddyn nhw wybod yn gwybod bod Mam wedi mynd, a'r holl waith papur a'r gwaith cyfreithiol wedi ei wneud. Roedd bywyd Mam ar ben yn swyddogol.

Roedd yr angladd yr wythnos wedyn mewn amlosgfa yn Coventry, ac, am ddeg o'r gloch ar fore llwyd ym mis Tachwedd, daeth pawb ynghyd i dalu teyrnged i Mam. Daeth Rebecca a Daniel a merched Heather, oedd heb gwrdd â Mam erioed ond a ddaeth i ddangos cefnogaeth i mi, chwarae teg iddyn nhw. Daeth fy hen ffrindiau gyda'u gwragedd, a daeth teulu Mam o Ddulyn.

Roedd o'n ffarwél digon tawel, ond dwi'n meddwl y byddai Dad wedi bod yn hapus.

Gwasanaeth tawel oedd o, ac unwaith iddo orffen, camodd pawb allan i hel atgofion yn y glaw mân.

Roedd rhes o flodau a thorchau yn ymyl wal wrth y capel, a darllenais bob cerdyn yn ei dro. Roedd un gan Steve, o gartref olaf Mam; doedd hi ond wedi bod efo fo am bedwar diwrnod, ond roedd o'n dal wedi mynd i'r drafferth. Biti nad oedd hi wedi bod dan ei ofal o o'r cychwyn.

Roedd y te angladd yn ein tŷ ni yn Nuneaton, a daeth rhai o'r galarwyr yn ôl. Erbyn y nos, roedd pawb wedi mynd, a'r angladd drosodd.

Y bore Sadwrn canlynol, arhosodd Heather a minnau am yr ymgymerwr ym mynwent St. Paul's yn Holbrooks. Dim ond ni oedd yno.

Efallai fod hyn yn hollol anaddas, ond dwi am adrodd y stori yma. Mae'n rhaid i mi, a dweud y gwir, gan ei bod hi'n esbonio pam fod llwch Dad wedi cael ei gadw dan y bwrdd yn ein tŷ ni, a pham nad oedd o wedi cael ei gladdu tan rŵan.

Un dydd, wythnos cyn iddo farw, galwodd Dad ar Mam a fi i eistedd efo fo yn y tŷ haul. 'Pan dwi'n marw,' meddai, 'dwi am i chi fynd â fi adre.'

Ganed Dad yn Nulyn yn 1921, ac roedd o wedi marw yn Coventry yn 2002; roedd o'n 81, ac wedi byw yn Coventry ers ei fod o'n 30 oed. Ond Iwerddon oedd adref yn dal i fod. Felly ar y pnawn hwnnw ym mis Tachwedd, roedden ni'n siŵr mai am Ddulyn roedd o'n sôn.

'O, paid â deud petha fel'na, Benny!' ebychodd Mam. 'Ti'n gwybod ei fod o'n f'ypsetio i!'

'Ond Rose,' atebodd Dad, 'mae angen dweud y pethau yma. Dim ond ffaith ydy hi, dyna i gyd. Dwi isio mynd adre ar ôl i mi fynd. Gaddo i fi, Rose.'

Rhoddodd Mam ei gair iddo a newid y pwnc. Doedd ganddi ddim bwriad i'w gladdu yn unlle y tu allan i Coventry, ond doedd hi ddim am drafod marwolaeth chwaith, felly cytunodd ag unrhyw beth i gau ei geg o. Ro'n i'n nabod ffyrdd bach Mam, ond roedd Dad yn eu nabod nhw hefyd.

'Dwi'n golygu hyn,' meddai Dad. 'Martin, rwyt ti'n dyst i hyn. Ti'n rhoi dy air, yn dwyt?'

Rhoddais fy ngair, ac roedd Dad yn hapus o'r diwedd.

Pan fu Dad farw, atgoffais Mam o'n haddewid ni iddo, a threfnu sedd ar awyren i Ddulyn iddi. Fedrwn i ddim cael amser yn rhydd o'r gwaith, felly roedd yn rhaid iddi fynd ar ei phen ei hun.

'Mi gewch chi dreulio 'chydig wythnosau efo Anti Ellen,' dywedais. 'Ewch i wasgaru llwch Dad, a chael gwyliau bach. Mi wneith les i chi!'

'Syniad da,' cytunodd Mam.

Ychydig ddyddiau'n ddiweddarach, i ffwrdd â ni i faes awyr Birmingham. Roedd Dad mewn bocs bach sgwâr, gyda phlac bach metel ar y caead – wedi cael ei amlosgi yr oedd o, wrth reswm – ac roedd Mam yn bwriadu mynd â fo ar yr awyren yn ei bag llaw. Roedd y bocs mewn bag plastig Sainsbury's, a rhag ofn iddo dynnu gormod o sylw a tharfu ar y teithwyr eraill, roedd hi wedi rhoi llwyth o foron ar ei ben.

'Biti dy fod ti ddim yn gallu dod,' meddai, gan roi sws i mi wrth y giât.

'Ia, ynde,' dywedais. 'Mwynhewch. Ffoniwch pan 'dach chi'n cyrraedd.'

Gyrrais adref o'r maes awyr ac aros am yr alwad i ddweud ei bod hi wedi cyrraedd. Dim ond 40 munud oedd hyd y daith, ac roedd gen i syniad go lew pryd i ddisgwyl ei galwad.

Canodd y ffôn. Mam oedd yna, ond roedd hi yn ei dagrau.

'O Martin! Fedra i ddim dod o hyd i dy dad!'

'Wel, dydy o ddim wedi mynd yn bell, na'di?' chwarddais.

'Paid â gwamalu!' meddai. 'Dwi'n torri 'nghalon!'

'Sut wnaethoch chi ei golli fo?!'

'Dwi ddim yn gwybod!' meddai Mam. 'Roedd o yna un funud, ac wedi mynd y funud nesa! Lle mae o?'

'Ydy Anti Ellen efo chi?' gofynnais.

'Yndi.'

'Ga i siarad efo hi, Mam?'

'Helô Martin. Dy Anti Ellen sy 'ma.'

'Helô Anti Ellen.'

'O Martin, be yn enw Duw ma' hi wedi'i wneud rŵan?' gofynnodd fy modryb.

'Dwn i ddim!'

'Wyt ti'n siŵr ei bod hi wedi mynd â dy dad ar yr awyren 'na, Martin?'

'Roedd o efo hi wrth y giât yn y maes awyr.'

'Wnei di ffonio'r maes awyr i weld oes 'na rywun wedi dod o hyd iddo fo?' Swniai fel petai 'nhad yn fyw ac wedi dechrau mynd i'r arfer o grwydro.

'Iawn,' cytunais. 'Ewch yn ôl i'r tŷ ac mi ro i ganiad i chi.'

'Reit-o.'

Gorffennwyd yr alwad.

I mewn â fi i'r car a gyrru'n ôl i'r maes awyr. Dechreuais gyda'r adran ddiogelwch.

'Oes 'na rywun wedi dod o hyd i lwch person a bag o foron?' gofynnais.

'Ym, mi a' i i edrych,' meddai'r dyn.

Sibrydodd i mewn i'w radio bach, a chlustfeinio ar yr ateb.

'Wel oes, a dweud y gwir,' dywedodd wrtha i wedyn. 'Maen nhw yn swyddfa'r bòs.' Rhoddodd gyfarwyddiadau i mi.

Ar ôl cael y moron a'r llwch, gyrrais adref a ffonio Anti Ellen.

'Am newyddion da!' meddai Anti Ellen. 'Lle oedd o?'

'Mae'n rhaid fod rhywun wedi dod o hyd iddo fo.'

'Yn adran y pethau coll oedd o?'

'Na, roedd o gan y tîm diogelwch,' atebais.

'Diolch byth am hynny.'

Arhosodd Mam gyda'i chwaer am bythefnos, a rhywsut, wnaethon ni ddim trio gwneud y trip eto – dechreuodd Mam ei brwydr efo Alzheimer yn fuan wedyn. Am bum mlynedd, roedd Dad wedi byw dan y bwrdd ffôn yn y tŷ. Penderfynon ni gladdu llwch Mam a Dad efo'i gilydd. Ro'n i'n torri 'ngair i Dad, ond gwyddwn y byddai'n well ganddo fod yma, efo Mam.

Cyrhaeddodd fan yr ymgymerwr.

Camodd allan gan ddal y bocs o lwch Mam. Cerddodd y tri ohonon ni'n araf at y bedd agored.

'Ydach chi am ddweud ambell air?' gofynnodd yr ymgymerwr.

Ysgydwais fy mhen.

'Ydach chi am i mi ddweud gweddi fach?'

'Plis,' atebais. Roedd fy llais yn crynu.

Rhoddais y ddau focs o lwch ochr yn ochr yn y bedd wrth i'r

ymgymerwr ddarllen o'r Beibl, ac ar ôl gorffen, dywedodd, 'Mi ro i lonydd i chi rŵan.'

Safodd Heather a minnau uwch y bedd. Edrychais i lawr ar y ddau blac oedd ar y bocsys bach pren.

BERNARD SLEVIN
GANED 21/6/1921
BU FARW 15/11/2002

ROSE MARY SLEVIN
GANED 8/9/1925
BU FARW 15/11/2007

Craffais ar y dyddiadau. Doeddwn i heb sylwi o'r blaen, ond bu farw Mam yn union bum mlynedd ar ôl Dad. Efallai mai aros am y dyddiad roedd hi: efallai mai dyna pam y gwnaeth hi frwydro cyhyd.

Sefais wrth y bedd yn meddwl am Mam. Am yr ŵydd Nadolig a Michael a'r band Gwyddelig. Am y ffrindiau a wnaeth ar hyd y siwrnai unig: Capten John, a Joyce, a'r ddynes chwibanu, a'r dyn yn y macintosh llwyd.

Meddyliais am y llythyron ro'n i wedi'u sgwennu iddi. Am ein coeden Nadolig. Am Bruno.

Ac yna, dychmygais y ferch fach yn sefyll yno wrth y bedd. Roedd hi tua chwe blwydd oed mewn ffrog binc gyda rhuban yn ei gwallt. Gwenodd arna i. Dacw hi, Rose fach, a holl ddiniweidrwydd plentyndod yn ei hwyneb.

Gwenodd eto, cyn troi ei phen a sgipio i ffwrdd.

Roedd y Ferch Fach yn y Gwresogydd yn rhydd o'r diwedd.

Gair i Gloi

Dyna ni; Dyna fy stori – neu stori Mam, i fod yn fanwl gywir.

Stori wir un ddynes annwyl, ddigri o Iwerddon a'i brwydr gydag afiechyd a ddygodd bopeth oddi arni. Os ydy pobl yn marw o ganser, maen nhw'n aros yn nhw'u hunain hyd y diwedd un; eu harferion, eu personoliaeth, eu cymeriad. Mae popeth yn cael ei erydu gan glefyd Alzheimer.

Ar hyn o bryd, mae 50 miliwn o bobl yn y byd â dementia, ac mae'r nifer yn cynyddu bob blwyddyn. Os oes gan bob un o'r rheiny, dyweder, bedwar o ofalwyr, mae 'na fwy na 200 miliwn o bobl yn cael eu heffeithio'n uniongyrchol gan afiechyd nad oes llawer iawn yn cael ei wneud yn ei gylch o.

Os ydych chi'n un o'r gofalwyr yma, dyma 'nghyngor i.

Cofiwch, waeth beth maen nhw'n ei ddweud neu'n ei wneud, fod 'na reswm y tu ôl iddo. Fel y ferch yn y gwresogydd. Roedd hi'n ceisio esbonio'r afiechyd i'r byd drwy greu'r ferch fach yna. Clodd fi allan o'r tŷ am ei bod hi'n teimlo'n ansicr. Pan adroddai straeon am longau'n suddo, roedd hi'n dweud wrtha i beth roedd hi wedi bod yn ei wylio ar y teledu'r diwrnod hwnnw. Roedd y llawr gwyrdd yn disgrifio cartref ei phlentyndod, a weindiodd ei meddwl fel casét, yr holl ffordd yn ôl at ei phlentyndod.

Felly ceisiwch ddeall, a hyd yn oed pan ydych chi'n fyr eich amynedd, ceisiwch weld yr hiwmor.

Efallai y bydd hi'n anos delio gyda phethau ar ddechrau'r afiechyd. Ychydig ar ôl cael diagnosis, efallai y bydd y claf yn isel ei ysbryd ac yn anhapus. Erbyn y diwedd, dydyn nhw ddim yn gwybod eu bod nhw'n sâl. Bydd rhaid i chi ymdopi â'r eithafion yma.

Mae 'na gymdeithasau Alzheimer ym mhob man bellach, a ble bynnag ydych chi, mae help ar gael. Ewch i chwilio amdanyn nhw, a chofiwch dderbyn unrhyw gymorth. Dydych chi ddim ar eich pen eich hun. Wyddwn i ddim am hyn pan o'n i'n gofalu am Mam. Ond gan i chi ddarllen y llyfr yma, rydych chithau'n gwybod.

Y peth gorau y gallwch ei wneud ydy parhau i'w caru nhw. Efallai y cewch chi glywed am bethau nad oeddech chi'n gwybod amdanyn nhw o'r blaen, ac y bydd rhannau o hanes eich teulu yn cael eu datgelu. Ceisiwch gynnwys holl aelodau'r teulu yn y cynllun gofal er mwyn rhannu'r cyfrifoldeb. Cofiwch fod angen hoe arnoch chi weithiau. Cysylltwch â'r gwasanaethau cymdeithasol.

Daw'r dydd pan fydd popeth yn ormod i chi, a bydd hynny'n brifo. Efallai y bydd eich patrymau gweithio'n newid. Efallai fod angen i chi fod oddi cartref am gyfnodau. Efallai na fyddwch chi'n gallu ymdopi fel gofalwr mwyach, a does dim cywilydd mewn cyfaddef hyn. Bydd y we, a'r gwasanaethau cymdeithasol, yn cynnig rhestr o gartrefi gofal i chi. Byddwch chi eisiau dewis rhywle sy'n agos at eich cartref. Ewch i'w gweld nhw, a chofiwch holi am eu costau, a pha help sydd ar gael i dalu'r costau hynny. Nid yw pob cartref yr un fath – dewiswch yn ofalus. Ydyn nhw'n gysurus? Ydyn nhw'n gweini prydau bwyd? Sut bobl ydy'r cleifion? Fydd yno ffrindiau i'r un 'dach chi yn ei garu? Sut mae'r staff yn trin y cleifion? A oes gwasanaethau trin gwallt a golchi dillad, a gwasanaethau meddygol? Ydy'r lle yn lân ac yn daclus? Peidiwch ag ofni gofyn cwestiynau cyn symud rhywun sy'n annwyl i chi i gartref gofal.

Wrth i garped Alzheimer rolio am yn ôl, efallai y byddan nhw'n anghofio pwy ydych chi. Roedd Mam yn meddwl mai Wendy oedd Heather o'r dechrau un, ac roedd hi'n sicr mai fi oedd ei brawd – tan y diwedd, pan doedd hi ddim yn f'adnabod i o gwbl. Mae hynny'n dorcalonnus. Mae'n teimlo fel petai dim byd o'r gorffennol yn cyfri. Ond does dim ots am hynny. Yr unig beth sy'n bwysig ydy eich bod chi'n dal i'w caru nhw, a'u bod nhw'n eich caru chi, er bod hynny'n dod o le dwfn ac anghofiedig. Atgoffwch nhw o'r amseroedd da: mae'ch cof chi'n ddigon mawr i'r ddau ohonoch chi.

Pob bendith a phob lwc,

Martin Slevin.

Rose a Bernard Slevin, Mam a Dad
Heddwch i'w llwch

Alzheimer's Society Cymru
16 Rhodfa Columbus
Glanfa Iwerydd
Caerdydd CF10 4BY
Ffôn: 02920 480593
Llinell gymorth: 0300 222 1122
Gwefan: www.alzheimers.org.uk/about-us/wales

Alzheimer's Society
43–44 Crutched Friars
Llundain
EC3N 2AE
Ffôn: 0330 333 0804
Llinell gymorth: 0300 222 1122
Gwefan: www.alzheimers.org.uk

Alzheimer Scotland – Action on Dementia
Ffôn: 0131 243 1453
Llinell gymorth: 0808 808 3000
E-bost: info@alzscot.org
Gwefan: www.alzscot.org

CENT 11/07/19